ºfecho

O fecho
SLOANE CROSLEY

tradução
Ana Rodrigues

Título original
The Clasp

Copyright © 2015 *by* Sloane Crosley

Todos os direitos reservados.

Direitos para a língua portuguesa reservados
com exclusividade para o Brasil à
EDITORA ROCCO LTDA.
Av. Presidente Wilson, 231 – 8º andar
20030-021 – Rio de Janeiro – RJ
Tel.: (21) 3525-2000 – Fax: (21) 3525-2001
rocco@rocco.com.br
www.rocco.com.br

Printed in Brazil/Impresso no Brasil

CIP-Brasil. Catalogação na fonte.
Sindicato Nacional dos Editores de Livros, RJ.

C958f	Crosley, Sloane
	O fecho / Sloane Crosley; tradução de Ana Rodrigues. – 1ª ed. – Rio de Janeiro: Rocco, 2019.
	Tradução de: The Clasp
	ISBN 978-85-325-3148-3
	ISBN 978-85-8122-774-0 (e-book)
	1. Ficção americana. I. Rodrigues, Ana. II. Título.
19-58026	CDD-813
	CDU-82-3(73)

Vanessa Mafra Xavier Salgado – Bibliotecária – CRB-7/6644
Este livro obedece às normas do Acordo Ortográfico da Língua Portuguesa

Para L – Eu descobri.

Fossem meus os tecidos bordados dos céus,
Ornamentados com luz dourada e prateada,
Os azuis e negros e pálidos tecidos
Da noite, da luz e da meia-luz,
Os estenderia sob os teus pés.
Mas eu, sendo pobre, tenho apenas os meus sonhos.
Eu estendi meus sonhos sob os teus pés
Caminha suavemente, pois caminhas sobre meus sonhos.
– W. B. Yeats, *Aedh Wishes for the Cloths of Heaven*
("Aedh deseja os tecidos do céu")

"Qual é o problema?"
– Guy de Maupassant, "O colar"

Prelúdio

A princípio, eles observaram a chuva de dentro da tenda, depois a viram entrar na tenda. Uma trilha de pedras se estendia da casa até a praia. Quando os ônibus de traslado chegaram, as pedras estavam opacas. Agora, estavam transparentes, molhadas de um jeito que tornava difícil imaginar que algum dia voltariam a ficar secas. Um relâmpago atingiu a superfície do oceano e uma cortina de vento quente soprou aos pés deles, empurrando em fileira pétalas soltas do buquê. Victor recuou um passo. Aqueles eram os únicos sapatos elegantes que tinha.

Victor nunca estivera em uma ilha particular antes, o que não era nada chocante. Mas ele também nunca estivera na Flórida, o que era um pouco chocante. É verdade, Victor era uma pessoa pouco viajada. Mas ainda assim: Disney World, Spring Break, Casa dos Avós dos Outros. A Flórida simplesmente escorregara por entre as brechas da vida adulta, como um idioma ouvido tarde demais. Ele tinha a impressão de que a chuva ali costumava ser intensa, mas breve, o oposto de, digamos, Seattle (um lugar que ele também não conhecia). Mas aquilo? Aquilo era como uma monção. Os paletós dos padrinhos já haviam sido tirados. As mulheres foram diminuindo de altura no decorrer da noite. Todos estavam de porre. Que horas eram, dez da noite? Cedo demais para estar bêbado na vida real, mas na hora exata quando se tratava do casamento de

Caroline Markson. Ele a ouviu tagarelar a distância, virou-se de frente para o oceano e deixou a mente divagar.

Sentia-se incerto em relação ao ambiente. A Flórida, ou melhor, o trecho do estado que vira do aeroporto – elevados e condomínios, lojas de bebida Sunrise Liquor e franquias de consultórios odontológicos, agências bancárias cercadas por pequenas palmeiras ameaçadoras –, estava tentando fazê-lo pensar que se tratava de um lugar real. Um lugar onde pessoas reais usavam ônibus escolares e compravam papel-toalha no atacado. Bastou os companheiros de mesa de Victor darem uma olhada na pele dele de quem havia sido criado à base de chowder, a sopa de frutos do mar típica da Nova Inglaterra, para logo começarem a contar histórias de feiras de arte e literatura, a falar que esse ou aquele country club era muito "Antiga Flórida". Mas Victor conhecia o que era realmente antigo; crescera em Massachusetts, terra do mais antigo estádio de beisebol dos Estados Unidos, de leis rigorosas, e da mais famosa corrida de cavalos. Em comparação, a Flórida fora recentemente colonizada. Até mesmo as pessoas velhas ali pareciam novas. Os pais de Victor estavam na casa dos sessenta anos, mas sessenta de verdade. Não os falsos quarenta. A mãe dele, professora substituta, já não subia mais escadas e era muito atenta aos sintomas da doença de Raynaud, que afetava a circulação nas extremidades do corpo. O pai, topógrafo, dera a Victor uma nota de cem dólares e uma garrafa de calda de chocolate quando o filho se mudara para Park Slope, Nova York, com Nathaniel, depois da formatura.

Isso fora antes de Nathaniel ir para Los Angeles, antes de ele trocar suas aspirações literárias pela redação de diálogos de classe média. Agora Victor morava sozinho em uma quitinete em Sunset Park, ainda em Nova York.

– Acho que você roubou minhas bolas.

Victor tinha voltado a se sentar para avaliar o estrago em seus sapatos e encontrara um homem de pescoço grosso agarrando um pãozinho como se tivesse acabado de arrancá-lo do peito aberto de um búfalo. O homem apontou para um prato com bolinhas de manteiga.

– Ah, é verdade. Desculpe. Peguei as da esquerda. Pode ficar com as minhas.

– Acho que essa tem alecrim, e essa outra tem sal rosa do Himalaia.

– Parece bom.

– Detesto alecrim.

Caroline distribuíra o restante dos colegas de faculdade ao redor de uma mesa que ficava bem em frente à pista de dança. Victor sentiu-se momentaneamente animado com a ideia de que aquele havia sido um ato de fé, sugerindo que ele era inofensivo – mais do que isso, encantador – quando forçado ao convívio com estranhos. Infelizmente, essa impressão ilusória foi logo desmentida por ele saber que aquela havia sido uma atitude condescendente: Caroline sentiu-se obrigada a convidá-lo. Ele não poderia ser o único a ser deixado de fora. Em um ato inapropriado de retaliação, Victor não tocara no prato principal. Isso o colocou em um impasse com a equipe do bufê, que, também em uma retaliação inapropriada, ainda não retirara o prato que estava diante dele.

De sua localização privilegiada, Victor podia ver Nathaniel sussurrando no ouvido de Kezia. Sua linha do maxilar havia se tornado estranhamente definida nos últimos anos. Essa constatação fez com que Victor tocasse o próprio maxilar, para ver se essa parte do corpo era daquele jeito, como uma entidade separada, em todo mundo. Atualmente Nathaniel também estava se vestindo melhor. Almofadinha. Essa era a palavra, não era? Paspalho. Essa era a outra palavra. O amigo se tornara as duas coisas. Os dois mal se falavam no momento, o que forçava Victor a fazer uma escolha: agir como uma garotinha carente ou ignorar a situação. Ele escolheu a última opção, mas naquele exato instante, havia algo atrapalhando o caminho desse desprezo.

A boca de Kezia estava tão perto da de Nathaniel que, caso ela se virasse, os lábios dos dois se tocariam. A cabeça dela estava inclinada, o queixo abaixado, escutando encantada. Ela brincava com um garfo na mesa, como se precisasse se concentrar no talher para não cair da cadeira.

– Resolveu não usar smoking?

O homem de pescoço grosso mastigava com a boca aberta.

– Não poderia pagar por um.

– Todo jovem que se preza deve ter um smoking.

– Bem – Victor levantou o copo –, isso explica por que não tenho um.

– Onde você disse que mora em Nova York?

– No Brooklyn.

– Brooklyn Heights é legal.

– É mesmo.

– E como você conheceu a noiva?

– Estudamos juntos na faculdade. Todo o nosso grupo. – Victor gesticulou ao redor da tenda, embora não soubesse bem onde estavam todos.

Kezia e Nathaniel se levantaram. O garfo ficou para trás.

– Ah, então vocês se conhecem desde bebês.

Uma vívida lembrança: a noite, no primeiro ano de faculdade, em que havia conseguido levar Caroline Markson para o dormitório dele. Quando Victor estendeu a mão para o meio das pernas dela, Caroline saltou da cama, se inclinou sobre o próprio corpo como um babuíno e mostrou a ele a cordinha do absorvente interno que usava. Prova de como era pudica. Ainda assim, Victor desejou que seus colegas de quarto tivessem sido mais conscienciosos. Ele não levava muitas garotas para lá. Não era um cara atraente e sabia disso. Era magro e encurvado. O rosto lembrava o de um cavalo, mas sem a dignidade que poderia ser associada a isso, a pele era bronzeada, mas não mediterrânea. No entanto, em duas ocasiões diferentes, lhe disseram que se parecia com Adrien Brody, o ator de rosto comprido.

— E você e Caroline frequentaram uma universidade mista?

— Eu... sim, frequentamos.

— Ginny, minha esposa, cursou uma dessas glorificadas comunidades de lésbicas. Uma dessas universidades só para garotas que deveriam ter se tornado mistas, mas não se tornaram. O lugar está praticamente falido. Sempre com alguma instrutora de ioga de quinta categoria na capa da revista dos ex-alunos.

Victor ouviu o melhor que pôde. Normalmente aceitava bem ser o receptáculo daquele tipo de resmungos. Era como alimentar um parasita que, na verdade, nunca sentia fome, um parasita que sentia certo desprezo pelos ricos, um verme socialista em sua barriga que petiscava bocados de "umidores" para charuto e "retiros de meditação". Mas tudo tem limite.

— Com licença. — Ele deixou o guardanapo sobre a cadeira. — Vou dar uma olhada na tempestade.

— Não consegue vê-la daqui?

— Preciso de um novo desse aqui. — Victor empurrou os óculos para cima do nariz, por cima da curva que o obrigava a repetir sempre o mesmo gesto.

O homem ajustou uma das abotoaduras, provocando um reflexo sobrenatural nos copos de vinho. Ginny se materializou atrás deles, toda sorriso e decote, repreendendo de brincadeira o marido por "manter esse jovem em cativeiro".

— Prazer em conhecê-lo — disse ela a Victor, embora eles não tivessem sido apresentados.

Enquanto se espremia para passar pelos convidados, na direção da beira da tenda, Victor viu Olivia Arellano parada sob a luz de um lampião que piscava. Deus, Olivia Arellano. Ele pensou mesmo ter visto de relance a cabeça dela durante a cerimônia. Curtida em rum e veneno, Olivia estava exatamente com a mesma aparência toda vez que Victor a vira ao longo da última década, sempre vestindo o mesmo uniforme de Olivia. Como Kezia comentara com astúcia certa vez: "Sabemos que Olivia possui vinte suéteres pretos como alternativa a um suéter preto que usa sempre." A última vez que Victor ouviu falar no nome de Olivia tinha sido um ano antes, quando Paul Stephenson e Grey Kelly (guardiões do ideal universitário, recém-casados, principais responsáveis por bater os tambores da rede de informações dos ex-alunos) organizaram uma reunião porque já "fazia muito tempo".

"Galera", era assim que começava o e-mail de Paul, "já faz muuuuuito teeeempo."

Quem pode dizer? Quem decide isso? E que hétero usa tantas vogais?

O e-mail também era assinado por Grey, como se ela tivesse digitado o próprio nome. Eles pareciam crianças revezando suas falas no recado de uma secretária eletrônica, a camaradagem do convite apenas levemente abalada por um bloco de texto declarando o conteúdo da mensagem "correspondência bancária confidencial sujeita às regras e condições, incluindo ofertas para compra ou venda de seguros, precisão da informação, vírus e privilégios legais".

Victor evitou o bar.

Ele nunca tinha conseguido compreender como uma garota como Olivia Arellano soubera de uma minúscula faculdade de artes liberais na Nova Inglaterra, quanto mais como havia se candidatado a ela, ou mesmo como sequer já havia ouvido falar da Nova Inglaterra. Ele e Olivia jamais foram próximos e jamais seriam. Mesmo assim, ela estava ligada a ele. Olivia Arellano fora a primeira pessoa que Victor conheceu. Ela iniciou uma conversa com ele, enquanto os dois esperavam no departamento de segurança do campus pelas chaves dos respectivos quartos. Recém-saída de um avião vindo de Caracas, Olivia carregava uma mala de couro que parecia conter ossos humanos e fez perguntas como "Acha que os próximos anos serão *estimulantes*, ou que vamos compará-los à cadeia?".

Victor não tinha ideia do que a garota estava falando, mas os seios dela chegavam quase ao pescoço.

Olivia era uma propaganda enganosa de como seriam as mulheres na faculdade, e uma propaganda enganosa de si mesma também. Ela o estava examinando, enchendo-o de perguntas não para ser amiga dele, mas para determinar se Victor era como ela, *sofisticado*. Não era. Ele acabara de sair de uma casa com lâminas de alumínio na lateral, em Sudbury. Não tinha passaporte. Os casacos que usava eram da North Face, as caixas onde guardava suas coisas vinham da Bed, Bath & Beyond, e a mãe de Victor era fã de *Law & Order: SVU*.

Eles receberam as respectivas chaves e seguiram para extremidades separadas do campus. Victor observou Olivia subir por um dos tantos caminhos que logo se tornariam tão familiares para ele quanto as veias nas costas de sua própria mão.

Mesmo agora, uma década mais tarde, Victor conseguia se lembrar daquela sensação tão característica do primeiro ano de faculdade. Como se ele fosse conhecer aquela garota pelo resto da vida, mas também como se nunca mais fosse vê-la de novo. No fim, ambas as afirmações estavam certas. Aquela conversa fora a mais longa que ele teria com Olivia por um ano inteiro. Ele a tinha visto, claro. Todo mundo via todo mundo. Mas Olivia saía com caras de fora do campus, e evitava qualquer homem que pudesse ser acessado via um ramal de quatro dígitos dentro da faculdade. Ela elegeu um alojamento alternativo, dormiu com professores, se recusou a comer no refeitório – tudo isso antes de se acalmar e assentar para o segundo ano. Metade da turma dela viajou para o exterior, mas Olivia ficou porque já estava no exterior. Ela se enfiou no círculo de amigos de Victor como uma bolha de mercúrio, foi absorvida pelas garotas – que pareceram enxergar alguma mágoa invisível a ser cuidada quando olharam para Olivia. Ou talvez tenham visto apenas mais um rosto bonito para se espremer nas fotos que tiravam.

Mas Victor não se importava de verdade com os motivos delas. Olivia Arellano nunca havia sido o principal objeto de seu afeto. Aquele título pertencia a outra pessoa. E, no último semestre de faculdade, nada daquilo importava. Àquela altura, Victor se permitia fantasiar com o rosto de Kezia apenas de perfil, nunca se premiando com uma visão direta. Àquela altura, ele deveria tê-la perdoado por ter rejeitado cruelmente seu amor. Não apenas perdoado... apagado. Perdoar era manter uma conversa com o passado. E eles não poderiam mais ter isso, poderiam? Becas e capelos já haviam sido encomendados, currículos enviados, chaves de caixas de correspondência devolvidas. Seria de péssimo gosto achar que a faculdade havia sido qualquer outra coisa que não o paraíso da chegada à vida adulta. Àquela altura, todos já estavam com um dos pés para fora da porta e Victor conseguira um passaporte com um solitário carimbo do Canadá no meio. Um avô falecera em Toronto.

PARTE UM

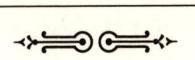

UM

Victor

—Ah, Deus – Nancy, a Temporária, balbuciou, assim que ouviu as más notícias –, lamento tanto que isso esteja acontecendo, Victor. Qual é o problema das pessoas?

Ela o abraçou com força. Victor permaneceu imóvel. Nancy era tão redonda quanto Victor era alto. A cena lembrava um coala abraçando um bambu. Seus cabelos eram curtos e cinza, também como um coala, e Victor tinha uma visão plena da curva da cabeça de Nancy. Os dois poderiam empatar em uma disputa pelo Mais Inadequado dos escritórios da *mostofit*.com, embora Nancy fosse acabar ganhando por um detalhe técnico: ela continuaria a trabalhar ali depois daquele dia, e Victor não.

– Falando sério. – Ela pressionou o rosto contra o peito dele. – Qual é o problema com a nossa sociedade? Esses jovens!

Nancy levantou a folha que anunciava a saída de Victor, amassando-a de modo que o sobrenome dele, Wexler, se colava ao primeiro nome, transformando-o em VictorWe. Infelizmente, ele não se sentia particularmente *victorioso* naquele dia... e também não gostou da ideia de ser colocado fora da categoria "jovem" por uma mulher de quarenta e tantos anos. Victor se encontrava na estranha posição de trabalhar em uma indústria que o fazia sentir mais velho do que era, enquanto morava em uma cidade que o fazia se sentir mais jovem do que era. Ou costumava trabalhar, melhor dizendo.

O *mostofit*, sétimo maior sistema de busca da internet, havia causado um impacto cultural quando a empresa foi fundada. Os principais investidores haviam insistido em um orçamento enorme para o marketing que, por razões que Victor não compreendia, não poderia ser realocado para a área de operações do site, propriamente dito. Além disso, os fundos tinham uma regra de "use-os ou perca-os", o que significava que a empresa se apressava em gastar dinheiro nas coisas erradas. Havia grandes investimentos em propaganda, nos anúncios em táxis, conteúdo patrocinado, outdoors, adesivos de carros, cintas em jornais e revistas, inserções em barras laterais de sites. Todos conheciam o site... ninguém o usava.

Até mesmo Victor sabia que não era culpa dele. Muito antes de se haver chegado a um consenso de que ele era o empregado mais caro da empresa (Victor havia começado como cientista de dados iniciante e terminado como cientista de dados de nível médio), havia rumores sobre "impressões" desapontadoras e "únicas" que soavam muito como Victor descreveria primeiros encontros amorosos. Exceto pelo fato de que se referiam aos 0,07 por cento de todas as buscas realizadas na internet, nos Estados Unidos, que a empresa poderia reivindicar para si. Isso significava que se todos os usuários do *mostofit* do país aparecessem juntos no escritório da empresa, ficaria apertado... mas ninguém sufocaria. O maior feito da empresa havia sido um esquete no programa *Saturday Night Live*, em que a equipe da *mostofit* era mostrada como um bando de vovós, folheando enciclopédias cada vez que um adolescente fera em tecnologia (interpretado por Justin Timberlake) procurava pornografia.

Victor já começara a se preparar para o pior. O que não poderia ter previsto era a divulgação de um comunicado interno, em uma folha de papel de verdade, anunciando a saída dele, como se fosse uma *boa* notícia.

Até mesmo para um bando de geniozinhos socialmente autistas, essa foi uma atitude bastante ofensiva.

— Não acho que isso tenha a ver com a sociedade, ou com as pessoas — explicou Victor a Nancy. — Acho que tem a ver com a empresa.

Ela afastou o nariz do pescoço dele por tempo o bastante para olhar para cima.

— Ora, do que acha que uma empresa é feita?

— Essa empresa? — Victor olhou para as planilhas presas na parede, gráficos e mapas que ele nunca soubera exatamente como ler. — Não sei bem.

O único talento de Victor havia sido catalogar dados digitais rotineiros, converter as informações originais e colocá-las em pilhas compatíveis com algoritmos. Ele era realmente bom nisso. Era bom em criar listas de todos os países com histórico de epidemia de malária, em rastrear a frequência com que as pessoas procuravam por sites pornô de fetiches, em restringir a amplitude de um dado de modo que o campo de busca do *mostofit* parecesse paranormal em sua precisão. Era um descobridor de informações que nunca haviam sido estruturadas para serem encontradas. Mesmo tendo crescido em um mundo pré-internet, Victor era incrível nesse tipo de coisa. Suas bibliografias eram mais extensas do que os documentos que entregava. Algumas pessoas pulavam logo para o fim de um livro, Victor pulava para o índice. Depois da faculdade, ele se candidatara a um mestrado em biblioteconomia na Pratt, antes de decidir que sua conta bancária estaria mais bem servida se ele se mudasse para a área de tecnologia. Infelizmente, coletar dados era onde os talentos de Victor terminavam e o restante da internet começava.

– É uma conspiração. Esse lugar vai direto para o inferno.

O telefone sobre a escrivaninha de Victor tocou. O som era como o de um telefone de consultório médico, aquele *trriiimm* animado e deslocado, a luz vermelha forte o bastante para indicar urgência e pequena o bastante para ser ignorada. Aquele aparelho tocava mais ou menos uma vez por ano e normalmente era engano. Naquele momento, provavelmente deveria ser da área de recursos humanos, para marcar uma entrevista de demissão. Algo na expressão soturna do olhar de Nancy disse a ele que ela rasgaria os pneus do carro de Victor se ele se movesse. Ele não tinha carro. Ela rasgaria o cartão do metrô dele.

– Bem, *eu vou* sentir saudades de você. – Nancy o libertou do abraço excessivamente apertado.

Victor não gostou do "pelo menos" que ouviu implícito na frase.

– Vejo você lá – disse Nancy, recompondo-se e afastando-se.

– DIRETO. PARA. O. INFERNO.

"Lá" era a sala de reuniões da *mostofit*.

Como se o comunicado interno já não fosse ruim o bastante, na sequência de sua dispensa houve um brinde sem precedentes na sala de reuniões. Foi como uma cerimônia de demissão. A mesa da sala estava cheia de frutas de piedade, champanhe de piedade e água Perrier de piedade. Victor enfiou um brownie seco na boca e usou o champanhe para ajudá-lo a engolir o doce. Então colocou uma fatia de melão em um guardanapo, voltou para a própria mesa e se forçou a ler todo o comunicado interno.

Usaram a mesma fonte e o modelo genérico que se usava para as boas notícias, e encerraram com "para liberação imediata", uma frase que se aplicava tanto à informação, de modo geral, quanto a Victor em específico. O comunicado falava sobre "a reestruturação isolada da marca sendo levada adiante", lamentava "a redundância de um cientista de dados fixo na empresa que não melhorou a desambiguação e a relevância de resultados" e, por fim, esperava que todos "desejassem o melhor a Victor e nas futuras empreitadas de seus talentos, fosse no campo das startups, ou em outra plataforma em algum outro lugar".

Outro lugar? Que outro lugar? Aquele era o único emprego que ele já tivera. Não tinha outros talentos. Na verdade, mal tinha aqueles talentos.

O que aconteceu foi: Victor estivera se desviando dos holofotes já havia alguns anos, cochilando nas reuniões e evitando os chefes. E teria continuado a não fazer nada se não tivesse sido um perfeito imbecil e chamado atenção para si. Mas Victor sabia que se algum dia quisesse seguir em frente, teria que fazer mais do que compilar dados. Por isso, ele surgiu com uma ideia novinha: um recurso que agregaria um máximo de dez resultados para cada busca. Se nenhum dos links correspondesse ao critério correto, o usuário ou usuária teria as seguintes opções, ao descer a página:

- Tente uma busca diferente (nesse caso, havia um link que levava de volta ao campo de busca)
- Procure em uma biblioteca (nesse caso, mostrava-se a localização da biblioteca pública mais próxima)
- Pare de persegui-lo/la (o que levava a um site de encontros patrocinado)

Victor vendeu sua ideia como sendo um mecanismo de busca dentro do mecanismo de busca, uma pequena porção de algoritmos com *personalidade*. Ele havia vendido bem seu peixe, cheio de acrônimos, e apesar de não ter pleno domínio sobre o que falava, conseguiu se imbuir de autoridade por cinco minutos ininterruptos.

— Então, isso substituiria o que temos agora? — perguntara um dos gerentes, os cotovelos pousados sobre a mesma mesa de reunião que logo estaria coberta de frutas de piedade.

— O quê? — Victor foi pego desprevenido. — Não disse isso.

— Então qual seria o objetivo?

Victor continuou a falar, um tanto abalado, mas procurando manter a pose. Então todos começaram a lhe fazer perguntas, querendo saber sobre métricas de links e conflitos com patrocinadores. Ele começou a ver linhas cintilantes diante dos olhos, versões menores das luzes fluorescentes acima. Alguém disse que talvez a ideia não colasse.

— Victor? Ouviu o que eu disse? — perguntou um bajulador nojento chamado Chad Chapman, que sabia que demonstrar uma séria preocupação com os fracos o faria parecer solidário. — Perguntei como uma plataforma como a que você está propondo se integraria aos planos da empresa para uma interface renovada.

Victor passara tanto tempo se esforçando para esconder a própria ignorância em relação aos assuntos da *mostofit* que, naquele momento, seus músculos pareceram cansar e ele se esqueceu de não perguntar coisas como:

— Estamos relançando a interface?

Agora Chad nem sequer precisou fingir preocupação. A pergunta revelou o equivalente a um ano de coma profissional. Victor não vinha lendo os e-mails internos que recebia. Ele não sabia como ler a maior parte dos e-mails. Não entrava em certos bancos de dados internos havia tanto tempo que esquecera a senha. Mas não havia como recuperar a senha. Seria como perguntar casualmente como apertar a descarga depois de seis anos.

— Está se referindo ao redesign?

— Sim — disse uma das vozes.

— E o que eu disse?

– Você falou relançamento.

Alguém desligara o ar-condicionado central?

– Victor, como seus planos funcionariam dentro das novidades do site?

A voz era identificável pela patente. Pertencia a Mark Epstein, o diretor de operações gente boa, com jeito de Clark Kent. Mark gastara o equivalente ao salário de um ano de um técnico iniciante remodelando a cozinha de sua casa de campo, mas ainda assim... era gente boa. E foi por isso que doeu ver Mark colocar a tampa na caneta e dizer:

– É uma ideia.

Haveria elogio pior do que um sem qualquer adjetivo? Você tem um rosto. É um suéter. Ele fez um trabalho.

Chad abriu um sorrisinho falso. Victor deixou escapar um arroto nervoso e sentiu um ligeiro gosto de vômito na boca. Na verdade, mais do que ligeiro. Ele podia sentir o cheiro. E viu que todos os outros também sentiram quando exalou. Até mesmo Mark Epstein, acostumado a ser convidado para dar palestras em escolas de negócio e a receber pequenos prêmios por defesa de causas humanitárias, pareceu enojado.

– Perdão – sussurrou Victor, abrindo com cuidado os lábios.

Mark tossiu.

– Acho melhor fazermos uma saída estratégica dessa reunião...

– Ótima ideia, Mark – comentou Chad.

Victor engoliu o mais silenciosamente possível.

E foi isso.

Ele saiu de fininho na tarde do próprio brinde e nunca mais voltou. Tecnicamente, Victor deveria ter devolvido o crachá. Era cobrada uma taxa de vinte dólares pelos crachás perdidos. Ele gostaria de ver o pessoal da empresa vindo atrás dele para cobrar... Victor foi para casa e prendeu o comunicado da empresa na porta da geladeira, bem ao lado do convite de casamento de Caroline Markson, dali a um mês. Foram necessários três ímãs para manter o convite aberto. O comunicado precisou de apenas um.

⋆⇒◉⇐⋆

Victor sabia que aquele era o começo de uma nova vida. E por mais sem graça que fosse a antiga, essa seria realmente feia. A empresa como um todo estava com problemas (quando seu objetivo como corporação é desbancar a versão seis vezes maior da sua corporação, é como se a pessoa estivesse oficialmente trabalhando nos bastidores de um filme de Christopher Guest). Mas ser o primeiro dispensado era humilhante. Sem a ajuda do horário de almoço determinado e das escalas de carona, Victor rapidamente perdeu o contato com vários colegas de trabalho de quem gostava. Ele não fazia nada o dia inteiro além de planejar fazer outras coisas. Preenchia fichas em sites de emprego com dados falsos, tirava sonecas e bebia desde cedo. Alguns dias, Victor só sabia que estava chovendo porque a correspondência estava molhada. Ele comia alimentos que poderiam sobreviver a ataques nucleares. *Olá, burrito congelado, velho camarada. Como senti saudade de ignorar sua sugestão de colocá--lo na potência máxima do micro-ondas por três minutos, virá-lo de lado, então colocá-lo novamente na potência alta por mais três minutos...*

Quando um e-mail ocasional de algum colega bisbilhoteiro chegava planando em sua caixa de entrada, como uma semente de dente-de-leão, Victor respondia com um otimista "Comigo está tudo ótimo. Espero que a empresa esteja lhe tratando bem!", e ignorava qualquer resposta posterior. Tinha muito pouco a falar com essas pessoas quando não estava tentando enfiar algoritmos neles goela abaixo.

Depois do afastamento dos colegas, veio o afastamento dos amigos. Victor não contara a ninguém que havia sido demitido. Essa era a única possibilidade de controle que lhe restara, o único sustentáculo de sua vida. Era facilmente dissuadido de qualquer plano. Ainda se forçava a mandar algumas mensagens perguntando "vai sair essa noite?", e se não recebesse resposta antes das dez da noite, deixava para lá. A noite para ele terminava ali. No entanto, por mais que detestasse sair de casa, também se recusava a receber as pessoas ali. Aquela casa subitamente se transformara no espaço sagrado de Victor, onde ele passava tantas horas sozinho, economizando papel higiênico porque suas horas primordiais no banheiro agora eram por sua própria conta.

Depois dos amigos, veio a família. Victor mandava e-mails para todos com a frequência necessária para deixar claro que estava vivo. Os pais faziam perguntas traiçoeiras do tipo "Como vai o trabalho, filho?", ou "Quando vamos vê-lo?". Ouvir a mãe deixar de lado as próprias queixas sobre o trabalho de professora substituta porque os dias dela "com certeza não são tão estressantes quanto os seus, querido" o matava por dentro. E o pai dizendo que havia colocado um novo adesivo da *mostofit*.com no carro? Era como abrir uma nova cova e matá-lo novamente.

Por fim, veio toda a humanidade. Victor estava se tornando um velho – excessivamente sensível ao trânsito, resmungando comentários depreciativos para pessoas que não estavam atentas o bastante para o gosto dele. Funcionários de escritórios eram campeões no que dizia respeito a caminhar pela rua, mas no meio do dia as calçadas estavam tomadas por representantes de vendas, turistas e babás. No entanto... dos judeus ortodoxos Victor gostava. Independentemente de religião ou de senso comum, eles andavam rápido, nunca tocavam ninguém e se certificavam de que ninguém os tocasse. Quando Victor se via obrigado a sair de casa, ficava observando casas de judeus ortodoxos com suas perucas, chapéus e sapatos práticos e sentia inveja. Não apenas eles eram caminhantes conscienciosos, como Victor poderia apostar que nunca se sentiam entediados com as próprias vidas. Sempre havia algo que podiam sacar do Antigo Testamento, algum tipo de significado. Podiam ser homossexuais reprimidos, ou babacas misóginos, ou apenas tediosos e banais, mas ao menos tinham uma razão para acordar pela manhã.

DOIS

Kezia

Paranoica com o trânsito, como sempre, ela se viu no portão de embarque do aeroporto às sete da manhã, uma hora adiantada. Não se aventurou muito além da área de espera: uma ida rápida ao banheiro, comprar uma revista, algumas perguntas inúteis sobre um upgrade para a classe executiva que ela não poderia pagar. Sabia que Victor pegaria um voo mais tarde, mas se perguntou se não acabaria esbarrando com Olivia Arellano ou com Sam Stein. Não era mais tão próxima de nenhum dos dois para saber. Ao tentar mandar uma mensagem para Olivia, um estranho respondera com "n° errado sinto muito". Kezia também não era muito próxima da noiva. Ela e Caroline haviam se tornado "amigas distantes", ou seja, não negavam o passado (como colegas de quarto quando calouras), mas eram estranhas no presente. E de quem era a culpa? De Kezia, provavelmente. Ela havia se livrado da faculdade como uma cobra se livra da pele antiga.

Já em Miami, Kezia seguiu o motorista enquanto ele empurrava um carrinho vazio na direção do estacionamento, usando uma placa de papel dobrada como uma luva térmica de cozinha. O nome na placa estava escrito completamente errado. MOYTRIN em vez de MORTON. O homem apertou o botão meio escondido que fazia acender a luz vermelha do semáforo, para que os pedestres pudessem atravessar. Era difícil acreditar que esses botões realmente funcionassem.

— Tem certeza de que não quer me dar isso? — O motorista gesticulou para a bolsa de viagem de Kezia.

A bolsa estava fazendo bastante peso no ombro dela, mas Kezia sabia que gastaria mais energia tirando-a dali do que segurando por mais um instante. Ela carregava ainda uma outra bolsa própria para vestidos, com várias opções penduradas no cabide plástico que havia dentro.

— Estou bem, obrigada.

As despesas com transportes eram tão negligenciadas pela chefe de Kezia, Rachel Simone, que todos os empregados abusavam daquele pequeno luxo. O mesmo jeito distraído que fazia Rachel olhar sem compreender para tarefas terminadas, como se ela não as houvesse determinado, também a fazia passar por cima de gastos feitos em cidades onde não estivera.

— O que a traz a Miami? — O motorista jogou a bagagem de Kezia na mala do carro.

— Apenas diversão.

Ela odiava quando estranhos perguntavam sobre seus planos. O pior eram os cabeleireiros que gritavam enquanto puxavam os cachos dela, perguntando sobre seus "grandes planos" para a noite. Quem os ensinara a fazer isso? Normalmente Kezia estava arrumando os cabelos para um primeiro encontro, e a pergunta a constrangia. Às vezes, ela tentava dar uma lição a eles respondendo "um funeral".

— O que quer dizer Kezia?

— Hein?

— O que quer dizer seu nome, "ki-zi-ah"?

— Na verdade é Kezia, com o "e" aberto, como em "férias".

— Sim, mas o que quer dizer?

— Ah — suspirou Kezia. — É da Bíblia. Depois que Deus tirou tudo de Jó, ele devolveu sua família e uma de suas novas filhas se chamava Kezia.

O motorista assentiu solenemente. Kezia sabia o que ele estava pensando. Mas ela não era do tipo religioso. Seu pais apenas gostavam do nome. O mais perto que já havia chegado de ouvir a Bíblia sendo mencionada em casa era quando algum outro objeto era "grande *como* uma Bíblia". Normalmente se referindo a um catálogo telefônico ou a um cardápio.

– Você come porco? – voltou a perguntar o motorista, depois que eles já estavam abrigados no ar-condicionado do carro.

– Ahn, sim.

Ela provavelmente era a pessoa com menos aparência judia saindo daquele terminal. Em termos demográficos, parecia ter acabado de sair de uma convenção de seres místicos celtas. Mas havia algo em sua aparência – a palidez, talvez, como se fosse uma Vandinha, da família Addams, de cabelos loiros encaracolados – que fazia com que as pessoas sempre lhe oferecessem opções de refeições vegetarianas e sem glúten, sem que Kezia pedisse.

– Conheço um lugar que tem os melhores sanduíches cubanos de Miami. Os melhores. E a preços razoáveis, também. Se gosta de boa comida, pode ir lá.

Não, detesto boa comida.

O motorista entregou o bilhete a uma mulher que estava no portão do estacionamento. Eles brincaram um com o outro e ela acenou para que passassem.

– Não quer anotar o endereço do lugar?

– Eu faria isso – disse Kezia –, mas meu celular está com defeito.

Ela apertou a espinha que havia aparecido em seu queixo, tão grande que tinha CEP próprio, e sentiu uma dor latejante. Podia vê-la no reflexo do rosto no vidro da janela. Era tão grande que alterava suas feições.

– Gosta de música ao vivo?

Outra coisa que odeio.

– Estou aqui para um casamento.

– Ah, não. – Ele balançou a cabeça. – Precisa ficar por mais tempo.

Kezia ficava impressionada como pessoas que costumavam compreender perfeitamente bem o conceito de uma viagem de trabalho – carregadores, motoristas, garçons – pareciam não entender nada sobre o grau de controle dela sobre o próprio tempo na cidade.

O celular de Kezia vibrou em seu bolso. O motorista ficou rígido e ela fingiu espanto diante da miraculosa recuperação do aparelho.

– Oi, Rachel.

Uma voz entrou pelo ouvido de Kezia, animada e fluida como se estivesse falando por horas e só agora Kezia estivesse ouvindo.

– Onde você está mesmo? Em Orlando, certo?

– Esse é o meu fim de semana do casamento, lembra?

– Onde estão as ordens de compra da Barneys? Venho aqui nos fins de semana e não consigo encontrar nada.

– Você vai ao escritório nos fins de semana?

– Vai se casar? – perguntou o motorista, me encarando pelo espelho retrovisor. – Conheço o melhor...

– Não. – Kezia gesticulou para o celular, em um gesto internacional para *O que é isso colado à minha orelha?*.

– Não, você não sabe onde estão as ordens de compra da primavera de 2014?

O buldogue inglês de Rachel, Saul, latiu ao fundo. Kezia detestava o cachorro com aquele ódio envergonhado, fervoroso e silencioso que costumava guardar para recém-nascidos histéricos.

– Se não estiverem na pasta, estão nas gavetas de metal, embaixo da mesa de Marcus.

– Marcus, o contador?
– Ele mesmo.
– Você tem namorado? – perguntou o motorista, em um tom abusado.
– Desculpe, *o quê*? – retrucou Kezia, irritada.
– Ah, estou te incomodando? – perguntou Rachel.
– Estou acompanhada por um tagarela no momento.
– Manda ele para o inferno. Precisa andar com essas pessoas como um cavalo se quiser chegar a algum lugar.
– Aham.
– Ah, meu Deus, acho que alguém colocou as ordens de compra da Barneys na pasta da Colette. É tão difícil assim decorar o alfabeto? E quem arquiva Bon Marché na letra M como se fosse uma pessoa? Ah, espere, estou olhando de cabeça para baixo. Agora tudo faz sentido. Deixa pra lá.
– Você deveria sair um pouco enquanto estiver em Miami – voltou a tentar o motorista –, arrumar um namorado, certo?
Uma lanterna chinesa em miniatura balançava sem parar sob o espelho retrovisor.
– Já mandou o homem para o inferno?
– Não nos cinco segundos que se passaram desde que você me sugeriu isso – sibilou Kezia.
– Acho que deveria – disse Rachel.
– Acho que deveria – disse o motorista.
– Saul, as lascas de tinta não! – gritou Rachel, e desligou o telefone.

◆━○━◆

Kezia suspirou e abriu uma garrafa d'água pequena. Então abaixou o vidro da janela do carro e sentiu o ar quente cair em seu colo.
– Miami-Dade – avisou o motorista ao despachante pelo rádio. – Código Quatro. Câmbio.

Código Quatro? Uma vaca que detesta música ao vivo?

– Mais quinze minutos até seu hotel.

– Obrigada – disse Kezia, com mais sinceridade do que dissera qualquer coisa até ali.

Era um pouco tarde para tentar consertar as coisas com o motorista melhorando o tom de voz. O homem estava apenas tentando ser simpático, fazer o trabalho dele, e ela sentia que estava sendo fria. Mas não conseguia evitar. Rachel a estava contaminando. Tempo demais trabalhando para aquela mulher ridícula e para a empresa que levava o nome dela haviam estendido ao máximo os gatilhos que acionavam a impaciência de Kezia. Ela se descobria cada vez menos capaz de retornar às gentilezas básicas no contato humano, pela mesma razão que não queria soltar a bolsa pesada. Afinal, da mesma forma que teria que pegar a bolsa novamente, também teria que voltar a ser impaciente.

A viagem para aquele casamento marcava a primeira vez que Kezia entrava em um avião por razões pessoais em anos. Conforme as pessoas que trabalhavam para a Rachel Simone Joalheria chegavam aos seus limites de tolerância e pediam demissão, Kezia se viu como a funcionária mais antiga. Ela fazia tudo. Era Kezia que ia às vendas por atacado de tarraxas de brincos em Nova Jersey, às mostras de pedras em Tucson, a JCK Show, a feira internacional dedicada a joalherias, em Las Vegas, onde o ar cheirava a desinfetante e a luz fria tornava impossível dizer que horas eram.

Não havia sido sempre daquele jeito. Depois da faculdade, Kezia tivera algumas aulas no Gemological Institute of America, de Gemologia, e conseguiu um emprego no departamento de gestão de qualidade de uma joalheria muito elegante. Mas em uma empresa como aquela, onde metade do salário da pessoa ia para um imposto velado de prestígio, qualquer tipo de ascensão profissional era política e impossível. Depois de três anos, Kezia deixara a empresa para ser um peixe maior no lago independente de Rachel. E ficara atolada no lodo daquele lago. Kezia não apenas sentia falta dos bônus da antiga empresa (eles também participavam da JFK, mas faziam parte da mostra de joalheria fina e de luxo, no hotel Wynn, onde tinham um estande cheio de orquídeas), como também sentia saudade de trabalhar com joias que tivessem pedras de verdade.

Rachel era uma designer de joias talentosa. Supostamente inspirados nas décadas de 1970 e 1980, os braceletes que criava eram feitos de opalina e canos de cimento recuperados, os anéis de coquetel – grandes e chamativos – eram cobertos com resina decorada e dentes de rato petrificados. Praticamente uma anã, Rachel usava calças que arrastavam no chão, coletes e, de vez em quando, uma gravata fina. Era o empenho no uso dessa estética *Noivo neurótico, noiva nervosa* generalizada que ajudava a tornar a linha de joias dela um sucesso. Porque, na verdade, muitas pessoas queriam viver em *Noivo neurótico, noiva nervosa*. Elas simplesmente não tinham a determinação necessária para manter a fantasia quando estavam a mais de dez metros de distância do filme. Infelizmente, Rachel também era Rachel.

Na véspera da partida de Kezia para a Flórida, a chefe entrara no elevador atrás dela. A joalheira havia arrancado um galho de um arbusto plantado em um vaso no saguão de entrada e começara a bater na cabeça de Kezia com ele.

– Está vendo? Não dói, certo?

Kezia piscou quando as pétalas caíram perto de seu olho.

– Não, não dói.

Na semana anterior a essa, as duas estavam esperando para atravessar, em frente a uma igreja na Sétima Avenida, onde havia um sem-teto jogado sobre os degraus da igreja, segurando um cartaz de papelão.

— Acho que uma fabricante de canetas, como a Sharpie, deveria patrocinar os sem-teto.

— Rá — comentou Kezia.

— Sério. Se algum dia eu precisar de uma caneta Sharpie para escrever alguma coisa, vou pedir a um sem-teto. Ou você acha que eles usam uma caneta de ponta grossa e ficam passando de um para o outro?

Na semana anterior a *essa*, Rachel pedira a Kezia para não usar perfume no escritório, e havia começado a falar usando uma introdução formal:

— Sei que parece loucura, mas...

Kezia havia se preparado, lembrando-se da quantidade de coisas insanas e inesperadas que passavam todos os dias pelos lábios da chefe. *Sei que parece loucura, mas acabo de matar um homem no vão da escada e o empalhei com algodão-doce, gostaria da sua ajuda para enfiar o algodão-doce na cavidade ocular do morto.*

A regra do "sem perfume" era irritante porque Kezia não usava perfume. Ela cheirou as axilas — apenas sabonete, desodorante e um leve traço de odor corporal.

— Há algum aroma que prefira? — perguntou Kezia, em um tom desanimado.

— Cristo. — Rachel franziu o nariz. — Tenha cheiro de nada. Tenha cheiro invisível.

TRÊS

Nathaniel

A névoa da manhã ainda não havia se dissipado. Aquela era a hora em que Los Angeles mais se parecia com San Francisco. Nathaniel partiu em uma corrida ao redor do reservatório de água, chutando areia e observando as mulheres no parque dos cachorros. Ele também subiu a colina correndo, por todo o caminho.

Um mês antes, depois de anos exaltando os benefícios de uma vida em Los Angeles, algo dentro do corpo de Nathaniel havia se voltado contra ele. Passou a se sentir cansado, não importava o quanto dormisse ou o quanto fizesse hot yoga. Às vezes, Nathaniel ficava sem fôlego só de atravessar um estúdio de cinema. Ele estava prestes a fazer trinta anos, não cinquenta. Por isso, procurou um nutricionista em Inglewood, que lhe disse para incorporar mais zinco à dieta e beber mais água. Então, Nathaniel foi a um pranaterapeuta, que lhe disse mais ou menos a mesma coisa, mas acrescentou alguns exercícios de respiração e meditação. Nathaniel procurou também um cinesiologista, que sugeriu que ele mantivesse as duas pernas elevadas acima da altura do coração sempre que possível. Principalmente quando estivesse no chuveiro.

– Até mesmo no chuveiro?

– Não – retrucou o cinesiologista –, principalmente quando estiver no chuveiro.

Tudo isso funcionou durante algum tempo, mas um dia, quando Nathaniel estava sentado em casa, com as pernas para cima, tentando trabalhar, sua visão ficou nublada. A página do diálogo que ele acabara de escrever se transformou em blocos impenetráveis de rabiscos. Nathaniel sentiu o coração disparar como o de um beija-flor. Foi o que disse ao cardiologista, que lhe respondeu que se isso fosse verdade, Nathaniel estaria morto.

– Muito morto – especificou. – O coração do beija-flor bate mil e duzentas vezes por minuto.

Então, o cardiologista acrescentou que os batimentos de uma baleia também seriam causa de preocupação (seis por minuto), e que as girafas têm um segundo coração no pescoço. Ao que parecia, o homem estivera inclinado a fazer veterinária antes de voltar seu interesse para o tratamento de humanos.

O cardiologista fez os exames habituais para detectar alguma anormalidade. Não havia palpitação, nem arritmia. Também não havia sido um ataque de pânico. Ora, isso o próprio Nathaniel poderia ter dito ao médico. Afinal, não trabalhava em um escritório, não tinha uma hipoteca para pagar, nem filhos, nada que pudesse lhe provocar pânico, a não ser pela pressão de ser um dos dois milhões de aspirantes a roteiristas de TV em Los Angeles. Isso deveria valer pelo menos um dia inteiro de batimentos cardíacos de beija-flor.

Não, o coração de Nathaniel parecia ser um músculo cumpridor de seus deveres, abrindo e fechando suas válvulas com firmeza. Então, qual seria o problema? Finalmente, saiu o resultado do segundo eletrocardiograma, este sim com um diagnóstico: Nathaniel tinha um coração anormalmente pequeno.

– Para um homem tão novo, seu coração é pequeno demais. Não é sério, você não vai cair duro de repente. Mas justificaria as palpitações súbitas e a tontura. Você fuma?

Nathaniel sacudiu a cabeça, negando.

– Faz exercícios?

Nathaniel achou que era óbvio que sim. Era uma pessoa naturalmente magra, mas caso não fizesse nada para impedir, uma barriguinha sobressairia em seu abdômen. E ele vinha tendo bastante sucesso em evitar isso. Mesmo assim, o cardiologista o aconselhou a acelerar os batimentos cardíacos com mais frequência.

– É por isso que os atletas têm um coração enorme – disse o médico, retirando o estetoscópio.

Nathaniel se lembrou dos escândalos envolvendo sexo e drogas que assolavam os atletas profissionais. Ele chegou a esboçar um comentário a respeito, sentado ali, de cueca: "Eles não são conhecidos por seu coração enorme." Então pensou melhor. Aquele médico havia escolhido a especialidade mais simbólica entre todas as da medicina. E era provável que houvesse feito isso com outras pessoas normalmente inteligentes, unindo medicina e simbolismo. Nathaniel não era diferente. Ele sabia que se tivesse recebido o diagnóstico oposto – que tinha um coração *enorme*, saindo para fora do peito de tão grande – teria contado a todos que estivessem dispostos a ouvir. Teria usado essa informação principalmente para ganhar a simpatia das mulheres e um lugar em suas camas. Não que precisasse de ajuda para isso, mas cara... um coração maior do que o normal era um ás na manga.

Nathaniel também teria usado o fato para ganhar novamente a atenção, se não o afeto, de Bean, uma atriz dolorosamente atraente, mas medíocre, que o dispensara alguns meses antes. Bean era tão gostosa que ele havia trepado quatro vezes com ela em uma noite e ainda tivera tempo de arrulhar diante das fotos do novo animal de estimação dela, um coelho, *nos intervalos*.

Nathaniel acelerou a corrida colina acima. Não importava a velocidade com que corria, seu diagnóstico mais parecia um veredicto. Ele não conseguia fugir do simbolismo. Não havia amado um membro do sexo oposto em cerca de... nunca. Talvez nunca fosse amar. E não era apenas por seres humanos que lhe faltava paixão. Seu amor por uma vida de escrita e literatura, antes alimentado por uma admiração intensa e visceral por romances e livros em geral, agora era alimentado pelas forças externas da fama e da riqueza. Ele confundia competição com amor e, como todos em Los Angeles estavam igualmente confusos, sentia-se totalmente normal.

Agora Nathaniel estava indo a médicos porque seu coração sabia o que sua mente ignorava.

Ele ficou parado perto da geladeira, enchendo mais uma vez o copo de água no reservatório na porta, e ofegando, enquanto Percy, com quem dividia a casa, ia e voltava da cozinha com um prato de ovos. Nathaniel ficou parado ali, suando, observando Percy acrescentar mais molho de pimenta à comida a cada vez.

– Poderia levar a embalagem de molho com você.

– Quando viaja de novo?

– Amanhã. – Nathaniel pousou o copo.

– E esse casamento é de quem?

– Você não a conhece. É de uma garota da faculdade.

– Kezia?

– Não, uma garota aleatória. Você não a conhece.

– Bobagem. Conheço todo mundo, *meu velho*.

Percy voltou para a sala, onde estava assistindo a um filme. Um *screener* que a cada cinco minutos exibia seu status de *screener*, ou seja, de uma cópia enviada antes do lançamento do filme. Meu velho? Nathaniel percebeu que, além de estar ofegando bastante, também estivera com a mão apoiada na base das costas. Parou no mesmo instante.

QUATRO

Victor

A ilha era uma mancha no mapa, como se o globo terrestre tivesse começado a fazer uma tatuagem, mas mudasse de ideia. Uma mansão vizinha se projetava na extremidade da baía, as luzes acesas, como um dente de ouro em um sorriso escuro. Houve o ribombar de um trovão e as crianças se enfiaram embaixo das toalhas das mesas, com medo. O pai de Caroline estava com o celular na mão, batendo com o polegar sobre a tela para confirmar a tempestade. Um gráfico do serviço nacional de meteorologia enumerava nó a nó a diferença entre uma tempestade tropical e um furacão. De acordo com o gráfico, eles estavam passando por uma tempestade tropical, ou depressão tropical.

– Parece adequado – resmungou Victor.

Kezia deu um tapa no braço dele com as costas da mão. Há quanto tempo ela estava parada ali? Normalmente, Victor conseguia sentir o cheiro da presença de Kezia como enxofre subindo do chão.

– Pega leve, vai com calma. – Ela lançou um olhar para o terceiro copo de bourbon Maker's com gelo dele.

– A festa é open bar. – Ele deu um peteleco na borda do copo de vinho de Kezia. – Vai com tudo.

– Não sou eu que estou péssimo. – A expressão dela endureceu. – Com você, sem dúvida é difícil determinar o limite entre ser sem noção ou suicida, mas alguma coisa está acontecendo. Devemos ir por categorias? Emprego?

Victor pigarreou. Primeiro tiro no alvo.

– Vida amorosa? Apartamento? Família? Doença venérea?

– Está bêbada?

– Talvez. Mas *você está* evitando todo mundo durante esse casamento.

– Onde está seu amigo?

– Quem, Nathaniel? Ele também é seu amigo. Até Olivia perguntou aonde você tinha ido. E nunca na vida ouvi Olivia perguntar por que outra pessoa não estava em uma festa.

– Muito gentil, mas estou bem longe da mesa de vocês. Não sou um boneco manipulável.

Kezia girou o vinho no copo, formando um pequeno rodamoinho.

– Está zangado comigo? Fiz alguma coisa?

– Nem tudo é sobre você.

– Então *aconteceu* alguma coisa. É uma garota? Eu sabia! Qual é o nome dela?

– Cale a porra da boca. O nome dela é Cale-a-Porra-da-Boca Johnson.

– Ah, com esse sobrenome... então ela é negra?

Ele não podia culpar Kezia por achar que o problema era uma garota.

Imagine a cena, cerca de uma década atrás: Victor parado do lado de fora da janela do dormitório dela, muito louco, depois de um dos vários bailes a rigor das festas de fim de ano. (Na época do ensino médio, ele imaginara que a entrada para a faculdade marcaria o fim dos bailes e da crueldade que eles traziam a reboque. Talvez isso acontecesse em uma instituição pública...) Faltava pouco para as férias de Natal e a respiração dele saía em nuvens de vapor no ar frio. Victor chutou copos de papel e purpurina – o chão transformado em um trabalho de colagem – e jogou punhados de pedrinhas na janela de Kezia.

– O que está fazendo? – perguntou ela de onde estava.

E Kezia estava parada perto dele, bem ao lado, na calçada de cimento, os braços cruzados.

– Tentando fazer você aparecer na janela para que possa dizer que me ama.

– Estou bem aqui.

– Sim, sei disso. Mas não gosto particularmente da você que está aqui. Porque essa você já me disse que não me ama como eu te amo. O que é uma grande besteira.

– Você está sendo dramático.

– Estou sendo verdadeiro.

– Você parece uma garota.

– *Você* parece uma garota.

– Eu *sou* uma garota!

– Ah – Victor acenou com o dedo –, mas ainda não é uma mulher.

Ele estava com os olhos injetados, suando, e muito, muito bêbado.

– Victor... – Kezia tirou um grampo dos cabelos –, já faz quatro anos.

– Três e meio.

– Se quiséssemos nos envolver um com o outro, a essa altura já teríamos feito isso.

– Quem é esse "nós"?

– Você sabe...

– O quê? Me diga. – Ele girou a mão em um círculo. – Estamos em um espaço público.

– Muito bem. Na sua cabeça, o que vai acontecer depois dessa noite?

Victor abaixou a cabeça. Ele não precisava ficar vesgo para conseguir ver a ponta do nariz. Isso sempre o incomodava.

– Muito bem, vou começar por você: está bêbado e quer me beijar.

– Não, nesse exato segundo, não.

– Então, o que acontece com a nossa amizade depois dessa noite? Acha que essa é a história bonitinha de como ficamos juntos? Que éramos os melhores amigos, então, no ano da formatura, você se sentiu solitário e pensou, ei, aqui está uma vagina com uma cabeça de aparência decente em cima? Que você me perturbou até eu sair com você? É assim que sempre imaginou que aconteceria com a garota dos seus sonhos?

– É claro que não.

– Está vendo?

– Eu nunca quis a garota dos meus sonhos. Quis você.

– Não consigo acreditar que isso esteja acontecendo.

– E você não é apenas uma vagina com cabeça de garota.

Diante disso, a tensão foi temporariamente afastada. Mas Victor sabia que a tensão era uma criatura sobrenatural que em segundos estaria recuperada, pronta para a luta. Ele pôs a mão no ombro de Kezia, em parte para se equilibrar, em parte para ficar no mesmo nível que ela.

– Está fingindo estar ofendida porque assim é mais fácil para você descartar essa como uma noite equivocada.

– E por que eu faria uma coisa dessas?

Ele não ia enterrar a faca mais fundo por ela. *Porque você não sente o mesmo que eu.*

– Victor, eu sei. – Kezia pôs a mão sobre a dele. – Sinto muito.

– Quem é mais próximo do que nós dois? Quem?

– Victor...

— Além do mais, no último semestre você disse a Nat que *A embriaguez do sucesso* é seu filme favorito e fui *eu* que apresentei a você esse filme.

— É Nathaniel. Ele passou a querer ser chamado pelo nome todo.

— Desde quando?

— Acho que pensa que assim as pessoas vão associá-lo a Nathaniel Hawthorne.

— Essa nem chega a ser uma boa associação. E, por sinal, ele nem mesmo é judeu. Mas, tudo bem. Você disse a *Nathaniel* que o único filme que já viu dos anos 1950 por um acaso era seu filme favorito, quando todos os seus outros DVDs têm a foto de Laura Linney na caixa. Mas quer saber? Eu nem me importei de não receber o crédito. Isso é o quão próximos nós somos.

— Victor.

— O que foi?

— Deve estar uns dezessete graus negativos aqui fora e você está descalço.

Era verdade. Ele estava descalço. E não conseguia se lembrar por quê. Havia uma pequena possibilidade de ter jogado os sapatos em uma lata para reciclagem cheia de álcool de cereais.

Do outro lado da quadra escura, Grey e Paul estavam voltando do baile, de braços dados como um pretzel de alabastro. Eles sempre foram o casal que conseguia estar sempre junto dentro e fora das aulas, como Tim Robbins e Morgan Freeman em *Um sonho de liberdade*. Grey acenou. Mas Paul, que reconhecia a derrota de um homem quando estava diante dela, abaixou o braço da namorada e eles seguiram seu caminho. Um murmúrio confuso, que mal se conseguiu ouvir, escapou da boca de Grey. Paul sussurrou no ouvido dela. Seja o que for que ele tenha dito, foi algo que Victor jamais ia querer ouvir.

— Eles — comentou Kezia baixinho.

— O que tem eles?

Por mais que Victor detestasse a ideia de ter tido testemunhas para aquela humilhação, quando Grey e Paul sumiram de vista, ele e Kezia haviam assumido um paralelo implícito de casal com os dois.

— Eles são próximos.

— Vá a merda — disse Victor.

— Ah, muito bem.

— Talvez eu deva dizer: não deboche da minha cara.

— Quer saber? Você não deveria ser tão debochado!

— Você é cruel.

— E você está fazendo pirraça.

— Vá a merda. Sua fodida! — gritou ele. — Sua... vaca.

Ele espalhara saliva pelo rosto dela enquanto falava, podia ver as gotas de cuspe cintilando no nariz frio dela sob a luz da calçada. Victor se elevou sobre Kezia, apontando. O dedo dele estava perto demais do rosto dela, mas ele não conseguiu afastá-lo. Três anos e meio de frustração estavam ali, naquele dedo apontado. Ele queria enfiá-lo no olho dela. E Kezia percebeu isso. O que foi quase a mesma coisa que seguir em frente e realmente enfiar o dedo no olho dela.

— Não me diga mais nem uma palavra. — Ela abaixou os olhos para a purpurina.

Então digitou um código na caixa de metal presa à parede do dormitório, entrou e deixou a porta pesada se fechar.

Mais embaixo, na descida do gramado, as luzes da biblioteca piscaram e se apagaram. Estava tudo escuro, a não ser pelas luzes acima da calçada. Victor deixou o corpo cair contra um carvalho. Quando deu por si novamente, já era de manhã. Melros chilreavam e algumas calouras corriam, usando os agasalhos com capuz de seus times do ensino médio. Victor caminhou até o próprio dormitório, tremendo, tirando pedras de entre os dedos dos pés.

⊷⇌◯⇋⊶

– Muah!!
O beijo foi deixado por Emily Cooper no quadro branco de recados dele. Ela assinara o recado sendo que o "y" final tinha a forma de um coração.
– O tempo cura todos os males! – escrevera Caroline, em sua letra redonda.
Elas deviam estar a caminho do brunch de domingo no refeitório (ovos Benedict já prontos, com creme holandês, servidos em bandejas aquecidas). Provavelmente haviam batido e ele não escutara. Havia engolido um comprimido de Xanax com a ajuda de uma dose de xarope para tosse. Mesmo para um cara de 21 anos com problema com bebidas tolerado pelos colegas, havia dormido demais. Para quantas pessoas Kezia teria contado?
Victor evitou contato humano por uma semana. Faltou às aulas, aqueceu a comida no micro-ondas, fingiu que estava sendo mantido refém. Ele já aparecia o bastante, quando tinha que descer o corredor até o chuveiro, usando sandálias de dedo pequenas demais para seu tamanho. Mas era só isso. Victor dormia ouvindo grupos de vozes familiares no corredor. Seus relacionamentos mais intensos eram com uma embalagem de trinta latinhas de Budweiser Light, com uma caixa de burritos congelados e com um site que demorava demais a carregar, cujo endereço era wetfucks.com.
Por fim, Kezia apareceu para vê-lo.
– Victor! – Ela bateu na porta. – Victor! Victor?
Não havia a menor possibilidade de ele abrir a porta para ela. Por quatro anos, durante aquela fileira de noites intermináveis que se chamava "faculdade", Victor não sonhara com outra coisa

que não a voz de Kezia, chamando o nome dele em êxtase. Agora a ouvia chamá-lo com pena. Victor ficou muito quieto enquanto ela batia, e abriu uma lata de cerveja em câmera lenta. Então ficou observando a fresta embaixo da porta, esperando que a sombra dos pés dela se afastasse.

Então, os amigos homens dele começaram a despertar. A princípio, haviam presumido que Victor seria capaz de resolver os próprios problemas. Mas agora um bom tempo se passara, um limite havia sido transposto e as oportunidades para o heroísmo casual se revelaram.

– Golfe no sábado – escreveu Paul –, saindo de manhã cedo. Me avise se vai.

Victor jamais havia demonstrado o menor interesse em golfe.

– Vamos à lanchonete, cuzão – acrescentou Nathaniel.

Sam ignorou completamente o quadro branco e escreveu na porta de Victor, em letras grandes, com caneta permanente: "Boa sorte ao encarar aquela acusação de estupro."

Então cessaram os bilhetes.

E as batidas na porta.

E outra semana se passou.

As pessoas desistiram dele.

Em uma quarta-feira insignificante, Victor se esgueirou do quarto como uma marmota. Ele acordou, se espreguiçou e limpou os farelos do colchão. Sentia-se como Forrest Gump, decidindo levantar-se e ir, para escapar da própria dor.

Quando conseguiu caminhar do quarto do dormitório até a entrada oeste do campus da universidade sem ser percebido, sentiu-se eufórico. Era como ser solto da prisão. As pessoas já haviam começado a ir para casa, para passar o Natal – um feriado reconhecido no lar dos Wexler, mas que não causava grandes comoções. O problema era que Victor não tinha para onde ir. Havia "cidades universitárias" com livrarias independentes e cafeterias com potes para doações que diziam coisas como "donativos para os drinques". Mas a cidade universitária deles passava por um período de depressão econômica. Havia sido um entreposto de caça de baleia em seus áureos tempos, uns dois séculos antes, e desde então passara a abrigar fábricas. Os atuais residentes da cidade pareciam não ter a menor ideia de que havia uma universidade no meio deles. Até mesmo os professores moravam no campus.

Victor não tinha carro, o que era outro problema. Depois que a ideia romântica de simplesmente *sair andando da universidade* se esgotou, os problemas práticos de vagar pela beira da estrada, no asfalto coberto de folhas e lixo, começaram a se apresentar. Os carros pareciam passar perto demais, deixando um rastro de fumaça, barulhos estranhos vinham dos arbustos, havia animais mortos na beira da estrada. Os destinos possíveis para ele estavam limitados ao posto de gasolina, a um salão de bronzeamento, a uma churrascaria chamada The Rib Cage (que tanto podia ser lida como caixa torácica quanto como gaiola e cujo slogan era *The Rib Cage: Estamos sempre abertos*), e um shopping.

Qualquer lugar que não fosse onde morava a angústia da pessoa poderia funcionar como uma igreja, mas o shopping era mais do que uma fuga. As paredes o compreendiam. Era melhor deixar a capela do campus para os corais e para os ratos. O shopping estava cheio de pessoas reais vivendo vidas reais, como as pessoas com quem ele crescera. Era aquilo que realmente era – um garoto do subúrbio. A universidade passara quatro anos confundindo-o, fazendo com que se questionasse, com que ansiasse por mais, mas o shopping piscava para ele, atraindo-o.

Vejo você, dizia o quiosque de doces, *vejo sua alma*.

Victor passou a caminhar até lá todas as manhãs. Não comprava nada. Não gostava de falar com ninguém e comprar geralmente exigia que se falasse com alguém. Em vez disso, ele gostava de ficar observando as crianças delinquentes, que davam novos significados à palavra destruir no caso das guirlandas de agulhas de pinheiro. Ou para deixar os olhos se demorarem nas garotas que iam até o balcão da joalheria, e logo se sentavam irrequietas, enquanto esperavam que um estranho atravessasse os lóbulos de suas orelhas com uma agulha. Que tipo de pessoa permanecia absolutamente imóvel enquanto tinha sua pele furada? O mesmo tipo de pessoa que suporta microcirurgias em uma loja que também vende vômito falso, ele imaginou.

Em uma de suas idas ao shopping, Victor viu Emily Cooper experimentando sapatos na Steve Madden, enfiando os pés de unhas pintadas em botas e dando a volta em um banco.

Outra vez, Caroline passou de carro por ele na lateral da estrada. Ela ligou o pisca-alerta e se inclinou sobre o assento do passageiro. Victor conseguia ver dentro da blusa dela, além do sutiã, até os pequenos rolos de gordura acima do jeans.

– Ei, garotinho – disse Caroline, com um sotaque da Transilvânia –, quer um doce?

– Ah, oi.

– Belo dia para uma caminhada. Mais ou menos.

– É, acho que sim.

– De onde está vindo a essa hora? – Ela olhou por sobre o ombro para a esquerda e para a direita, para ilustrar o que queria dizer. – Do Rib Cage?

Victor coçou a nuca. Não gostava de parar naquele lado da estrada, onde a grama era seca. Na véspera, deparara com um veado morto e tivera que passar por cima da galhada dele, em uma versão daquele jogo da faca entre os dedos.

– Está frio. – Caroline apertou um botão sob o volante. – Entre.

Victor puxou a maçaneta do Jetta dela e afastou alguns sacos de batata chips para o lado. Caroline estava vindo de Boston, onde estivera para a festa de oitenta anos da avó. Ela chamava a avó de Pup-Pup.

– E qual é sua desculpa? – Caroline levantou o espelho que ficava sobre sua cabeça.

– Estava só tomando um ar.

– No acostamento da rodovia interestadual? Moramos em um campus cheio de árvores.

Victor deu de ombros.

– Bem, fico feliz em vê-lo bem. Estávamos com medo de você acabar com deficiência de vitamina D.

– Escorbuto.

– O que for.

⋯⋙○⋘⋯

A primeira vez que Victor roubou alguma coisa foi na manhã depois da Festa dos 100 Dias, que aconteceu exatamente cem dias antes da formatura. A festa exigia que os convidados fossem vestidos com roupas da profissão que se viam exercendo quando fossem adultos. Metade dos homens foi vestido de cafetão. Enquanto isso, parecia que os hospitais do país não precisariam se preocupar com a falta de enfermeiras vadias. Streeter Koehne foi fantasiada de Jane Goodall, a zoologista, e Sam Stein foi como o chimpanzé dela. Kezia parecia uma embalsamadora.

Ela abaixou os óculos escuros e disse:

– Sou Karl Lagerfeld.

Kezia tomava Jack Daniel's em uma lata de Coca-Cola diet e vestia uma camisa branca desabotoada até o umbigo. Ver aquele trecho de pele em particular fez o coração de Victor parar. Os peitos eram ótimos, com certeza. Ele não tinha nada além da mais profunda admiração e de uma vida de fantasias em relação aos peitos de Kezia. Mas a pele que cobria seu abdômen e os quadris...

— Como consegue enxergar usando essas coisas? — Victor tocou os óculos de sol dela.

— Pare, vai manchá-los.

Eles não se falaram durante todo o período de férias de Natal. Victor não quis ligar para ela, não conseguiu se obrigar a fazer isso. Assim, o encontro no baile era a primeira interação entre os dois desde a noite do lado de fora do dormitório de Kezia. Victor teve vontade de perguntar a ela se estaria disposta a sair com ele para fumar, ou para dar uma volta pelo salão. Nathaniel apareceu e passou um braço coberto por tweed ao redor de Kezia, retirou a gaita de fole e deixou a mão pendurada.

— Me conte novamente. — Ele brincou com a lapela do paletó dela. — Por que você está fantasiada de alguém que já existe? Você não vai ser uma pessoa específica, que já anda por aí, depois que nos formarmos. A menos que mate essa pessoa e passe a usar a pele dela como uma roupa.

— Não planejo me tornar uma assassina quando crescer.

— Então sua fantasia é meio idiota. — A mão de Nathaniel agora estava na nuca de Kezia. — Uma graça, mas idiota.

— E a de Streeter? — perguntou ela, amuada. — Ou a de Sam! Olhe a fantasia de Sam!

— É diferente — retrucou Nathaniel. — Sam realmente *vai* ser um macaco a essa altura no ano que vem.

Sam, que já havia consumido uma boa parte do saco de ecstasy que levara, estava se esgueirando atrás de Olivia, fingindo comer insetos do cabelo dela.

— "Seja você mesmo." — Nathaniel apoiou o peso no ombro de Kezia. — "Todas as outras personalidades já têm dono." Oscar Wilde.

Victor não poderia competir com essa versão da coleção de citações Bartlett's de pernas peludas. Gostava de pensar que se Nathaniel tivesse alguma ideia dos sentimentos que ele, Victor, nutria por Kezia, se afastaria. No entanto, Nathaniel era o tipo de cara bom para a farra, mas que não serviria para conversar sobre aquele tipo de assunto, mesmo que Victor quisesse conversar a respeito. O que ele não queria.

– Estou indo, pessoal.

– Não é nem meia-noite ainda – protestou Nathaniel fracamente, enquanto sacudia o talco dos cabelos de Kezia. – Você está mesmo cheirando a uma bebê stripper.

– Como *você* saberia disso? – Ela levou a mão aos quadris, alargando a abertura da blusa.

Enquanto saía, Victor viu pelo canto do olho que Nathaniel se preparava para carregar Kezia nas costas. Ele provavelmente poderia dormir com ela naquela noite e os dois pensariam na noite como uma série de delicadezas em estado de nudez e voltariam imediatamente à condição de amigos. Robôs.

⊰≡⊱

Ele não conseguiu dormir. Tentou se autoinduzir a um estado de inconsciência, punindo o corpo com uma imobilidade de múmia. Também se masturbou, mas isso não teve importância. Às 8:35 da manhã Victor se levantou, urinou e pronto. Estava acordado.

Às 9 horas, ele se pegou em seu caminho costumeiro. Às 10, a segurança abria a entrada. Lá dentro, em algumas lojas sofisticadas, garotas estavam agachadas, lutando para abrir os cadeados na base das portas de vidro. Victor podia ver a calcinha delas e ouvir o som do metal reverberando entre as camadas de vidro. Na direção do fim do corredor, havia uma loja chamada Modern Man. Vendia carregadores de controle remoto à energia solar, meias para melhorar a circulação sanguínea e contadores de moeda digitais. Victor acenou com a cabeça para um vendedor que conversava ao telefone e o homem não pareceu ver nada de anormal na presença do novo cliente. *Eu poderia roubar esse cara em um piscar de olhos*, pensou. Ele passou os dedos pelas prateleiras de vidro com uma curiosidade casual. O vendedor não levantou os olhos.

– Porque isso não é problema meu – disse o homem ao telefone.

Então, ficou repetindo a mesma frase, como um papagaio.

– Porque isso não é problema meu. Porque isso não é problema meu. Porque isso não é problema meu. Diga a ela que eu falei. Porque... não, porque isso não é problema meu.

O cara passou por Victor a caminho da sala de estoque. Se Victor estivesse com outro humor, teria encarado aquilo como pura idiotice. Um comportamento a ser criticado, não julgado. No entanto, encarou de forma pessoal, como se ele não valesse a pena para a loja. Não valia a pena para ninguém. Bastava olhar para ele. Aquilo eram calças de pijama? Ora, sim, sim, eram. Victor deu a volta nas estantes de produtos, e tomou um choque de estática quando tocou nas pontas delas. Aquele lugar, que havia sido uma fonte de tanto conforto para ele durante tantos meses, agora o estava desapontando, fazendo com que se sentisse invisível. Em uma prateleira diante dele havia uma série de xícaras italianas que se encaixavam e um pendrive com um mostrador digital que informava os índices da Bolsa de Valores.

Victor teve medo de quebrar as xícaras.

Ele nunca havia roubado nada em uma loja – ou não considerara a hipótese, ou considerara como uma possibilidade apenas para adolescentes e celebridades. Mesmo assim, sabia o que fazer como se já tivesse feito milhares de vezes antes. Ter uma desculpa pronta caso fosse pego. Fingir que o objeto é algo que havia perdido. Você pensa, "Ah, *aqui* está!" e guarda no bolso o que lhe pertence. Não está pegando, está recuperando. Sempre foi seu. Então você sai da loja da mesma forma como entrou.

⋅→≡⊂≡←⋅

Quando Victor voltou ao campus, a parte do pendrive em que ficava o plugue já havia marcado sua mão. Ele jogou o objeto na gaveta da escrivaninha.

A única vez que voltou a olhar para o pendrive foi quando Caroline insistiu em lhe servir sopa, quando ele ficou de cama por causa de uma gripe. Ela vivia para esse tipo de besteira à moda Florence Nightingale. Nunca parecera a Victor uma pessoa muito acolhedora, mas queria crédito pelo ato. Caroline se sentou na beira do colchão dele, se esforçando para cruzar as pernas, e pousou as costas da mão sobre a testa dele, como se estivesse tentando convencer a ambos de que viviam em outro século. Quando ela tentou aferir a temperatura de Victor de uma forma mais avançada tecnologicamente, ele gesticulou febril na direção da escrivaninha, achando que talvez houvesse um termômetro jogado ali dentro. Caroline enfiou o pendrive na boca dele.

Victor ficou quieto, mas as coisas começaram a ficar estranhas quando o visor não mostrou nenhuma leitura.

Caroline virou o objeto.

– Esse termômetro tem uma aparência bem esquisita.

– Não é. – Victor tossiu. – Não é um termômetro.

– Hein? – Ela se inclinou sobre a gaveta aberta. – Ah, meu Deus, o que *são* todas essas coisas.

Caroline examinou a coleção de coisas que havia ali, variada o bastante para provocar desconfiança. Havia um abridor de latas, alguns clipes magnéticos, um aparador de pelos de nariz, palmilhas de gel, outro abridor de latas, uma bomba de pneus compacta, um porta fita adesiva cromado, um estojo de óculos de neoprene e um conjunto de bolas chinesas para reflexologia.

Victor sabia que aquela gaveta era uma vergonha, e a possibilidade de repercussões o atingiu com força. Mas a febre o deixara aéreo, distante, por isso, mesmo percebendo que Caroline estava reparando em alguma etiquetas de preço, permaneceu calmo. Não havia nada para ver ali, pessoal! Só um homem e seu abridor de latas.

— Vocês, meninos, e seus brinquedos. — Ela fechou a gaveta.

Finalmente Caroline foi embora e Victor parou de suar, o corpo esfriando no sono. Ele teve o tipo de sonhos épicos que só eram possíveis com a pessoa em um estado de total exaustão. Acordou faminto — de comida e de gente. No refeitório, perto da máquina de frozen iogurte, Victor pediu desculpas a Kezia e ela a ele.

— Então estamos bem? — quis saber Kezia.

Victor respondeu que sim, estavam bem. E tentou ser sincero. Pareceu a todos que ele se recuperaria, que seria como todo mundo, se misturaria à massa exatamente como acontecera com Olivia no ano anterior. Que poderia aprender a ser menos sensível, a se mostrar menos ressentido publicamente, a não sacudir o barco antes que ele navegasse para o mundo real, deixando para trás os acontecimentos menos agradáveis da universidade. Victor tentaria.

CINCO

Kezia

— Está viva! – exclamou Meredith, parada no topo de seu lance de escadas, enquanto Kezia penava com os muitos degraus que a levariam até o apartamento. – Achamos que não ia conseguir.

Meredith e Kezia haviam trabalhado juntas na joalheria elegante logo depois de terem se formado. Elas haviam ficado juntas durante o programa de treinamento para novos funcionários, fizeram a visita guiada pelas instalações da joalheria, rindo até chorar com piadinhas particulares e sem a menor graça sobre "pérolas perdidas", chamavam uma a outra dos respectivos cubículos para perguntar, "Adivinhe quantos diamantes tenho na minha mesa agora? Tente adivinhar". Enquanto Kezia se tornava impaciente querendo mais responsabilidades, Meredith havia empacado como analista de merchandising. Nos quatro anos desde que Kezia deixara a empresa, Meredith já havia sido promovida duas vezes.

— Esse é novo. – Kezia tocou o cordão de ouro de Meredith.

Kezia estava um pouco sem fôlego e quase se pendurou no cordão para se apoiar.

Meredith abraçou a amiga.

— Pega-rabuda, minha avezinha que adora brilhos, senti saudades de você.

— Bela peça.

Uma vez por ano, a joalheria fazia uma liquidação na qual os empregados podiam comprar protótipos rejeitados, ou versões com pequenos defeitos de designs populares. Kezia reconheceu o cordão de um outdoor acima da estrada, na West Side Highway. Mal havia um arranhão na peça de Meredith, mas mesmo se o cordão tivesse sido mergulhado em ácido e então esmagado pelas rodas de um caminhão, Kezia não poderia tê-lo com o que Rachel lhe pagava.

– E esse anel também. – Meredith estendeu a mão. – Presente pelo aniversário de cinco anos na empresa. Era isso ou um peso de papel de cristal. Até os homens escolheram o anel.

– Os homens? – Kezia estendeu uma garrafa de vinho embrulhada em um saco de papel para Meredith.

– Isso mesmo. Homem, no singular. Eles contrataram um homem depois que você foi embora.

– Ora, que adorável...

Dentro do apartamento, o marido de Meredith, Michael, que usava calças de cadarço verde-menta, estava abrindo uma embalagem de camarão congelado com um saca-rolha. Ele sorriu para a recém-chegada.

Kezia quase cancelara a visita. Estava cheia de trabalho, e qualquer desvio entre a mesa dela e o apartamento onde morava parecia épico. Mas então a faxineira chegara e dera um aceno de cabeça significativo para Kezia por ela ser a única outra alma no escritório. Kezia odiava estar lá para receber aquele aceno de cabeça, que a tornava parceira dos assoberbados e mal pagos. Além disso, Michael, residente do terceiro ano na emergência do hospital Monte Sinai, trocara seu turno para fazer o jantar para elas. Esse era o tipo de ás na manga que Meredith jamais hesitava em usar. *Michael deu um jeito de colocar outra pessoa para esfregar o sangue das macas hoje à noite. Tem certeza de que não vai conseguir vir?*

– Sua casa é tão adulta.

– Você ainda não tinha vindo aqui? – Meredith olhou para Michael em busca de resposta. – Que estranho. Fique à vontade para conhecer a casa, então. Preciso fazer xixi e depois quero ouvir todos os podres de Rachel Simone que tiver para me contar.

– Ah. – Kezia examinou disfarçadamente as sancas das paredes. – Não existe mesmo almoço de graça...

– Nesse caso, jantar. – Michael sorriu da cozinha aberta. – Pode apostar que não. Meredith vem ansiando por isso durante toda a semana.

Quando começara a trabalhar para Rachel, Kezia ainda se permitira ser chamada para entrevistas de emprego em empresas concorrentes. Era o equivalente profissional a ir a uma boate de striptease: olhe o quanto quiser, mas volte para casa. E ela sempre queria voltar para casa. Isso foi na época em que Kezia amava o emprego que tinha, adorava a curva de aprendizagem, adorava até mesmo Rachel de seu próprio jeito torto. Agora que queria deixar o emprego, era tarde demais. A associação do nome dela ao de Rachel Simone a calcificara aos olhos da indústria – Kezia não conseguia se lembrar da última vez que tivera que inventar uma consulta ao dentista no meio do dia.

Ela andou ao redor do apartamento amplo, que ocupava toda a extensão do andar, no Upper West Side, com estantes embutidas e um escritório que havia sido pintado em um amarelo neutro, que não determinava o gênero do ocupante. Na sala de estar, havia LPs emoldurados e obras de arte – uma tela com pessoas minúsculas, nuas, bordadas. Havia um armário só para casacos. O apartamento de Kezia não tinha bordados subversivos, nem closets. Só um quadro de cortiça horroroso da IKEA. Ah, que maravilha ter dois salários em uma casa... Era como ter dois pelos saindo de um único poro, só que de um jeito agradável.

Meredith e Michael gritavam um para o outro com o banheiro entre eles, especulando sobre o paradeiro do descascador de cenouras. Conversas como aquela é que atingiam Kezia como um soco no estômago. O amor – recíproco, romântico, verdadeiro – surgiria na vida de alguém ou não. O mundo não era sutil ao dizer às pessoas solteiras o que estavam perdendo. Aquele tipo de anseio em particular nunca a pegava de surpresa. Mas ter uma conversa prolongada sobre equipamentos de cozinha sem que isso condenasse um relacionamento ao tédio? Kezia havia se esquecido de como desejara isso até testemunhar a cena.

As mesinhas de cabeceira combinando também não ajudaram.

– Meu Deus, que saudade de você. – Meredith bateu com a mão esquerda na mesa quando eles se sentaram para comer. – Me conte algo sobre sua vida fabulosa. Está indo a algum lugar divertido?

– Vou a um casamento em Miami esse fim de semana. – Kezia tentou parecer otimista com a ideia.

– Adoro casamentos.

– Falou como uma mulher casada.

– Não seja rabugenta.

Kezia não estava sendo rabugenta. Adorava Meredith. Queria que a amiga fosse feliz. Mas tinha o direito de uma ocasional revolta em relação ao rumo da conversa. Da última vez que as duas haviam se encontrado, por exemplo, Kezia se controlara para não explicar que perguntar a uma mulher solteira se ela quer ter filhos é como perguntar a um homem de um braço só se ele gostaria de jogar tênis. Ela não dissera nada quando Meredith começou a se referir a Michael como M, uma semana depois de conhecê-lo, e nada novamente quando a amiga digitara "Isso é bobo?" e lhe mandara uma imagem de si mesma em uma banheira cheia de confeitos de chocolate M&M no Dia dos Namorados. Na verdade, Kezia dissera algo: "Amendoins dão um toque de classe."

– Talvez haja homens solteiros interessantes no casamento. – Michael encheu o prato de Kezia de comida.

– Isso sempre acontece...

– De quem é o casamento?

– De Caroline Markson. – Kezia sorriu.

– Ah. – Um sorriso afetado surgiu no rosto de Meredith. – A colega de quarto.

– Quem é Caroline Markson?

– Da família dona dos hotéis Markson – explicou ela a Michael.

Meredith nunca havia se encontrado com Caroline, mas já ouvira muitas histórias sobre a colega de quarto desbocada de Kezia no primeiro ano de faculdade. Meredith só conhecia Caroline como uma personagem de desenho animado, o que não era muito diferente de conhecer Caroline na vida real.

Michael deu um tapinha no ombro de Kezia.

– Nesse caso, estou certo de que vai ser um evento simples e discreto.

– Enfim. – Meredith deixou o assunto de lado. – Você ainda tem que me contar a pior história de que puder se lembrar sobre Rachel Simone. Prometo não contar a ninguém... ou no máximo a três pessoas.

– Ela não é tão ruim assim. Tem seus momentos.

Momentos de bater na minha cara com uma planta sem nenhum motivo.

– *Por favor* – choramingou Meredith –, essa pessoa faz moldes com absorventes íntimos e os transforma em brincos. Você tem que contar alguma coisa. Estou tão entediada atualmente, tenho que viver intensamente através de você.

De todas as coisas terríveis que pessoas casadas diziam a pessoas solteiras, essa estava entre as cinco piores.

— Só a história dos absorventes íntimos mesmo — murmurou Kezia.

— Con-ta — Michael bateu palmas —, con-ta.

— Ela me chama de "Special K" às vezes.

— Isso não é uma história, é uma frase.

— Está certo, está certo.

Kezia os regalou com uma de suas histórias favoritas. A cena: uma festa da semana de moda de outono, na cobertura do hotel Standard, cheia de pessoas elegantes e editores de acessórios com penas de avestruz presas nos cabelos. A ação: Rachel gritando com o editor da revista de moda francesa que oferecia a festa, reclamando por ele não ter incluído os cordões dela na coluna "Use isso" da última edição deles.

— Eles fazem colunas desse tipo?

— Não. Nunca fizeram. Rachel achou que era outra pessoa. E quando o homem esclareceu isso calmamente a ela, por um acaso havia um repórter do *Women's Wear Daily* parado bem ali. Então, sem piscar, Rachel se vira para mim e diz, você me deve vinte dólares. Ela explicou que nós duas estávamos discutindo como a moda não é mais tão maldosa quanto já foi e que aparentemente *eu* havia apostado que ela não teria coragem de criticar o anfitrião da festa sem motivo. Rachel realmente ficou parada ali, com a palma da mão estendida para mim.

— E o que você fez?!

— Disse a verdade a ela. Que não tinha dinheiro. O repórter chamou o ocorrido de performance artística e se referiu a mim como *assistente* da Rachel.

— Ai, meu Deus, ela é louca.

— Mas brilhante — comentou Michael. — Não temos pessoas assim.

— Sim. — Meredith revirou os olhos com carinho para ele. — Isso porque vocês têm neurocirurgiões.

— Neurocirurgiões são terrivelmente tediosos.

— Agora — disse Kezia — é sua vez de me contar alguma coisa terrível sobre seu trabalho, assim não me sentirei mal por ter saído.

— Você se lembra de como é. Tudo que eu faço é planejar e esperar aprovação do plano. Passei a manhã preparando formulários de seguro. A grama sempre tem dezoito quilates no outro lado, minha pega-rabuda.

Ela encostou o copo no de Kezia, em um brinde. Kezia sabia o que a amiga queria dizer. Esse era o motivo pelo qual havia saído da empresa. Mas esquecera o nível de ciência inata aplicada a pedras preciosas, a produção precisa de itens que não eram, vamos dizer, tampas de caneta laqueadas. Sentia falta de se sentir parte de algo concreto e não apenas ser parte de um projeto fútil e furioso de uma mulher.

— O que mais posso lhe dizer? — Meredith parou para pensar. — Não me lembro de mais nada. Ah! Debbie e aquele cara bizarro da fotocópia ficaram noivos em segredo. O que só me fez parar para pensar se todas as vezes que a mandávamos fazer cópia de alguma coisa, eles ficavam se agarrando sobre a copiadora. Literalmente, não consigo pensar em nada mais.

Michael pôs a mão sobre o joelho da esposa.

— Mer, conte a ela sobre as esmeraldas.

— Ah, *sim*, as esmeraldas.

Ela fez o gesto de atirar em si mesma com o dedo e imitou um pequeno som de explosão.

— Mas você não pode contar a ninguém. Estamos com baixo estoque de esmeralda, você sabe que as esmeraldas vêm da Colômbia? Pois bem, ao que parece, a Colômbia está deixando alguns narcotraficantes de uma guerrilha marxista dirigirem o país.

Os Estados Unidos não estão exatamente empolgados com *isso* e agora todo mundo está surtando porque há um embargo em relação às esmeraldas. Não estamos falando de kunzita. Esmeraldas. As pessoas vão perceber. É por isso que não tenho nenhuma outra fofoca para você. Porque passo o tempo todo em reuniões infinitas sobre esmeraldas.

Mesmo se Kezia quisesse trair a confiança de Meredith, nenhuma das pessoas com quem trabalhava se importaria com a escassez de esmeraldas. O objetivo da joalheria de Rachel era pegar o mundano e transformá-lo em beleza. Enquanto no caso das pedras preciosas, o objetivo era que o projeto fosse desenvolvido a serviço da beleza delas. Maçãs e diamantes.

– Sinto saudades disso.

– Não, não sente. – Meredith riu.

– Talvez eu apenas sinta falta da regularidade.

– Foi por isso que Deus criou as frutas desidratadas. Falando nisso, Michael, temos sobremesa?

– Ah, sim. – Michael se levantou e foi até o congelador. – Bati um sorvete de manga.

– Você *bateu* o sorvete?

Ele se inclinou sobre o pote.

– Na verdade, acho que bati demais...

SEIS

Victor

Ele devorou um burrito como café da manhã enquanto corria para pegar o voo das 9:15 da manhã no aeroporto de LaGuardia. Victor era como uma anaconda com pernas, inalando mais rápido do que corria. O banheiro do avião estava com defeito. Já em Miami, ele calculou que tinha cerca de dez minutos para aliviar os intestinos e pegar a barca para o casamento. Victor abriu apressado a porta do quarto do hotel, deu uma olhada na cama king size com a cabeceira decorada e não soube o que sentir.

Quando perceberam que nem ele nem Kezia eram convidados "com acompanhante", os dois decidiram dividir um único quarto no hotel. A última vez que Victor vira Kezia havia sido mais de um mês antes, na véspera de ele perder o emprego. Kezia havia comprado cerveja para os dois e ele a ajudara a instalar o ar-condicionado no quarto, esmagando as mãos no esforço de impedir que o aparelho despencasse na rua. No dia seguinte, eles romperam uma grande sequência de e-mails sobre o casamento, o nome dela saltando na caixa de entrada dele como um prêmio.

Duas camas?, digitara ela.

Sim... não quero você me apalpando.

Ela ignorou a piada.

Precisa das informações do meu cartão de crédito?

Ele libertou o cursor de sua infelicidade intermitente com um *Você pode me pagar depois*.

Não deveria ter colocado o quarto no cartão dele.

Victor foi ao banheiro. A porta estava trancada. Ele nunca tivera esse problema antes. Pelo canto dos olhos, viu a mala aberta de Kezia, as opções de vestidos descartadas sobre a cama. Ela estivera ali e já se fora.

A ironia ali era que, se Victor tivesse ficado sozinho, teria escolhido um motel barato. Um lugar com um nome como Sea Monarch Lodge, que teria cheiro de morte, mas também ofereceria um banheiro comunitário no saguão. Ele poderia cagar na varanda? A merda não teria o nome dele estampado. Para ser sincero a consistência do que havia nos intestinos dele naquele momento não permitiria moldar letra alguma.

– Onde você *esteve*? – Kezia o repreendeu quando ele saiu dos elevadores.

Ela estava parada com um grupo de convidados do casamento, andando de um lado para o outro, esperando pelo ônibus que os levariam à barca que, então, levaria todos à ilha de Castillos. Os outros amigos deles já haviam partido sem esperá-los.

Kezia o examinou de cima a baixo.

– Você está parecendo um vagabundo.

Victor havia se esquecido de colocar meias na mala.

– Você está bonita – comentou ele, afastando-se ligeiramente do peido venenoso que havia soltado quando o ônibus já se aproximava. – Ei, você trancou a porta do banheiro?

– Não. Que pergunta esquisita.

Victor seguiu com determinação em direção à casa principal, que parecia de forma impressionante com um bolo de casamento – quatro camadas com arcos em estilo espanhol e cabeças de leão de cimento cuspindo água em bacias. Quem construía uma casa de quatro andares na rota do furacão do Atlântico? Ele imaginou que a casa fosse um símbolo da riqueza da família de Felix, como se dissesse: nós genuinamente não nos importamos se a metade superior desse negócio for pelos ares.

Victor localizou um banheiro no terceiro andar onde poderia defecar em paz. Ele bateu a porta do cubículo individual e abaixou as calças. O barulho da fivela do cinto batendo no chão marcou o momento em que saiu a primeira descarga abdominal.

– Esse é o seu primeiro casamento pós-faculdade?

Em sua afobação intestinal, Victor não se dera conta de que tinha companhia. Um homem – um vizinho ou um primo – estava falando com as pernas dele.

– Como? – perguntou Victor, a voz um tanto esganada.

– Esse é o primeiro casal a se casar da sua turma da faculdade?

Victor tinha 29 anos, não 24. Mesmo assim, se sentiu lisonjeado com a presunção de popularidade, pela ideia de que ele observaria de perto as outras 669 pessoas de sua turma de formatura. Mas precisava se concentrar na tarefa corrente. Victor liberou os intestinos em uma combinação violenta de contração e expulsão ao mesmo tempo, e o barulho do vaso sanitário diminuiu o alcance da tagarelice daquele babaca.

– Porque não são todos assim – alertou o primo, enquanto eles lavavam as mãos em pias paralelas.

Victor sorriu.

– Vou manter minhas expectativas baixas.

— Bom garoto. — O homem deu um tapinha no ombro dele.
Victor sentiu o contato do enorme relógio do primo.
O homem se inclinou na direção da janela.
— Parece que vai abrir daqui a pouco.
Então ele saiu pela porta com a mesma rapidez com que Victor havia entrado. Manter as expectativas baixas não seria um desafio tão grande. Um dos maiores talentos de Victor era nunca manter as expectativas mais altas do que um tornozelo humano.

SETE

Nathaniel

O segundo ano da faculdade havia sido uma época muito especial para todos. Nenhum deles tinha mais colega de quarto, o que lhes dava novos modos de se expressar, espaços individuais nos quais podiam dizer *Isso é quem eu sou quando estou livre dos pôsteres de Ansel Adams de um estranho*. Eles já se conheciam bem, mas não tão bem a ponto de já ter enjoado uns dos outros. Ainda havia alguns segredos a serem desvendados, tanto em novos colegas quanto em relação a lados excêntricos da personalidade dos que já conheciam. Nathaniel, em especial, atingiu sua melhor forma. Cresceu quase três centímetros, começou a levantar pesos e se declarou um mestre da literatura. Não levou muito tempo para descobrir que era como um unicórnio no departamento de literatura: um homem heterossexual e de boa aparência, capaz de debater a melhor tradução para *O mestre e a margarida*, e então ir jogar *Call of Duty* no quarto. Ele usava isso para se destacar com as garotas nas cervejadas, usando sua inexistente concentração em literatura francesa? Talvez.

Em uma noite de sábado, Nathaniel estava tentando a sorte com Streeter Koehne, que havia decidido recentemente parar de usar sutiã e começar a usar regatas brancas. Streeter estava passando por uma fase em que se levava muito a sério e isso exigia que ela só falasse da política pública em Uganda. Ali estavam eles, no meio do tipo de festa de faculdade de que Nathaniel mais gostava (barulhenta, cheia, e cujos únicos temas eram "embriaguez" e "sexo"), mas não havia como convencer Streeter a abordar assuntos mais leves. Fora ela que, naquela mesma semana, havia visto um morcego no chuveiro do dormitório e saíra correndo e gritando pelo corredor, seminua. Um animal vivo! Nudez! Comédia! Não? Nada? Se ele não conseguia animá-la, então sua única opção era ser mais sério do que ela.

– Deus, você está certa. Mas é difícil olhar para os problemas de outra nação sob o prisma de nosso próprio país. Quer dizer, isso é verdade até em um nível cultural. Quando se lê Balzac ou Flaubert em francês, a experiência é totalmente diferente. Não se consegue o mesmo tipo de compreensão sobre a perspectiva francesa ao ler esses autores traduzidos para o inglês.

– Você leu Balzac em francês?

Ela aterrissara em algum lugar entre a desconfiança e a admiração.

– Bem – sussurrou Nathaniel em um tom confidencial –, só consegui chegar à metade de *Ilusões Perdidas*. Mas quem não ama *Madame Bovary*?

Ele não havia chegado à metade de nada. Estava assistindo a uma aula de literatura francesa. Mas a universidade era um tempo de egocentrismo fantástico e ninguém se importava o bastante para verificar as bobagens que ele pudesse dizer, nem mesmo Streeter.

– Nat, não tinha ideia de que você falava francês.

Um mamilo estava rígido, o outro não. Um estaria quente e o outro frio? A corporificação feminista da ineficiência: um mamilo não sabe o que o outro está fazendo.

– Você precisa conhecer Pierre.

– Hein?

Streeter acenou para um cara baixo, em um canto, que usava um casaco de pelos de camelo e tinha as feições definidas de um europeu.

Onde diabos estava Victor? Ele era como um portal humano quando mais se precisava de um. Victor era sempre a melhor forma de escapar de uma conversa (pequeno portal) ou de uma festa inteira (grande portal). Antes de Kezia levá-lo aos limites da insanidade, antes de Victor cair no poço da depressão, na época em que ele apenas curtia uma melancolia casual... Victor era divertido. Ou ao menos divertidamente honesto e sempre impassível. Era como ter Rod Serling, de *Além da imaginação*, atuando como mestre de cerimônias de sua vida para você. O ceticismo de Victor sobre toda a experiência de estar na faculdade era uma delícia quando ele ainda participava da vida universitária, quando ainda saía, ainda fazia comentários ácidos sobre os alunos ricos, ainda dava escapadas até a lanchonete tarde da noite. Em algum lugar, bem no fundo, pensava Nathaniel, esse cara está se divertindo mesmo sem querer. Assim como em algum lugar, bem no fundo, Nathaniel estava tendo uma experiência medíocre, mesmo sem querer.

Mas, naquele exato segundo, Victor tinha seus próprios problemas. Estava em um canto, parecendo assustado, enquanto uma caloura com os cabelos pintados de preto e braceletes de tachas descrevia seus piercings para ele. Nathaniel podia ouvir trechos da conversa acima da música.

– O que é que tem a minha vagina?

– É lá que estão todos os seus outros piercings. Imaginei que você quisesse que eu adivinhasse, então adivinhei. Acertei, não foi?

A caloura então pareceu realmente irritada.

– Gosto do seu bracelete. – Victor estava se esforçando.

– Eu o fiz com pedaços de quebra-molas de metal.

– Acho melhor eu ir ajudá-lo – comentou Nathaniel.

— Você é um amigo tão legal — Streeter assentiu, como se fossem pessoas como eles que um dia resolveriam os problemas do mundo.

Ela estava por sua própria conta em relação a isso. Nesse meio-tempo, Pierre abria caminho através da multidão, vindo na direção de Nathaniel e não parecendo nada satisfeito. Provavelmente porque Nathaniel a cada dia se parecia mais com o clássico rapaz norte-americano, e ambos sabiam que Streeter iria para a cama com ele, Nathaniel, sob as circunstâncias adequadas.

Nathaniel pulou nas costas de Victor e lambeu o rosto dele, quase derrubando-o.

— Me larga! — Victor jogou o cotovelo para trás.

A caloura recuou um passo, repugnada com a brincadeira bruta.

— Desculpe, desculpe. — Nathaniel voltou-se para a garota. — Victor odeia quando chego perto das orelhas dele. Mas é que amo tanto esse homem que não consigo conter minhas emoções.

Victor ficou imóvel, as pupilas fixas em Nathaniel, que apertava sua boca deixando-o com cara de peixe. Quando Nathaniel tirou a mão, Victor secou o rosto.

— Estou interrompendo alguma coisa? — Nathaniel passou o braço pelos ombros de Victor.

— Não. — Victor encarou o amigo com uma expressão lamentável. — Você viu Kezia?

— Que Kezia?

— Porque há mesmo um monte de Kezias passeando pelo campus...

— Não vi. — Nathaniel enfiou o dedo na cerveja de Victor. — Por que essa cerveja é quase só espuma?

Nathaniel não sabia bem por que mentira. Ele havia visto Kezia mais cedo, quando estava a caminho do banheiro, conversando com uma garota chamada Edith, que cultivava raízes comestíveis no closet. Kezia parecia atenta à conversa. Nathaniel achou que ela nem o havia notado, até que Kezia piscou quando ele passou, pálpebra abaixando lentamente sobre um límpido olho azul. Mas foi tudo. Agora, o importante era encontrar um par para Victor naquela noite. E um para ele mesmo, é claro, mas as últimas semanas haviam sido cheias – Nathaniel poderia estocar casos amorosos da mesma forma que animais do bosque guardavam nozes nas bochechas. Só que em outra extremidade do corpo.

Enquanto dava uma olhada ao redor, buscando alguém para Victor que não fosse tatuar símbolos satânicos em seu peito enquanto ele dormia, Nathaniel sentiu um tapa forte nas costas. Ao menos ele achou que fosse um tapa até seu corpo registrar um empurrão.

– Está tentando pegar minha namorada? – perguntou o francês importado e de pavio curto de Streeter.

– Não – protestou Streeter –, Nathaniel fala francês. Ele leu *Madame Bovary* em francês.

– *Ah, tu parles français? Vraiment?*
– *Oui.*
– *On y va, alors.*

Nathaniel procurou em seu cérebro uma única frase em francês. Não tinha vocabulário para nada espirituoso ou mesmo vago. Havia lido apenas um livro inteiro em francês, uma coleção de expressões chulas, na casa dos pais de um amigo durante o ensino médio.

– *Vas te faire foutre!*

Nathaniel estava tão ocupado em ficar satisfeito com sua pronúncia que não percebeu que estava prestes a ser empurrado de novo. Dessa vez, ele perdeu o equilíbrio e caiu para trás, em cima da caloura. A garota levantou os braços para se proteger e arranhou o couro cabeludo de Nathaniel com os pedaços de quebra-molas. A festa havia parado para observar a cena. Streeter acompanhou Pierre de volta ao dormitório dela, provavelmente para acalmá-lo com o único mamilo rígido. Nathaniel tocou a cabeça e seus dedos logo ficaram cobertos de sangue. Um estudante de medicina bêbado agachou ao lado dele, afastando os cabelos de Nathaniel e se oferecendo para "costurá-lo" ali mesmo. Era um absurdo sangrar tanto por nada. Nathaniel disse um "Ei, ei, foi só um arranhão, um arranhão!" descontraído, mas se perguntou se não precisaria de uma injeção antitetânica. Humilhação: que bálsamo para a dor. Alguém deveria engarrafar Constrangimento, vender junto com Advil, e fazer uma fortuna.

Nathaniel caminhou com determinação para encher o copo de cerveja novamente e se dedicou a dar goles até o último par de olhos se desviar dele. Então, tocou novamente a cabeça, torcendo para que o sangue não estivesse escorrendo pela testa.

– Você está bem? – perguntou Victor.

– Ei, posso lhe pedir um favor?

– Claro.

– Você está bem para me levar ao hospital?

Nathaniel inclinou-se rapidamente para mostrar a gravidade do ferimento. Podia sentir a umidade do sangue mesmo sem tocar a cabeça.

Victor fez que sim com a cabeça. Eles entraram no carro de Nathaniel, que começou a procurar ao redor por lenços de papel ou guardanapos – qualquer coisa com que pudesse aplicar pressão no machucado.

– Droga. – Ele examinou o couro cabeludo no espelho lateral. – Ela me acertou em cheio.

O FECHO

※━━━━※

O hospital era pequeno e próximo ao campus. A sala de espera da emergência estava cheia de idosos locais, em sua maioria com gripe ou alguma coisa dolorosa enfiada nos olhos. Nathaniel leu um folheto sobre diabetes tipo 2 enquanto Victor os registrava.

Victor voltou com uma pilha de formulários na mão.

– Tome.

– Motivo da visita. – Nathaniel começou a escrever: – Corte na cabeça... por... bijuteria.

Enquanto preenchia os formulários, ele teve noção da própria juventude. Não tomava nenhum medicamento, não havia feito nenhuma cirurgia ou tivera qualquer infecção. Não tinha histórico de reações alérgicas ou de enfermidades crônicas. Apenas uma fileira vertical ininterrupta de marcações a lápis nas caixas do "não", assinar e devolver ao balcão onde ficavam as enfermeiras. Depois de cinco minutos, Victor deixou escapar uma gargalhada. E começou a rir silenciosamente.

– Eu sei. – Nathaniel também começou a rir. – Cale a boca, eu sei.

– Você leu alguma coisa na vida de literatura francesa?

– A mesma coisa que você.

– O quê? – Victor pareceu perplexo. – Ah, *aquilo*?

Nathaniel só fizera uma matéria com Victor, uma iniciação em literatura europeia. O assunto era tão absurdamente amplo que o plano de aulas mais parecia um jogo de drinques ao redor do mundo. Eles cobriam um país por semana. Nesse canto, representando toda a literatura irlandesa, com os resultados de exames clínicos do fígado equivalentes a uma destilaria de uísque: "Os mortos", de James Joyce e *O retrato de Dorian Gray*, de Oscar Wilde. E nesse canto, fazendo desenhos com fumaça de cigarro e representando toda a literatura francesa: *O estrangeiro*, de Albert Camus e "O colar", de Guy de Maupassant. A professora deles, uma pesquisadora de Voltaire, que passava por um divórcio desagradável (boatos diziam que o homem com quem fora casada por vinte anos a deixara por uma professora-assistente que lecionava Proust), se arrastava pela aula. Certa vez, a mulher adormeceu sobre a mesa enquanto uma aluna fazia uma leitura rápida de *Morte em Veneza*. Literatura germânica foi dada antes de um longo fim de semana.

Kezia Morton estava na mesma turma que eles nas primeiras duas semanas. Àquela altura, Nathaniel a conhecia basicamente como a garota que dividia o quarto com a herdeira do hotel. Ele não a notara como uma entidade individual até aquela aula, mas achou divertido observar uma garota que obviamente não era uma leitora sentada na primeira fileira, fazendo anotações sobre literatura de um jeito enlouquecido, como se aquilo pudesse ser aprendido da mesma forma que se aprendia física. Victor também notou Kezia, mas ele estava bem à frente de Nathaniel. Os dois já eram amigos, costumavam se encontrar no saguão e saíam juntos do prédio de Humanas, conversando. Então, um dia, Kezia não apareceu. Ela havia abandonado a aula, ao que parecia havia transferido os créditos para história da arte na América, matéria equivalente no currículo.

Pior para ela, que perdeu uma das visões mais desconfortáveis que Nathaniel tivera na vida.

Eles estavam sentados em uma sala de aula quase vazia, esperando que a professora recolhesse o que ainda lhe restava de sanidade para levá-la do escritório na universidade até a sala de aula, como toda tarde. Era a semana de francês. Todos tinham lido "O colar" durante o fim de semana. "O conto mais famoso e mais trágico da história das cartas francesas", dizia o plano de aula. Nathaniel achou um leve exagero, não que fosse capaz de propor um candidato melhor.

Era a história de uma mulher-bela-porém-pobre que vivia aborrecida com as circunstâncias de sua vida. Um dia, o marido consegue um convite para uma festa elegante e, em vez de ficar empolgada, a mulher cai em depressão porque não tem nenhuma joia para usar. Por sugestão do marido, ela pega emprestado um colar caro com uma amiga rica. A esposa se diverte imensamente na festa, enquanto o marido fica sentado em um canto, entediado. Quando chega em casa, ela percebe que perdeu o colar. O marido então sai no frio e vasculha as margens do Sena à procura da joia. Ele volta de mãos vazias e contrai uma dívida para pagar por um novo colar que substituísse o que foi perdido. O ardil funciona, mas como resultado a mulher precisa pegar serviços extras e acaba com a saúde trabalhando como empregada. Então, em uma cena final, ela esbarra com a amiga rica enquanto caminha em um parque. A amiga nem sequer reconhece a mulher a princípio, de tão acabada que ela está. A mulher, então, conta à outra toda a história, orgulhosa por seu artifício ter funcionado. A amiga então revela a ela que o colar era falso. A mulher havia se desgastado tanto por nada.

Nathaniel, como a maior parte de seus colegas de turma, lera a história antes. Era uma fábula sobre ganância, estupidez e futilidade. Ele sabia que deveria se sentir triste pela esposa, mas secretamente sempre enxergara a situação pela perspectiva do marido. Era a história de uma arrivista social, que arrastava um cara para baixo. Quando a amiga da mulher inicialmente lhe oferece uma caixa cheia de joias, sua primeira reação é "Você tem mais alguma coisa?". A única razão para o casal voltar a pé da festa para casa é porque a esposa está tão constrangida com o mau estado de seu casaco que não quer ficar parada esperando por uma carruagem.

Ela *obriga* o marido a atravessar a cidade no frio e, em algum lugar ao longo do caminho, o colar desaparece.

O final é muito mais trágico para o marido, cuja vida é arruinada por ter tentado fazer outra pessoa feliz.

A professora pediu que levantasse a mão quem já tivesse lido o conto. Quase todos ergueram a mão, exceto Victor e um casal de alunos estrangeiros. Então a professora pediu para que cada aluno contasse a história em uma palavra.

Ironia. Sociedade. Classes. França. Cada resposta a irritava mais até que a irritação tomou a forma de um quase imperceptível tique no olho. A professora tirou os óculos e os deixou pendurados por um fio de lã que estava ao redor do pescoço.

– Escutem. Escutem de verdade. – Ela se levantou e começou a ler. – "Era uma dessas lindas e encantadoras jovens, nascidas, como por um erro do destino, numa família de empregados. Não tinha dote nem esperanças, nenhum meio de ser conhecida, compreendida, amada, desposada por um homem rico e distinto; e acabou se casando com um simples escriturário do Ministério da Educação."

Ela abaixou as mãos, marcando a página no livro.

– Ouviram? – perguntou de forma retórica. – Ouviram isso?

Victor fez contato visual com Nathaniel. A professora levantou o livro mais uma vez, dessa vez gritando como uma finalista de uma batalha de poesia.

– "Não podendo entregar-se ao luxo, foi simples, mas infeliz como uma desclassificada, pois as mulheres não têm casta nem raça, servindo-lhes a beleza, a graça e o encanto de nascimento e de família. A fineza nativa, o instinto de elegância, a flexibilidade de espírito são-lhes a única hierarquia e tornam as filhas do povo iguais às maiores damas."

– Deus – a voz dela falhou –, não veem que isso é sobre o drama de envelhecer? É insuportavelmente triste.

– Acho que o que está em questão não é mais o conto – sussurrou Nathaniel para Victor, que assentiu com a cabeça, concordando.

A professora abriu o botão de cima da blusa e colocou a palma da mão sobre o peito.

– "Ela sofria continuamente, ela..." – A voz da mulher subiu uma oitava.

– *"Elle souffrait sans cesse, se sentant née pour toutes les délicatesses et tous les luxes. Elle souffrait de la pauvreté de son logement, de la misère des murs, de l'usure des sièges, de la laideur des étoffes."*

– Ih, cara. – Victor se inclinou para a frente. – Agora o bicho pegou.

– *"Toutes ces choses, dont une autre femme de sa caste ne se serait même pas aperçue, la torturaient et l'indignaient. La vue de la petite Bretonne qui faisait son humble ménage éveillait en elle des regrets désolés et des rêves éperdus. Elle songeait aux antichambres nettes, capitonnées avec des tentures orientales, éclairées par de hautes torchères de bronze, et aux deux grands valets en culotte courte qui dorment dans les larges fauteuils, assoupis par la chaleur lourde du calorifère."* Ela fantasiava sobre grandes salas de visita adornadas com seda antiga, com mobília elegante cheia de quinquilharias de valor inestimável, com salões deliciosos... Essa mulher não tinha um bom guarda-roupa, nem joias, nada. Rien! E essas coisas eram tudo o que amava, sentia que havia nascido para esse mundo. A mulher desejava desesperadamente ser querida, ser invejada, ser sedutora e requisitada... E ela chorava por dias inteiros, chorava de desgosto, *de regret, de désespoir et de détresse*. Agora, sobre o que vocês acham que é essa história? Nathaniel?

– Materialismo?

– *Non!* – A professora pareceu surpreendida com a convicção de sua resposta. – Não, é sobre sacrifício. Sacrifício por amor.

A mulher estava chorando ou era apenas a paixão pelo assunto que Nathaniel estava vendo em seus olhos? Ela pousou o livro sobre a carteira dele e a lombada fez um barulho firme contra a madeira.

– Leia essas linhas – pediu.

Nathaniel pigarreou.

– "Que teria acontecido se não tivesse perdido aquele colar? Quem sabe... quem sabe? Como a vida é singular, mutável! Como é preciso pouca coisa para nos perder ou salvar..."

– "... salvar." – A professora fechou os olhos e sussurrou. – "Como é preciso pouca coisa para nos perder ou salvar."

– Devo continuar a ler?

– Não. – Ela balançou a cabeça e abotoou a blusa. – Não, estão dispensados.

Os alunos saíram da sala em silêncio, evitando contato visual uns com os outros. A ventania passara, mas deixara um cenário embaraçoso à sua volta. Nathaniel saiu com Victor. Nenhum dos dois havia visto um profissional adulto perder a linha daquele jeito antes. Embora os dois tivessem idade o bastante para não dar risadinhas, ainda não tinham idade o bastante para saber o que fazer em uma situação daquelas. Eles optaram, então, por se sentar no quarto de Nathaniel, e ficar tomando cerveja sobre o baú dele, que também fazia as vezes de mesa de centro, jogando videogame, enquanto esperavam que Paul saísse da aula de princípios macroeconômicos para que todos pudessem jantar. Nathaniel mencionou brevemente o assunto da professora, apenas o tempo necessário para classificá-lo como "esquisito". Mas Victor o surpreendeu.

– Acho que ela tem sorte. – Ele pousou a lata de cerveja. – Eu não me importaria de ser apaixonado por alguma coisa.

Aquela foi a conversa mais emocionalmente profunda que Nathaniel tivera com Victor.

※

– Nate Healy – chamou cegamente uma enfermeira quando entrou na sala de espera, mesmo que, àquela altura, só houvesse ele e Victor ali.

– Nat – corrigiu ele.

Ela o encarou como se ele tivesse acabado de repetir o mesmo som.

– O médico vai vê-lo agora.

Nathaniel se levantou.

– Nat – Victor chamou quando ele já se afastava –, o que você disse para aquele cara?

– Mandei ele se foder.

OITO

Kezia

Ela odiava Los Angeles conceitualmente, mas também odiava em um nível pessoal. Los Angeles era uma cidade perigosa para o toque humano. Como uma cobra píton adormecida. A pessoa nunca sabe quando ela vai sair de seu coma de açaí, virar-se e dizer algo muito desagradável bem na sua cara. E Kezia nem estava no show business. As pessoas com quem tinha reuniões em nome de Rachel confundiam simpatia básica com uma oportunidade de ter intimidade. Kezia ouvira, de pessoas que estavam tentando *ser amigas* dela, que deveria injetar um medicamento forte na testa, quantas calorias havia em sua refeição, que estilista havia deixado uma pulseira cair dentro do vaso sanitário, como diminuir as bolsas embaixo dos olhos, e tudo isso levara, alguns drinques mais tarde, a histórias de tios abusivos e primeiros amores que haviam morrido em acidentes de carro. A propósito, vamos dividir a burrata?

Uma vendedora de cristais particularmente inconveniente disse a Kezia que ela estava "em ótima forma para alguém que não morava ali". Essa era uma pessoa que Kezia estava em posição de contratar, alguém a quem ela (bem, Rachel) poderia dar trabalho. Não conseguia se imaginar lidando com essas pessoas bizarras em seu antigo emprego.

– Você é atriz? – perguntara um fornecedor, batendo com o mocassim sob a mesa de vidro, acima do Wilshire Boulevard.

– Não – respondera ela, abrindo uma pasta com os designs de Rachel.

– Poderia ser – concluíra o fornecedor. – Confie em mim, sou bom nisso. Você poderia ser uma jovem Carol Kane. Uma "atriz de gênero".

– Você é agente de elenco?

– Não.

– Então tem talento para tal. – Ela pegou a caneta.

Pelo lado bom, Kezia viajava para aquele esgoto cultural com frequência o bastante para lhe permitir ver Nathaniel. A novidade da mudança geográfica os uniu. Todos os outros que conheciam ainda estavam na Costa Leste e os dois se sentiam como pioneiros. E velhos amigos. Se Nathaniel fazia brincadeiras mais adequadas a um concurso para roteiristas de filmes escatológicos, Kezia não se sentia obrigada a rir delas. Se ela o chamava de babaca, era porque ele estava sendo babaca. Mas depois que a noite caía, alguma coisa mudava. Havia uma energia de flerte entre eles agora, que não existira durante os quatro anos de faculdade. Mesmo assim, nada nunca aconteceu. Seria ela familiar demais? Não tinha o padrão atriz/musicista/designer? Seria Victor o problema? Algum código de conduta masculino que ditava que ela jamais seria tocada?

Fosse o que fosse, depois que Kezia perdeu sua firmeza emocional, perdeu de vez. Ela se pegava espiando pela janela do avião, enquanto mergulhava no infinito campo de luzes de Los Angeles, imaginando o que Nathaniel estaria fazendo enquanto as rodas do avião tocavam o chão. Ou checando obsessivamente a conta do Twitter dele para ver se Nathaniel começara a seguir alguma das garotas que o seguiam. De volta a Nova York, quando o telefone mostrava uma ligação perdida de Nathaniel, Kezia ficava feliz por não ter ouvido o toque. Em condições ideais, ela poderia guardar consigo as ligações perdidas, como uma bola cintilante de energia.

Poderia viver no espaço ao redor delas por algumas horas. Por favor, pensaria, só um pouco mais, antes que se tornasse grosseiro não retornar a ligação. Porque depois que eu deixar ir embora essa sensação de controle, poderão se passar semanas até que eu volte a experimentá-la.

– Ei – perguntou Kezia a Victor, de volta a Nova York, quando os dois estavam sentados em um banco, comendo bagels –, você falou com Nathaniel recentemente?

– Para ser sincero, não nos falamos mais. É você que vai para Los Angeles.

– Eu sei, só fico me perguntando se ele está feliz.

Dois motoristas de táxi indo em direções opostas pela Houston gritaram um com o outro enquanto os passageiros se concentravam obedientemente em seus celulares. Aquilo daria uma boa história de amor, pensou Kezia. *Nós nos conhecemos trocando olhares de comiseração.*

– Você está preocupada com a felicidade de Nathaniel?

– Ele é nosso amigo. Você não se preocupa?

– Acho que Nathaniel está bem. – Victor recolheu o excesso de cream cheese do papel encerado que envolvia o bagel, acrescentando ao pedaço que morderia. – Mais do que bem.

– Tudo bem. – Kezia acenou com a mão diante da indireta em relação à vida amorosa ativa de Nathaniel. – Só estava perguntando.

– Pelo que pude perceber, ele se livrou de toda a gordura corporal e se tornou um idiota insuportável. Se era isso o que você estava perguntando.

– Isso é o que *você* está dizendo. – Kezia bebeu com ruído o café, sorrindo, plenamente satisfeita.

O FECHO

⋄⟹⟸⋄

A última vez que ela vira Nathaniel havia sido durante um malfadado jantar, em Los Feliz, onde ele já estava nos estágios finais de uma idiotice intolerável. Nathaniel que escolhera o restaurante. Quando Kezia chegou, ele ficou tão horrorizado com a descrição dela de onde e como havia estacionado o carro que exigiu que ela lhe entregasse as chaves. Nathaniel saíra da mesa, dizendo a ela para pedir o jantar por ele.

– Não sei o que você quer.

A frase tinha milhares de significados diferentes.

– Pode ser um prato de vegetais crus e uma guarnição de fritas com trufas.

– Está brincando?

– Ah, e um chá verde.

Ela o observou pela janela do restaurante, se desviando do trânsito, a jaqueta de couro voando ao vento. Kezia tocou os óculos escuros modelo Wayfarer que Nathaniel deixara para trás e tentou girá-los como um pião. Quem era aquela criatura? Entre todas as pessoas, ela e Nathaniel eram supostamente os dois cortados na mesma fôrma. Mas aquela fôrma aparentemente se tornara um sapato enorme.

– Sua traseira estava na faixa vermelha – disse ele.

– O quê?

– Seu carro. Foi por isso que eu o tirei de onde estava. Você deveria ter deixado que o manobrista o estacionasse.

– Provavelmente. Achei bastante estressante dirigir até aqui.

– Adoro dirigir. Estar no meu carro me deixa feliz. Nunca entendo por que as pessoas vêm de Nova York e reclamam de dirigir. Quais são as chances de Los Angeles, uma cidade que abriga essa quantidade de egos, poder tornar a vida difícil para alguém? Quer dizer, um macaco amestrado conseguiria encontrar Santa Monica. Morar em Los Angeles é a coisa mais lógica do mundo.

– Sim, mas às vezes você não acha – quis saber Kezia, como se tivesse uma escuta escondida na mesa – que a cidade toda parece meio irreal, como se estivéssemos entrando no cenário de um filme?

– Fique à vontade para pensar assim. – Ele desdobrou o guardanapo.

Então Nathaniel começou a falar sobre a primeira temporada da série e sobre quem estava indo para a cama com quem em que estúdio. Ele reclamou de como era esquisito quando "seus amigos ficam famosos", mas Kezia nunca havia ouvido falar de nenhum dos nomes mencionados. Eles apareciam no *Hollywood Reporter*, não no *Us Weekly*.

– E Eric Goldenberg ainda trabalha como agente na UTI?

– É UTA o nome da agência de talentos. – Nathaniel fez uma careta. Ele usara o mesmo tom que Kezia guardava para pessoas que acrescentavam um "s" no final de "Tiffany", ou que pensavam que Alexis Bittar era mulher. Um tom que seria melhor descrito como "Você não é uma graça, sua idiota?".

Kezia provou as batatas fritas intocadas de Nathaniel. Será que ele estava sob a influência de *alguma* substância? Ela mal conseguia entender uma palavra do que dizia! Captava apenas trechos. Algo sobre o colega de apartamento, Percy, que era negro e, por isso, tinha uma vantagem competitiva em escolhas de elenco. Ou sobre os pais dele terem se oferecido para pagar por uma faculdade de direito. Depois do jantar, Kezia teve vontade de voltar para o hotel, colocar na conta de Rachel uma enorme quantidade de pedidos no quarto e ir para a cama. Mas Nathaniel insistiu em levá-la a um lounge com bancos vermelhos reservados e iluminado por lâmpadas penduradas por fios. E logo pediu os drinques, Sidecars para os dois.

– Estou chutando você ou a mesa? – Kezia abaixou os olhos.

– A mesa – disse Nathaniel –, mas não precisa pedir permissão se quiser me bolinar com os pés.

– Que babaca...

– Estou longe demais de você – anunciou ele, e sentou-se ao lado dela no banco.

Nathaniel estava ao mesmo tempo bêbado e chapado. Eles conversaram sobre baixarias (de verdade, pesadas) de amigos de ambos. Na maior parte do tempo, foi Nathaniel que falou. Depois do veneno destilado, eles agora tinham que chafurdar nele. Kezia tentou levar a conversa de volta para assuntos mais decentes, mas Nathaniel não se interessou. Ele aparentemente reprimira anos de críticas aos que havia abandonado no Leste. Caroline era uma idiota, Olivia não era bonita o bastante para agir do jeito que agia, Paul teve a sorte de ficar rico por causa de um fundo de investimento, Sam era *realmente* um idiota, Victor era um maricas, metade dos caras que eles conheciam eram maricas, as garotas eram dramáticas e ninguém tinha curiosidade intelectual. Nathaniel, o boa praça. O popular, encantador e descomplicado Nathaniel. De onde viera essa enxurrada psicanalítica?

– E você vai ao casamento de Caroline?

– Por que não iria?

– Ora, muito bem... então me diga o que eu sou.

– Você? – Ele girou o corpo no banco. – Realmente quer saber?

– Estou com a respiração presa.

– Ah, meu bem, você é especial. Mas pode ser uma vadiaz... uma irritadinha.

Kezia tapou a boca dele com a mão, esmagando o lábio superior contra o nariz.

– Não. Não acredito que estou dizendo isso – falou ela –, mas você está sendo horrível. E *eu* estou sendo horrível. Os semelhantes se encontram.

– A expressão não é essa. – Os lábios dele vibraram contra a mão dela.

Kezia afastou a mão. Até aquele momento, ela se convencera de que Nathaniel estava apenas superficialmente envolvido naquela vida esquisita, que ainda era o bom e velho Nathaniel. No entanto, ele era apenas outra píton adormecida. Nathaniel passou o restante da noite olhando por cima do ombro de Kezia para a garçonete escultural do bar, para logo depois voltar a atenção exageradamente para Kezia. E deixou de esculhambar os amigos deles para passar a esculhambar as pessoas em geral, reclamando que ninguém lia ficção, romances ou mesmo crítica de romances, embora ele mesmo não soubesse dizer o nome do último romance que lera. Então eles discutiram sobre dirigir alcoolizado e Kezia perdeu o cartão de crédito no vão do banco onde estava sentada.

Eles esperaram em silêncio na rua até o manobrista trazer os carros. O abraço de despedida foi embaraçoso. Depois que Nathaniel conseguiu fazer a curva com sucesso sem bater em nada, Kezia entrou em seu carro branco alugado, ajustou o assento para a frente e olhou para a própria imagem no espelho retrovisor. Ela deixou o rosto flácido e imaginou como ele seria no futuro, onde as rugas apareceriam. E não conseguiu afastar um pensamento: se o seu coração estivesse destinado a ser conquistado pelos Nathanieis do mundo, ela ficaria sozinha pelo resto da vida.

NOVE

Victor

Um garçom se aproximou deles com uma bandeja de bolinhos de mariscos. Kezia colocou um inteiro na boca e recusou o guardanapo. Ela poderia muito bem ter enfiado a cara em um queijo inteiro na frente dele.

— Caramba, tá quente!
— Acho que você vai ficar bem.
— Você acha que tudo vai ficar bem.
— Do que está falando? Eu nunca penso assim.

Mechas do cabelo dela haviam sido abandonadas quando fora feito o rabo de cavalo e deixadas para se arrepiar livremente. Havia uma espinha enorme no queixo dela. Pronto: Kezia não era tão perfeita. Havia parte de trás agora nos braços dela, onde antes não havia. Durante a faculdade, eles haviam sido apenas braços.

O pai obcecado-pelo-clima de Caroline surgiu atrás deles.

— Ora, se chuva no dia do casamento for sinal de boa sorte, minha filha deveria comprar bilhetes de loteria.

Kezia riu educadamente, exalando pelo nariz. Victor riu também, embora estivesse rindo da ideia de Caroline algum dia ter pousado os olhos em um bilhete de loteria. Kezia ergueu uma sobrancelha quando o pai de Caroline se afastou. Ela estava à espera dos conhecidos comentários de Victor sobre classes sociais, que costumavam se manifestar quando ele estava cercado por pessoas que o lembravam dos empregados da Abercrombie, jogadores de lacrosse que haviam povoado sua juventude. Será que Caroline havia pedido a Kezia para ficar de olho nele, para se certificar de que ele não bateria em ninguém por usar o verbo "veranear"? Ele era o mesmo Victor que certa vez subira em um balcão no campus e cantara uma música cuja letra – "Where have all the black people gone, long time passing?" – perguntava para onde tinham ido os negros depois de tanto tempo passado? Talvez.

Havia um som vindo acima do ombro deles, o tipo de arrastar de pés determinado que é associado ao caminhar rápido das gueixas. O som estava ficando mais próximo.

– Ouviu isso? – perguntou Victor.

Kezia abriu um sorriso.

– Alguma coisa casada está caminhando nessa direção...

Caroline. O tecido do vestido se misturando à faixa preta na cintura fazia com que ela se parecesse com um pinguim que adormecera em uma geleira e acordara nos trópicos. Taça de champanhe na mão, ela deu um braço a Victor e passou o outro ao redor de Kezia. Caroline tentou tomar um gole do champanhe, fez uma careta quando viu que sua boca chegaria à altura do cinto de Victor e desistiu. Estava muito distante da mulher que parecia tão séria durante a cerimônia, encarando Felix nos olhos, enquanto Nathaniel lia um poema de Pablo Neruda.

Caroline ficou na ponta dos pés, apoiou a cabeça no ombro de Victor e anunciou:

– É ossudo demais. – Caroline Markson, que se transformara em uma mistura da Eloise, do livro de Kay Thompson, com Chuckie, o boneco aterrorizante. Caroline, que jamais conseguia esconder o sobrenome e que, certa vez o descrevera, publicamente e em tom de lamento, "como fazendo parte de uma minoria".

– Que festa vertiginosa – comentou Victor, fingindo segurar um cigarro.

— Você está parecendo Nathaniel — retrucou Caroline, disfarçando um arroto.
— É o que ele quer. — Kezia gargalhou dentro do copo de vinho.
— Como?
— Já viram minha nova sogra? Acho que ela está me evitando.
— Normalmente não acontece o contrário?
— Eu sei! — Caroline empurrou o ombro de Kezia com tanta força que quase a derrubou. — Quem *me* evitaria?
Os dois se viraram para encará-la ao mesmo tempo, estupefatos.
— Você sabia — começou Caroline, deixando escapar um soluço — que eu já dividi um quarto com essa daqui?
— Sabia. Eu também estava lá.
— Ela costumava arrumar os CDs por cor. E etiquetava tudo. Até a chave do quarto dela estava marcada como "chave do quarto", com um pedaço de fita adesiva. E só havia uma tranca. Isso me enlouquecia. Kezia também costumava dobrar para dentro os fundilhos de suas calcinhas sujas, formando um triangulozinho, para o caso de elas caírem da cesta da lavanderia.
— Chega. — Kezia tentou confiscar a taça de champanhe.
— Ah, meu Deus! — Caroline jogou a cabeça para trás e gritou: — Felix não é incrível?!
O amor entre Caroline e Felix desabrochara durante um workshop de um banco de negócios, o que, para Victor, parecia ser o lugar menos fértil para o amor. Para ver o quanto ele sabia...
— Kezia — sussurrou Caroline. — Merda, tô tão úmida. Preciso conversar com você. Kezia, eu tenho um homem.
Uma orquídea atrás da orelha de Caroline havia se livrado da prisão da trança. Ela tentou morder a flor como se fosse um animal.
— Entendi. — Kezia acariciou o cabelo da outra. — Você o terá até estar morta e enterrada e suas unhas ainda estarem crescendo.

— Tenho um homem para *você*. E que nojo.

— Você tem um *homem* para mim? — Kezia pareceu achar divertido. — A última vez que tentou me arrumar alguém, foi um corretor da Bolsa que usava suéteres de pescador irlandês na cama.

— Você precisou se interessar por ele o bastante para chegar a saber disso — comentou Victor.

— Ninguém lhe perguntou nada — repreendeu Caroline.

Ela puxou o braço de Kezia e elas avistaram a presa, um cavalheiro musculoso com cabelos louros, escuros por causa do gel. O homem estava dando em cima das amigas de Felix da faculdade de administração e ignorando a madrinha, coberta de spray bronzeador, enquanto ela mordia o lábio, concentrada, e tentando ajeitar a flor, uma ave do paraíso, que deveria ficar presa no paletó dele.

— O nome dele é Judson — Caroline começou a descrição. — Ignore o cabelo.

— Ela não pode namorar uma pessoa chamada Judson.

— Não estou sugerindo que ela namore ele, Victor.

Kezia estava usando um vestido azul-marinho, na altura dos joelhos, em formato de saco, cujo detalhe intrigante começava e terminava nos ombros nus. Ela parecia um mirtilo murcho. Quem tentaria apresentar um Judson a uma pessoa assim?

— Ele parece divertido — murmurou Kezia.

— Ele parece um idiota.

— Ai, pelo amor de Deus, cale a boca, Victor — disse Caroline —, isso é uma festa!

— Está certo, não vou falar já que é uma festa.

A Bronzeada havia passado a uma segunda cena: o cabo de uma cereja ao marasquino. Ela levantou um dedo, pedindo paciência, enquanto passava a língua pelo interior da boca. Dessa vez os homens perceberam. A Bronzeada retirou o cabo da cereja da boca e recebeu olhares lascivos e aplausos.

— Na verdade, parece que ele já tem dona — comentou Kezia.
— Marlene? — Caroline riu. — Não se preocupe com Marlene. Ela tem um namorado há, sei lá, desde sempre. Marlene é assim mesmo.
— Assim mesmo como? — Victor se intrometeu na conversa.
Ele ansiava por ser uma dessas pessoas cujos comportamentos são varridos para baixo do tapete com um "Ele é assim mesmo". *Ah, Victor? Ele sai chutando tudo o que vê pela frente, mesmo.*
Caroline o ignorou.
— Quando foi a última vez que você transou com alguém?
— Teve aquele fornecedor de prata. — Kezia consultava sua agenda mental. — E Gabe. Você chegou a conhecer Gabe? O amigo da minha amiga Meredith? Ele parecia um Wes Anderson de cabeça raspada. E era engraçado. As outras pessoas o achavam engraçado.
— O cara que ligou para você 28 dias depois do primeiro encontro? — resmungou Caroline. — Isso não é um relacionamento, é o enredo de um filme de terror.
— Está certo, está certo. — Kezia recuou um passo. — Vocês venceram!
Vocês? Ele certamente não estava encorajando aquilo. Kezia tirou a tampa de alguma coisa brilhante de dentro de um bolso escondido e passou nos lábios. Victor examinou o vestido dela, tentando encontrar o bolso. Caroline pegou a mão de Kezia. O que ele poderia fazer? Nem mesmo ele poderia argumentar com a astúcia romântica de alguém usando um vestido de noiva.

DEZ

Nathaniel

Uma brisa morna atravessou a umidade. Marlene estava tocando a mão dele e comentando sobre como a pele era macia — um elogio tão claramente moldado para uma garota que ele não teve outra escolha a não ser devolvê-lo.

— A sua também — disse, embora não a houvesse tocado, não voluntariamente.

Nathaniel a tocara em um ato reflexo quando ela se oferecera para lhe mostrar a pirueta que sabia fazer, exibida pela última vez quando Marlene tinha sete anos e executada com toda a graça de um ser humano daquela idade. Ele a segurou nos braços antes que ela caísse de cabeça em uma cadeira de vime. Marlene não fez o menor esforço para se colocar de pé, ao contrário, deixou o corpo mole, como se Nathaniel a houvesse submergido. Outras mulheres já haviam usado aquela tática com ele antes. Normalmente na forma de cambalhotas bêbadas na sala dele, ou de jogos de bater as mãos que Nathaniel não tinha a menor vontade de aprender. Ele sabia o que elas estavam fazendo. Queriam ser charmosas, mas erravam o alvo. Suas ações pareciam dizer: "Tenho a alegria despreocupada de uma pré-adolescente. Por isso, por favor, trepe comigo."

Normalmente funcionava, porque ele costumava *realmente* querer trepar com elas e não lhe ocorria analisar a psicologia de uma pirueta. Mas Marlene estava fazendo uma espécie de contato visual fixo que o fez lembrar de *Laranja Mecânica* e o assustou.

Nathaniel coçou a nuca. Precisava cortar o cabelo. Mechas taparam sua linha de visão quando ele desviou o olhar em busca de uma saída estratégica. Estava usando um terno branco, com uma gravata fina e mocassins marrons com solas em verde-neon – uma roupa da qual conseguira escapar impune porque havia celebrado a cerimônia. Nathaniel se saíra muito bem: piada, boas-vindas, piada, poema, pausa para uma citação nada apropriada de Proust ("Apenas amamos aquilo que não possuímos por completo"), história sobre Caroline, sinceridade sobre Felix, *grand finale* ajudado pelo Grande Estado da Flórida. Por quinze minutos, o palco havia sido dele. Isso o tornara uma celebridade menor para um círculo mais amplo do que os dos amigos de faculdade, que já o tratavam como uma celebridade menor. Embora nenhum deles fosse ficar satisfeito de ouvi-lo dizer aquilo sinceramente.

Nathaniel se sentira nervoso ao deixar Nova York, é claro que sim. Ele se mudara para Los Angeles com nada além da esperança fitzgeraldiana de transformar palha literária em ouro hollywoodiano. Tivera bastante conhecimento literário para impressionar um produtor executivo que conhecera em uma festa, durante sua primeira semana na cidade. Antes que se desse conta, já tinha um salário anual entre cem e trezentos mil dólares, o mesmo plano de saúde dental de Steven Spielberg e um trabalho como redator em uma série cômica claramente nada fitzgeraldiana chamada *Dude Move* (resultado de uma censura ao título original do programa, *Dick Move*, por sua menção excessivamente explícita ao órgão sexual masculino). Premissa: cinco caras moram em um arranha-céu de Chicago e conversam sobre as mulheres que levaram para a cama como parte de um estudo de uma doutora em psicologia da Universidade de Chicago, papel de uma atriz que trabalhara em

Gossip Girl. Nathaniel poderia fazer isso dormindo. Sabia que havia tirado a sorte grande. Mas só soubera a extensão dessa sorte bem mais tarde, quando ouviu o conselho mais importante que poderia receber sobre trabalhar em Los Angeles.

O conselho veio de seu futuro colega de apartamento, Percy, que era poucos anos mais novo do que Nathaniel e também fazia parte da equipe de *Dude Move*. Percy disse a Nathaniel que o truque, quando a pessoa se mudava do Leste para o Oeste do país, era participar *de menos* reuniões e agir do modo mais constrangedor possível nelas – como se você nem ao menos quisesse um trabalho, como se um emprego fixo o confundisse. Então as emissoras o veriam como um gênio da comédia, desarmado, uma criatura esteticamente pura. Deixar claro que precisava de dinheiro e que assistia à TV? Você não seria melhor do que qualquer outro tolo com um notebook sentado diante de um café em um Urth Caffé qualquer.

Dude Move não foi renovado para uma segunda temporada. Percy, no entanto, foi. E por toda Hollywood. Ele passou por três outros programas, escreveu dois roteiros que ficaram na Black List, a lista dos melhores do ano, e agora estava criando piadas para um talk show que era transmitido tarde da noite – um material ofensivo, problemático, cuja maior parte tomava o caminho da conta pessoal de Percy no Twitter depois de cortada do monólogo de abertura. A carreira dele como humorista estava florescendo por causa disso. O homem elevou a um novo patamar a rápida ascensão na carreira. Sua mais recente brincadeira era fazer piadas autodepreciativas sobre asiáticos quando Percy era, na verdade, negro. Ele chamava isso de "racismo de conforto".

Nathaniel não compartilhara da sorte meteórica de seu colega de apartamento. Nos dois anos desde que *Dude Move* saíra do ar, o bico que lhe pagara melhor havia sido criar piadas de mau gosto para uma série de animação na web sobre o chá ayahuasca, produzida pelo primo do diretor, roteirista e produtor Darren Aronofsky. Em relação a como deveria agir no momento (ato II, cena I), o conselho não verbalizado, vindo de todas as direções, parecia dizer apenas: *até parece*.

⋯⇌⇋⋯

Ele deu uma olhada ao redor da mesa. Era inquietante ver todos aqueles nomes do passado escritos em letras de caligrafia, como se fossem passageiros do *Titanic*: Paul Stephenson, Olivia Arellano, Kezia Morton, Sam Stein, Streeter Koehne e Emily Cooper (versões alta e pequenina da mesma pessoa e fãs do alerta: "Você sabe que adoro Emily, mas..."). Elas moravam em Boston agora, Streeter era assistente social e Emily produtora em uma rádio pública.

– Vamos descer e enlouquecer? – perguntou Marlene, oscilando o corpo.

A maior parte dos casais migrara para o piso de madeira, onde um fotógrafo tentava congelar cada risada. Nathaniel tentou pensar em algo que pudesse dizer para deixar claro à garota que isso jamais iria acontecer. As tantas barreiras superficiais entre eles não se dissolveriam apenas porque estavam todos presos, juntos, em uma ilha. Aquela era a última grande festa de Nathaniel na casa dos vinte anos. E se o coração anormalmente pequeno dele implodisse enquanto passava a noite com Marlene? Seria como estar preso em uma estrada quando o relógio batesse meia-noite na noite de Ano-Novo.

– Talvez daqui a pouco. Não sou muito de dançar.

Na verdade, suas habilidades como dançarino em casamentos estavam afinadas, uma combinação perfeita de agilidade, ritmo e autodepreciação. O arsenal dele incluía passos ansiosos de hip-hop da Cabbage Patch, um sarcástico Running Man – o show de variedades coreano –, e alguns movimentos de dança de salão. Streeter, ainda avessa ao uso de sutiã, mesmo depois de todos esses anos, acenou, chamando-o para a pista de dança. Nathaniel sorriu e levantou o copo para ela, em um brinde.

Ainda sentados à mesa dele estavam Paul, Olivia e Sam. Grey pairava acima deles, jogando os cabelos de um lado para o outro como se estivesse ajustando o ângulo da pose para um anúncio da Ralph Lauren. Paul passou o braço casualmente ao redor da cintura de Grey, as pontas dos dedos roçando a barriga dela. Com o celular em punho, ele estava disparando e-mails de fim de semana vitais para algum princípio de responsabilidade única concreto em Paris, onde os dois moravam no momento. Grey enfiou a mão por dentro da manga do blazer dele e brincou com o relógio. Os dois eram tão adultos... Casados, morando do outro lado do mundo, Grey grávida de seis meses e mostrando um grande alívio para qualquer um que ouvisse que ela havia "esticado feito um balão".

– Vou pegar um drinque – anunciou Nathaniel para Marlene, finalmente –, o que posso pegar para você?

– Ah. – Ela olhou para dentro do copo. – Vodca soda? Não, tônica. Não, soda. Qual dos dois drinques não tem calorias?

Ela estava prestes a se oferecer para acompanhá-lo quando um parente – um antigo vizinho da família de Caroline em Boston, ao que parecia – os interrompeu para dizer o quanto o rosto de Marlene havia mudado desde quando ela era criança. Nathaniel sentiu vontade de dar um beijo na boca do antigo vizinho e aproveitou a oportunidade para escapar.

Streeter foi até ele, debruçou-se sobre o bar e secou com o braço a testa suada, onde repousava a franja do cabelo.

– Como vai você, Nathaniel?

– Estou bem, Streeter. E como está se saindo na missão de salvar o mundo de si mesmo?

– Como está Hollywood? – Ela revirou os olhos.

— Não posso reclamar.

— Sabe o que é impressionante? — perguntou Streeter, observando a cena geral. — Conhecemos uns aos outros por um terço das nossas vidas. É alguma coisa, não é mesmo?

Era alguma coisa. Streeter fechou os olhos e inalou com prazer pelas narinas.

— Sinta esse cheiro — falou ela, abrindo os olhos. — Sinta.

Nathaniel fez o que ela disse. Eles deviam estar parecendo cavalos adormecidos. O tecido da tenda afundou com a água. Ele abriu um olho enquanto sincronizava a inalação com a de Streeter. Será que conseguiria levar Streeter Koehne para o hotel com ele? Era bonitinha e era dama de honra da noiva. Seria um clichê, mas não seria irresponsável. Ao menos com as antigas namoradas, Nathaniel tinha uma noção de seus níveis emocionais. Streeter nunca ficaria confusa e se apaixonaria por ele.

— Olhe para Victor. — Ela balançou a cabeça e levantou o celular.

Victor estava sentado, emburrado, como se uma força invisível estivesse pressionando seus ombros para baixo. Streeter tirou uma foto dele, imóvel e sozinho, passando a mão lentamente pela toalha de mesa. Por algum motivo, Nathaniel não via problemas em ser cruel com Victor, mas se sentiu emasculado por tabela ao observar Streeter fazendo isso. Ele se lembrou da festa dos 100 Dias, quando ela fantasiara Sam como se fosse seu chimpanzé. Mas Victor não era Sam. E não pertencia a Streeter para ser fantasiado por ela.

⋅⋅⋅⋅⋅

— Por que tão sério? — Nathaniel se sentou e colocou o drinque de Marlene diante de Victor.

Victor olhou para o drinque de cor clara como se fosse veneno.

— Não sei — disse em um suspiro. — Há algo de mórbido em casamentos. Como as fotos nos anuários do ensino médio. Como se todos estivéssemos sendo preparados para as apresentações de fotos nos nossos funerais.

— Não, conta pra mim como realmente está se sentindo.

Nathaniel se arrependeu de ter ido até ali. A misantropia distraída de Victor era também seu charme na faculdade. Era parte do papel dele no falso fragmento do grupo deles que consistia nele e em Kezia. Mas às vezes falar com Victor dava a sensação de se estar afundando na areia movediça. E onde tinha ido parar Kezia? Havia uma época em que quando se encontrava um dos dois, o outro estava logo ao lado.

— Como está Hollywood? — perguntou Victor, fazendo uma careta para seu copo de bebida.

— Por que todo mundo fica me perguntando isso, como se alguma coisa de errado tivesse acontecido? Estou bem, está tudo bem, estou ótimo.

— Que bom.

— Você deveria aparecer por lá, se puder. Acho que estarei lá durante todo o mês que vem.

Na verdade, Nathaniel estivera lá durante todo o mês anterior, e no anterior a esse, e no antes desse ainda. Era estratégico manter a fachada de que acabara de voltar para casa, para um lugar onde até mesmo os médicos diziam que ele estava "no auge da vida". Mas era o auge do sadismo fazer isso na frente de Victor, que passava os dias de forma ingrata, queimando os olhos em um site. Nathaniel pousou o pé sobre a mesa.

— Onde consegue sapatos assim?

— Em Silver Lake. — Nathaniel examinou os próprios sapatos por um instante. — Então, onde está nossa fadinha divertida? E por que você não está usando meias?

– Kezia? Não falei muito com ela.
– Vi você falando com Kezia há uns dez minutos.
– Ela e Caroline estavam conversando. Eu estava apenas assistindo.
– Tome. – Nathaniel procurou no bolso até encontrar um comprimido azul.
– É para disfunção erétil?
– Por favor. – Nathaniel colocou o comprimido ao lado da Vodca Soda. – É um clonazepam. Foi Sam que me deu.
– Você não quer? – Victor tocou no comprimido.
– Não sou do tipo que toma comprimidos.
– Mas você mora em Los Angeles.
– Foi assim que me tornei uma pessoa do tipo que não toma comprimidos.

Victor colocou o comprimido sobre a língua e jogou a cabeça para trás.

– Cacete. – Nathaniel se recostou. – Olhe para esse casamento. Milhares de opções. E posso casá-lo legalmente com qualquer um que estiver aqui. Posso casá-lo com... Sam, por exemplo.
– Não quero passar minha lua de mel em um forno holandês.
– Com Olivia.
– Máfia venezuelana.
– Emily, então.

Victor o encarou muito sério.

– Está bem, está bem. Que tal a tia de Caroline... ou o tio? Mulher? Homem? Por que nos incomodarmos com esses detalhes quando você poderia estar consumindo seu amor com aquela criatura formosa e seu traseiro confortável?

Victor riu, uma risada de verdade que lembrou a Nathaniel que nem tudo ali era areia movediça.

– O que não consigo descobrir é se você é o cara mais esperto de Hollywood, ou o mais burro de toda a América.

A multidão se dispersou por um momento, dando a ambos uma visão desimpedida de Kezia. Lá estava ela, conversando com o amigo de Felix, rindo das piadas dele. Nathaniel podia sentir Victor observando-o, esperando por uma reação, mas manteve o rosto impassível. Victor sempre desconfiara de Nathaniel no que dizia respeito a Kezia. Não havia razão para isso. A garota era o fraco dele, não de Nathaniel.

– Ah, entendo. – Nathaniel arrotou contra o punho cerrado. – Posso casá-lo com ela também. Se as pequenas e controladoras fizerem mais seu estilo.

Os olhos de Victor ainda estavam fixos em Kezia. Nathaniel tirou uma garrafinha de metal de dentro do bolso interno do paletó, deu um grande gole e passou a garrafinha para Victor que, sem dizer uma palavra, tomou dois goles de uma só vez. Nathaniel esperou até que o álcool passasse em segurança pelo esôfago de Victor antes de falar.

– Ela não é nem engraçada. Isso nós sabemos.

– É verdade – concordou Victor.

Nathaniel estalou os dedos e Victor lhe devolveu a garrafinha.

ONZE

Victor

— B oa noite, senhor – bufou Felix. Victor estivera olhando para os sapatos dele através do fundo do copo que segurava. A voz de Felix era estranhamente retumbante, a aridez do alemão e o ritmo do espanhol derrubado e arrastado pelo cascalho.

O alemão vinha da mãe de Felix, Johanna. Ela viera correndo até Victor mais cedo, em seu terninho pérola, de paletó e calça, lamentando por ele não ter podido comparecer ao jantar de ensaio do casamento, e sem se dar conta de que ninguém o convidara. O espanhol vinha do pai de Felix, Diego Castillo, um magnata da administração de imóveis e ativista político nos anos 1970, que morrera recentemente vítima de um ataque cardíaco. Diego Castillo organizara várias manifestações contra Fidel Castro e uma terminou com seu pé sendo tão seriamente pisoteado que tivera que amputar um dedo. A última página do programa do casamento mostrava uma foto deles – um Diego de bigode, sentado, com Johanna no colo, ela mostrando pouco da pele no decote alto da blusa, um calendário promocional de uma lavanderia preso na parede atrás deles. A foto tinha a data de maio e era maio ali, agora, pensou Victor, indagando se aquilo fora intencional.

— A um casamento sólido. — Felix brindou tocando o copo de Victor e abaixando o cigarro para protegê-lo das gordas gotas de água.

Felix e Caroline haviam sido criados em famílias de hábitos compartimentalizados, que jogavam tênis às duas e tomavam chá às quatro. Viviam mais para contar do que para viver de fato. Mesmo na faculdade, Victor sentia essa estranheza em Caroline, como se ela estivesse escrevendo a própria história: *esse é o momento em que vou criar lembranças loucas com meus amigos. Então, em poucas horas, vou parar de me acabar, descer dessa mobília onde não deveria ter subido e desmaiar.*

– Parabéns, cara – disse Victor, que estava começando a ter uma sensação de que as coisas estavam emolduradas por bolas de algodão.

– Obrigado, obrigado. Eu me saí bem. Mas quer saber de uma coisa? – continuou Felix, bebendo de um gole metade do que havia no copo. – Isso é uma bosta.

Ele falou sem uma gota de esnobismo. Pareceu o modo como Victor comeria, resmungando pela comida chinesa gordurosa que pedira em casa, só porque pagara por ela.

– O vai fazer agora?

– Estou em seu casamento. – Victor consultou o punho vazio, sem relógio.

– Tenho uma garrafa de Macallan no meu quarto, mas não posso ir até lá. Ela me mataria.

Caroline atravessava a tenda ziguezagueando, em uma fúria de beijos trocados no ar.

– É, tipo, um uísque de cinquenta anos – acrescentou Felix.

– Como faço para chegar até lá?

– Entrada da cozinha, escadas, ponte, vire à direita em um corredor comprido, meu quarto é o que aparenta eu ter crescido nele.

Victor assentiu e agradeceu a Felix, embora isso não fizesse nenhum sentido. Mas ele reconheceu a diferença entre ser expulso de uma multidão e ganhar uma folga dela. Victor começou seu caminho passando por uma cabine de fotos instantâneas. Lampejos de pernas e mocassins surgiam através da cortina. Um boá de penas encharcado jazia no chão.

    Victor examinou a disposição da casa. Localizou a ponte suspensa sobre uma piscina interna. A ponte o deixou diante de um cartaz de turismo dos anos 1920, que ia do teto ao chão, mostrando uma mulher se bronzeando na praia: RAIOS DE SOL DOURADOS ACRESCENTAM ANOS DOURADOS! Ele seguiu pelo corredor, tocando maçanetas ao passar, fazendo com que a estática o assustasse com um choque. Por fim, viu o canto de uma cama e empurrou a porta.

    As paredes eram pintadas com faixas douradas. A cama estava arrumada em uma perfeição militar, coberta com almofadas douradas. Aquele não era o quarto em que Felix crescera, era o da mãe dele.

    Victor deu uma girada de corpo dramática na direção da porta, bêbado e se divertindo muito consigo mesmo. Então parou de repente, distraído por algo que não parecia pertencer exatamente àquele quarto.

    A cômoda de Johanna, antiga e escura, era um alívio para a modernidade de tudo na casa. Passava a sensação de um baú de tesouro. Victor estivera tão cego pela riqueza generalizada do lugar, que não se incomodara em classificar a riqueza. Havia, por exemplo, uma estátua de fibra ótica de um pavão no saguão de entrada. Aquela cômoda não se comunicava com o pavão. Um espelho redondo com moldura de rosas de madeira estava preso à parte de trás da cômoda. A madeira estava toda arranhada e gasta nas beiradas, e tiras marrons, rígidas, sangravam da parte de trás do espelho sobre a superfície da cômoda.

    Victor deixou o copo vazio no chão. No topo da cômoda havia fotografias emolduradas, algumas coloridas, com pessoas relaxando em barcos, outras em preto e branco, com pessoas relaxando em salas de estar. Uma, em sépia, mostrava Diego Castillo segurando uma Uzi sob um dos braços e um porquinho sob o outro.

– Normal – sussurrou Victor.

Outra foto: Johanna e Diego e um Felix pequenininho, no Havaí, parados descalços sob um recife vulcânico, um céu sem nuvens atrás deles, Felix escondido nas coxas da mãe e chorando ao ver um baiacu irritado. Outra foto: Johanna menina, parada com a perna sobre uma cadeira de bistrô, puxando a meia que ia até os joelhos e sorrindo timidamente para quem quer que houvesse tirado a foto. Já naquela época eram belas pernas.

Sob as fotos havia muitas gavetinhas, a cômoda poderia ter passado por um arquivo de fichas. Uma pilha de chaves prateadas estava dentro de uma concha de madrepérola. Victor tocou os buracos de fechadura correspondentes e enfiou o dedo em um deles até o dedo ficar marcado.

Um gato abissínio apareceu do nada e pulou sobre a cômoda.

– Porra! – gritou Victor.

O gato miou, um belo início de conversa.

– Posso ajudá-lo?

O gato cheirou os objetos sobre a cômoda, se certificando de que nada havia sido alterado, esfregando o focinho nas quinas. Ele cheirou Victor, os bigodes chegando primeiro, antes de enfiar a cabeça sob a mão de Victor – que espirrou e fez uma nota mental para não tocar os olhos. O gato rolou o corpo, balançando a cômoda com um grande baque surdo, derrubando no chão a concha com as chaves.

– Que belo cão de guarda você é.

Victor pegou as chaves. E pensou que sua recompensa por tolerar um animal que induzia à coceira e fazia cocô em uma caixa era tentar uma das fechaduras aleatoriamente. Pelos arranhões ao redor das aberturas, estava claro que ele não seria o primeiro a tentar. Sem sorte.

Ele tirou uma tampa que mais parecia um suporte para bola de golfe de cristal de uma garrafa de vidro, cheirou e acrescentou o conteúdo ao que quer que ainda houvesse em seu copo.

Então Victor captou vozes, vindo pela janela aberta. Ele checou o horário em seu telefone moribundo. O primeiro ônibus de volta para a cidade, como eles haviam sido informados ainda quando as gravatas de todos estavam arrumadas, partiria à meia-noite em ponto. O segundo não sairia antes das duas da manhã. Victor despiu o paletó e se apoiou nele como se fosse um agasalho para o braço. A maior parte do que ele ouvia era o som de mulheres reclamando de dor nos pés enquanto esperavam para embarcar no ônibus, mas a lâmina de uma risada conhecida cortou a agitação. Kezia. Kezia dando ataques histéricos de riso induzida por piadas semianalfabetas de um cara bonito e burro chamado Judson.

– É tipo... por que faria isso? – O rosto dela estava enrugado com o riso.

– Eu sei! – Judson parou para dobrar o corpo de riso. – Não faz sentido!

O que não faz sentido?

– Onde está a lógica disso?

Boa pergunta.

– Muito engraçado.

Sim, muito.

– É realmente engraçado demais.

Foi mesmo? Sério?

– Foi – concordou Judson –, realmente engraçado demais.

Ah, vá se foder todo mundo.

Victor se sentou na cama de Johanna, enrolou o paletó até transformá-lo em um travesseiro para apoiar o pescoço e se deitou.

Então exalou o ar até esvaziar o pulmão. Quando o gato pulou na cama, Victor o espantou. O gato voltou e se colocou em posição mais rapidamente dessa vez. Era melhor descer, pensou Victor. Mas, àquela altura, Felix certamente já havia se esquecido da missão que lhe dera. Felix tinha uma esposa, dinheiro, um emprego, um propósito na vida, uma mãe que não o incomodava, pessoas que lhe serviam drinques. Victor piscou, alternando o movimento com o do gato.

– Tantas. Pálpebras. – A voz dele soou esquisita, distante.

Ele levou a mão ao peito e tirou os óculos. O centro de comando do seu cérebro disse aos dedos para fazerem uma checagem rápida para ver se não havia paralisia. As pálpebras de Victor entraram rapidamente em colapso, como se alguém as houvesse acertado por trás.

DOZE

Kezia

O céu havia clareado quando Kezia e Judson voltaram para o hotel. Havia estrelas à vista. Não em massa, mas em constelações visíveis. Judson gesticulou para o alto, quase tropeçando no balcão de um manobrista, perto do meio-fio.

— Ora, essa não é a pior vista do mundo. — Ele passou o braço ao redor de Kezia.

— É o cinturão de Orion — disse ela —, e aquela é Cygnus.

— Parece o nome de uma doença.

— Significa cisne em latim. É parte da Via Láctea.

— A Via Láctea tem partes?

— Sim, é como uma área do oceano. Certas estrelas vivem em determinadas nebulosas. É como certas espécies de animais que vivem apenas ao redor da Austrália, como tubarões, caravelas-portuguesas...

Kezia percebia como estava soando, mas a ideia de não compartilhar uma informação que detinha só para não melindrar o ego masculino a fazia ter vontade de queimar o sutiã. Embora o sutiã que estivesse usando fosse caro demais para isso: cinquenta dólares na liquidação.

— Por que é mesmo caravela-portuguesa?

— Na verdade... não tenho ideia.

Ela estava prestes a transar com aquela pessoa. Já fazia seis meses. Kezia estava começando a temer o tipo de desespero que faz com que senhoras tenham orgasmo quando alguém lava os cabelos delas no salão.

— Um grupo de medusas é chamado de cardume de águas-vivas! — praticamente gritou Kezia.

Um táxi estacionou e deixou um grupo de jovens bem-vestidos, recém-saídos da boate e prontos para o segundo ato da noite em um bar na cobertura de um dos prédios da cidade.

Judson pegou a mão dela e a puxou, forçando-a a trotar atrás dele. Eles se enfiaram juntos no triângulo da porta giratória e entraram.

— Bem. — Judson coçou a nuca.

Kezia esfregou um dos pés contra a panturrilha. Faixas de tecido branco desciam do teto do saguão como estandartes medievais sem distintivo. Os dois acabaram atravessando o piso de linóleo até o hall dos elevadores, ela apertou o botão, Judson fez o mesmo, logo depois. Kezia se lembrou do botão para liberar o semáforo para pedestres no aeroporto. A vida seria meramente o que acontecia entre botões?

— Em que andar você está? — perguntou ele.

— Terceiro. E você?

— Sexto. Eles devem gostar mais de mim.

Judson pressionou o botão do sexto andar e só esse. Estavam os dois em apenas um botão.

⋯⇌⇋⋯

Já dentro do quarto, que de algum modo já guardara o cheiro de Judson mesmo tendo permanecido ocupado tão pouco tempo por ele, Kezia pediu licença para ir ao banheiro e aplicou hidratante para o corpo nas coxas e nas axilas. O hidratante oferecido pelo hotel era basicamente maionese aromatizada. Quando ela saiu do banheiro, Judson estava sentado na cama, brincando com o controle remoto da TV.

– Esses botões deviam apenas dizer "pornô".

– Não é? – retrucou Kezia, embora não soubesse do que ele estava falando.

Como a televisão estava desligada, os botões não faziam nada.

– Muito bem. – Ela bateu palmas. – Vou tirar a roupa, agora.

Judson a encarou como se ela houvesse se teletransportado para dentro do quarto.

Kezia deixou o vestido cair em um amontoado azul-marinho a seus pés. Abriu o sutiã, despiu a calcinha e ficou parada, muito rígida. Judson começou com o cinto e logo tirou também o paletó. Ele a beijou e os dois ficaram daquele jeito, os lábios colados, mesmo enquanto tateavam em busca do interruptor. A mente de Kezia disparou em preocupações totalmente absurdas quando eles já estavam na cama. Por baixo das cobertas ou por cima? Isso não seria uma questão em uma cama civilizada, mas no caso de cama de hotéis era preciso ser um levantador de pesos amador para conseguir puxar as cobertas. Kezia se agachou em cima de Judson, que se livrou da cueca com uma velocidade surpreendente, passando o elástico por cima da cabeça do pênis.

– O que é isso? – Kezia endireitou o corpo, ainda sentada.

Mesmo na semiescuridão ela pôde ver que havia algo diferente entre o quadril dele e o ventre. Judson olhou para baixo, alarmado, preocupado com tamanhos.

– Ah, isso? É uma tatuagem.

– O que é? As pirâmides? É o Louvre? Não, não pode ser...

Kezia abaixou o rosto, momentaneamente esquecida da proximidade de um pênis balançando diante de seu rosto.

– É a Fortaleza da Solidão.

— Você fez uma tatuagem de uma coisa feita de cristais transparentes?

— É para onde o Super-Homem vai para pensar.

— Sei o que é. — Ela voltou a se sentar. — Acho que eu sempre pensei que teria sido mais conveniente para ele fazer terapia.

— É verdade. — Os músculos do estômago de Judson vibraram.

Ele começou a beijá-la novamente, passando a um tipo de intensidade que Kezia reconheceu. Homens vão acedendo aos poucos, passam por etapas. As mulheres são mais consistentes. Seja qual for o nível de intensidade sexual que sintam quando o conhecem, permanecem naquele mesmo nível por umas doze horas. A duração de um comprimido contra alergia.

— Qual é o problema? — Judson se afastou e afundou a cabeça no travesseiro.

— Ah, Deus. — Kezia cobriu o rosto com ambas as mãos e falou através dos dedos, a voz saindo como o facho de uma lanterna. — Essa é a minha dica para dizer "nada", certo?

— Não é nada? Você não precisa fazer nada que não queira fazer.

— Ah. — Kezia saiu de cima dele e deitou de bruços. — Por favor, não diga isso.

Se aquilo fosse verdade, eliminaria 99 por cento das atividades diárias dela.

— Está tudo bem — disse Judson, acariciando as costas dela, bem perto de estar falando sério.

— Só estou me sentindo constrangida. É constrangedor, não é? Acabei de conhecer você.

Ele parou de mover a mão.

— Hummm, acho que depende da sua definição de "constrangedor". Vamos ver como se sente mais tarde.

Ela sentiu o coração um pouco apertado de pena dele. Judson achava que o recato dela era uma condição temporária. Mas depois que Kezia descia pelo caminho da incerteza, não havia como voltar atrás. Meredith e Michael estavam certos – *havia* um homem solteiro e gostoso no casamento. Mas ele teria se dado melhor com Marlene, a Dama de Honra do Cabinho Mágico de Cereja.

Corpos foram acomodados, travesseiros ajustados. Logo, Judson estava adormecido. Cansada de ficar olhando para o teto, Kezia se levantou da cama. No escuro, tirou o papel que protegia a boca de um copo, serviu-se de água, e ficou parada na varanda, nua. Seus cabelos voavam livres. Ela se inclinou sobre a murada, olhando além da curva dos próprios seios nus. Faixas de luz iluminavam o pavimento ao redor da piscina. O hotel tinha o formato de uma ferradura e Kezia tentou localizar a varanda do próprio quarto, imaginando se veria Victor ali, também sem conseguir dormir. Então ela bebeu o restante da água e voltou para dentro.

Judson estava deitado de costas e ressonando. Ele despertou um pouco, puxou o corpo dela de costas contra o dele e começou a beijar a nuca de Kezia de um modo determinado. Talvez agora fosse "mais tarde".

– Você conhece alguma charada? – Kezia puxou a mão dele para o próprio queixo.

Judson afastou o braço.

Ele esfregou os olhos, como se estivesse tentando esmagá-los.

– A única que conheço é a que todo mundo conhece – disse ele. – Sid e Nancy estão mortos, cercados por água e vidro. Quem são Sid e Nancy?

Ela se virou para encará-lo.

– Ora, não há nenhuma charada aí.

– Há, sim. Sid e Nancy são dois peixes.

– Eles são pessoas reais. Sid Vicious esfaqueou Nancy Spungen várias vezes e o "aquário" é o Chelsea Hotel. Depois ele também morreu. Fim da charada, início do fato.

— Eles são peixes. — Judson suspirou. — Esses são nomes de peixes.

— Acho que você deveria mudar o nome deles quando contar essa charada às pessoas.

— Que importância tem isso? — perguntou ele, de forma não muito gentil.

— Fica confuso.

— Muito bem. Bonnie e Clyde, então.

Kezia se permitiu o prazer de lançar um olhar irritado para ele no escuro. Ela podia imaginar como Judson contaria aos outros a história daquela noite. Quando as coisas finalmente estavam ficando boas, eles nus, a garota cortara a onda e resolvera brincar de joguinhos infantis. Mas Kezia não se importava nem um pouco com o que ele pensava. Só queria matar o tempo até os dois ficarem exaustos o bastante para dormirem.

— Muito bem. — Ela se deitou de lado e apoiou a cabeça na mão. — Muito bem, preste atenção. Um homem está caído morto perto de uma pedra...

Como todas as charadas, essa era mais interessante para quem contava do que para quem precisava descobrir a resposta, mas Kezia gostava de observar a direção natural dos pensamentos de outra pessoa. Era como observar alguém tentando calcular a gorjeta que iria deixar.

— Vai ser engraçado — mentiu ela —, e já vou lhe dar uma pista: a resposta da charada tem a ver com algo que estávamos conversando mais cedo, essa noite.

— Sobre como perdemos nossas virgindades?

— Depois disso.

— Sobre depilação na virilha.

— Essa conversa não foi comigo.

— Muito bem, eu desisto. Fale.

— Um homem está caído, morto, perto de uma pedra. Quem é ele e como morreu?

Judson examinou o rosto dela, tentando descobrir se haveria sexo esperando por ele no fim dessa estrada de tolices.

— O homem foi assassinado?
— Mais ou menos.
— Jura? – Judson levantou o queixo. – Um "mais ou menos" já de início?
— Não quero induzi-lo na direção errada.
— O homem é velho?
— Boa. Mas não, não era velho.
— A pedra caiu sobre o homem?
— Não.
— O homem provocou a pedra?
— Ahn, não.
— A pedra está viva?
— Por que a pedra estaria viva?
— Porque Sid e Nancy são peixes, só por isso – retrucou ele, impaciente. – Não sei.

Ele se coçou inteiro por baixo dos lençóis.
— Esse homem é uma pessoa de verdade?
— Não! – Kezia deu um tapa no braço dele, empolgada. – Boa!
— Alguém baleou o homem?
— Não.
— A pedra caiu sobre o homem?
— Você já me perguntou isso.
— O homem é um carpinteiro ou um soldador?
— Não e não.
— Ele é Jesus?
— Ele não é carpinteiro. E não foi crucificado.
— Ele foi morto por judeus de alguma forma?

— Que tipo de pergunta é essa?
— Ok, certo... a pedra é um transformer?
— Não.
— A pedra era grande?
— Irrelevante.
— O homem se cortou na pedra?
— Não.
— Esse homem é famoso?
— Mais ou menos.
— Desisto.
— Mas você está tão perto! Pense nos fatos da charada. Um homem. Está caído. Morto. Perto de uma pedra. Quem é ele? Como morreu?
— Ele é um cara de verdade?
— Você já me perguntou isso.
— É difícil guardar todas essas informações na memória. Ele está dormindo?
— Está morto. Esse é um dos três fatos que você tem para levar em consideração.
— Ele está em um deserto?
— Não. Irrelevante. Não.
— Ele matou alguém?
— Foco no outro substantivo.
— Não sei o que isso significa.
— Significa que você deve parar de me fazer perguntas sobre o homem.
— Ah. A pedra é valiosa?
— Para algumas pessoas.
— Que pessoas?
— Essa não é uma pergunta de "sim" ou "não".
— Pode me dar uma pista?

— Já lhe dei uma pista. Você entre *todas as pessoas* deveria saber a resposta.

— Porque o cara tem um pau grande.

— Sim, claro.

— A pedra é afiada?

— Irrelevante.

— A pedra o estrangulou?

— Agora você não está nem tentando.

— A pedra era de má qualidade e acabou com ele?

— Como diabos uma única pedra mataria o homem?

— Fácil. — Judson passou a mão pelos cabelos em seu primeiro gesto não coreografado desde que Kezia o conhecera. — Estou perguntando se ele estava *consumindo* a pedra, se estava doidão?

— Ah. Não.

— Eu já ouvi falar desse homem?

— Sim. Boa.

— Já ouvi falar da pedra?

— Sim.

— O homem é alérgico à pedra?

— Um grande sim!

— A pedra é de outro planeta?

— Sim!

— São o Super-Homem e a criptonita?

— SIM!

Kezia se jogou em cima dele, o alívio do fim da charada agindo como um inesperado afrodisíaco. Ela pressionou as palmas das mãos contra o peito dele e desceu a pélvis em movimentos giratórios, como uma tampa à prova de crianças. Judson correu as mãos pelas coxas e pela barriga dela — que Kezia já estava encolhendo e passou a encolher ainda mais.

— Você tem ossos tão miúdos — comentou ele.

Kezia sentiu uma rigidez reflexa entre as coxas. Judson afastou as mãos e colocou-as diretamente sobre os seios dela. Kezia fechou os olhos com força e se inclinou sobre o colchão, cercando-o com o próprio corpo. Aquilo era bom. Só o que ela precisava fazer era evitar tocar os cabelos cheios de produtos de beleza dele e impedi--lo de falar. Kezia podia sentir os próprios membros relaxando. Ela abaixou o corpo para dar um beijo nele, mas Judson abriu a boca, inalou o ar rapidamente e disse:

– O Super-Homem não morre por causa da criptonita.

– O quê?

– Deveria ser assim: um homem está caído, sentado, perto de uma pedra. Quem é ele e por que está passando mal?

Kezia continuou a beijá-lo.

– Sim, mas nas charadas as pessoas nunca ficam doentes. Não é assim que funciona o universo das charadas.

A rigidez reflexa havia se transformado em uma umidade reflexa. Kezia pegou a mão de Judson, prestes a mostrar isso a ele. Mas ele não quis.

– Me diga. Como funciona o universo das charadas?

– Eu... todos se enforcam em estalactites, ou são baleados em jogos de cartas.

– E daí?

– E daí que não estou tentando argumentar. É só que as charadas são muito preto no branco. Preto, branco e cheios de coisas nas entrelinhas, se é que me entende.

– Não sei do que está falando.

– De um jornal. Um jornal é em preto e branco e cheio de coisas para ler.

Ela acariciou o peito dele, mas Judson, alheio à virada biológica dos eventos, não desistiu. A charada era um equívoco. Exatamente como aquela noite. Kezia conseguia ler o que se passava na mente dele: tudo o que Judson queria era se divertir no casamento de Caroline e Felix, certamente ficar bêbado, talvez levar alguém para a cama. Ele estava pensando: eu deveria ter ido para casa com a Dama de Honra do Cabinho Mágico de Cereja. Sim, Judson, você deveria. Aqui vai uma charada: quem você levaria para o seu quarto no hotel? A garota pálida e esquisita em um vestido largo, ou a que tinha a tatuagem de uma borboleta bem acima do traseiro, na mesma longitude do umbigo?

Mas esse era o problema das charadas. As respostas nunca pareciam óbvias em retrospectiva, mas as perguntas, sim.

TREZE

Victor

Victor não se movera um centímetro durante o sono. Ele acordou com o que pareceu os Sons do Oceano em uma daquelas máquinas de sons para relaxar e dormir. As ondas pela manhã eram suaves, vindas do outro lado da casa, o som temperado com os gritos guturais dos pássaros tropicais. O paletó dele estava frio de baba. O gato se fora, mas o deixara com o som de uma respiração ligeiramente asmática no peito. Victor se sentou e examinou o quarto em busca de algum aparelho que lhe dissesse a hora. Em vez disso, encontrou a mãe de Felix, Johanna, sentada ao seu lado.

– Ah, merda. – Ele lutou para encontrar os óculos.

– Vem sempre aqui? – perguntou ela, parecendo achar a própria piada muito divertida.

Victor se levantou rapidamente e olhou para baixo, para se certificar de que a calça estava com o zíper fechado, que ele não se expusera sem perceber – muitas vezes costumava acordar com a mão pousada entre as pernas, tendo ido parar ali no meio da noite, como um cão em busca de calor.

– Tome. – Johanna lhe entregou os óculos.

Ela mudara de roupa e agora usava jeans e uma camisa branca com babados no peito. As joias da mãe do noivo haviam sido retiradas e trocadas por uma corrente de ouro que descia até algum lugar dentro de seu decote de mãe. Ela parecia o tipo de mulher que se encontra no supermercado, sem jamais se suspeitar que vinha de uma casa como *essa*. Quando deu um tapa no rosto de Victor, o que fez com bastante força, ele pôde ver a flacidez da pele na lateral do sutiã.

– Levante-se.

– Mil desculpas, sra. Castillo.

– Você se divertiu na noite passada?

Victor se sentiu desconfortável olhando para uma mulher mais velha, recostada na cama, perguntando a ele se havia se divertido. Essa mesma mulher já se aconchegara a um cubano peludo naquela mesma cama. Victor olhou pela janela. Kezia realmente fora embora com aquela lata de spray para cabelo ambulante?

– Você é um rapaz estranho. – Ela franziu o cenho, observando-o.

– Não tenho essa intenção.

– Tem muitos amigos?

– Essa é uma pergunta pessoal. – Victor limpou as lentes dos óculos na camisa.

– Não se você tiver muitos amigos.

Ele podia sentir Johanna tentando recordar o dossiê que Caroline com certeza lhe passara. Nathaniel seria o responsável por oficializar o casamento do filho dela. Paulo só iria querer falar de finanças e de projetos de casas. Então, quem era o adorável pateta, Victor, ou Sam? Ela havia pensado que era Victor. Agora podia perceber que se enganara.

– Posso chamar um táxi para voltar para o hotel – se ofereceu Victor.

– Poder, você pode – comentou ela, rindo –, mas o táxi não virá até aqui. Está tudo bem. Relaxe. Estávamos discutindo se deveríamos acordá-lo.

– Estávamos?

– Felix e a agora esposa. Eles passaram a noite no quarto de solteiro de Felix.

– O quarto com o banheiro que tem um banco de madeira? Ele tivera diarreia na suíte nupcial? Típico.

– Podemos todos sair para o brunch em uma hora. – Johanna relanceou o olhar para o relógio de pulso. – Caroline achou que eu deveria expulsá-lo – confidenciou ela –, mas não me incomodo de dormir no quarto de hóspedes. Não preciso dormir em um lugar específico. Essa é uma casa tão grande. Gosto de acordar olhando para um teto diferente.

Johanna estava perdida em pensamentos, olhando para a foto do falecido marido e o porquinho. *Um porquinho...* Victor se pegou torcendo por algo muito egoísta: amar alguém por tanto tempo que, quando esse alguém morresse, ele fosse a primeira pessoa a receber condolências.

– É bom fazer algumas pequenas mudanças – continuou Johanna. – Olhe para o gato. Ele pode dizer: tive um dia tão cheio... comi uma lata de atum *e* acordei sobre uma pilha de roupas para lavar!

Victor gostou da ideia dos cabelos de Johanna pressionados contra uma nova superfície a cada noite, passeando por ali, marcando a própria casa com cochilos.

– Enfim. – Ela examinou um dos botões da blusa. – Fico feliz que tenha se divertido. Tudo que queremos é dar aos nossos filhos algo para lembrar.

– A não ser no caso de algum trauma repentino, não imagino como qualquer um dos dois poderá esquecer.

– O que quer dizer com "trauma repentino"?

– Estou me referindo a um traumatismo craniano, uma batida forte com a cabeça. Quero dizer que eles vão se lembrar do casamento.

— Ah. É engraçado... A memória é uma coisa engraçada, sabe? Eu me lembro de Felix naquela foto, na que está com o baiacu, e me lembro de pensar: será que esse vai ser o primeiro dia do qual ele vai se lembrar? Será sua experiência formativa?

— Felix se saiu bem.

— Qual é sua lembrança mais antiga?

Victor não conseguiu pensar em nada. Não estava acostumado a que lhe fizessem perguntas tão francas a seu próprio respeito. Com certeza os membros de sua família não fariam isso, não eram do tipo reflexivo por natureza, e os amigos também não, eles pareciam já achar Victor reflexivo o bastante sem precisar ser estimulado.

— Você deve tomar banho do lado de fora. — Ela saiu da cama com uma agilidade surpreendente. — A pressão da água é muito boa.

— Posso tomar banho quando voltar para o hotel — disse Victor, sem saber se isso era verdade, já que, na última vez que checara, o banheiro do quarto do hotel estava trancado.

— É de cedro e azulejos — acrescentou Johanna, encerrando a discussão.

Pessoas ricas tinham uma atração especial por chuveiros ao ar livre. Precisavam se reconectar com a natureza. Victor, que volta e meia se deparava com uma barata em casa, sabia o quanto isso era desnecessário. Se você não fizer nada, a natureza se encarregará de se reconectar com você. Só pessoas que tinham a certeza de que seus momentos de embate com a natureza eram falsos e que seus momentos de conforto eram reais realmente gostavam de ficar paradas sobre uma pedra, perdendo tempo com uma maçaneta enferrujada.

Ele se levantou e Johanna pareceu congelar, o olhar fixo acima do ombro dele. Victor virou-se e os olhares de ambos convergiram para a colcha da cama. Uma chave prateada cintilava sobre o tecido. Victor se esquecera de colocá-la de volta dentro da concha. E acabara dormindo em cima dela.

– Você não daria uma princesa muito boa se fosse o personagem principal de "A Princesa e a Ervilha", não sentiu a chave sob seu corpo, não teria sentido a ervilha. – Johanna pegou a chave nas mãos. – Conseguiu abrir as gavetas com isso?

– Eu-eu estava só brincando com ela antes de apagar – retrucou ele, envergonhado. – Desculpe.

– Você estava bisbilhotando. Não deveria fazer isso – disse ela, sem rodeios. – Não, a menos que faça direito.

Ela devolveu a chave para a concha e foi até a lateral da cômoda. Não ocorrera a Victor acessar a gaveta pela lateral, mas era assim que se fazia. Johanna tateou em busca de uma fenda na madeira, e moveu as unhas por uma fresta. Então parou e tirou uma corrente de dentro da blusa, revelando uma pequena chave de ouro na ponta.

– Uso isso o tempo todo.

Victor tentou não imaginar o quanto aquela chave deveria estar quente.

Ela passou os dedos pela fileira de gavetas na frente.

– Essas são de fachada.

Johanna balançou a cômoda, inclinando-a de modo que Victor pudesse ver as gavetas chacoalharem de um modo sincronizado. Não eram separadas, mas uma fileira de gavetas falsas, como as que ficavam embaixo da pia da cozinha, no apartamento dele. Johanna se encostou contra a parede e puxou uma longa caixa de metal, até estar praticamente enfiando-a na barriga. Então, gesticulou para que Victor fosse até lá dar uma olhada.

– Você não precisa me mostrar o que há aí dentro – disse ele.

Ela provavelmente estava fazendo uma grande cena para algo não tão importante assim. Do mesmo modo que o avô dele costumava lhe dar cinco dólares e dizer para não gastar tudo em um lugar só.

— Por quê? Você é um ladrão?

— Só não quero que tenha a sensação de que eu estava bisbilhotando as suas coisas.

— Mas você estava bisbilhotando as minhas coisas.

Ela destrancou a gaveta com a chave ainda presa ao pescoço, como um homem de negócios que estivesse com a gravata presa em um picador de papéis. Victor não sabia o que esperar. Pepitas de ouro? Charutos raros? Passaportes de diferentes países, todos com a foto dela? Johanna abriu um estojo de cetim preto com dobradiças minúsculas.

Ele não era uma pessoa de joias. Como homem e heterossexual, seu interesse em joias estava limitado aos piercings no corpo feminino e ao vago receio de um dia precisar sacrificar dois meses de salário por um anel de noivado. Mas também não era cego. Dentro do estojo havia colares e medalhões, fios de pérola que pareciam ter sido comprados por metro dos carretéis mais caros do mundo, broches de jade, alfinetes com a cabeça em forma de escaravelho ou de perfis egípcios, esmeraldas escuras como o fundo de um poço, brincos do tamanho de alargadores de lóbulos de orelha tribais. Era como estar olhando para o interior de um baú de pirata.

Johanna piscou para ele.

— Nada mal, hein?

Victor já ouvira muitas pessoas ricas se gabarem de sua fortuna. Caroline, em particular, transformara a falsa modéstia em uma arte. Mas era encantador ouvir Johanna fazendo isso, como se ela tivesse recebido a vida que tinha por um acaso feliz. Era assim que ele gostaria de se comportar se estivesse no lugar dela.

— Essas são antigas. — Ela gesticulou para as esmeraldas. — Sua tataravó poderia tê-las comprado.

— Não, ela não poderia.

Victor não tinha como ter certeza disso. Talvez fosse descendente de duques e duquesas ricos. Mas, se fosse verdade, alguém na família dele já teria mencionado o fato, àquela altura. E teriam feito questão de continuar mencionando durante cada Pessach nas últimas três décadas.

— Mantinha tudo em um cofre, mas trouxe todas as minhas joias para cá, depois que Diego morreu. Gosto de tê-las perto de mim quando vou dormir. Além do mais, sempre acho um pouco criminoso manter joias como essas na caixa fria de um cofre. Entende o que quero dizer?

— Não entendo muito de joias.

— Você sabe que não precisa entender de alguma coisa para ver o quanto elas são especiais.

Victor mal podia esperar para contar a Kezia sobre isso. Kezia, que teria uma dessas duas reações: (a) arquejaria enquanto Victor descrevia o Santo Graal para qualquer amante de joias, ou (b) diria a ele que era legal ele ter ficado impressionado, mas que qualquer um que não soubesse para que diabos estava olhando ficaria.

Johanna fechou o estojo. Victor se sentiu incomodado com a própria inabilidade de examinar o tesouro dela, e logo depois se sentiu desconfortável com seu incômodo por joias de mulher estarem sendo afastadas de sua visão. Talvez estivesse apenas aborrecido com a ideia de tudo aquilo sendo levado embora. Cada minuto que passava o deixava mais perto dos cafés da manhã de pizza gelada em Sunset Park.

Johanna começou a colocar a gaveta no lugar.

— O que é isso? — Victor viu um pedaço de papel dobrado na parte de trás da gaveta.

— Ah, isso... — Johanna olhou para o papel como se também o estivesse vendo pela primeira vez.

Ela observou enquanto ele desdobrava o papel. Era um desenho desbotado. Na parte de baixo, havia o mesmo tipo de letra dos cartões que marcavam os lugares à mesa na noite da véspera, uma letra cursiva delicada. No centro, havia um colar com uma pedra azul do tamanho de um punho, pendendo de um V de diamantes e várias fileiras de pérolas. Era mais como um colar cervical do que uma joia. E obscureceria a nacionalidade de quem quer que a usasse. Mais diamantes formavam uma moldura firme ao redor da pedra azul, como se criando um círculo para protegê-la e admirá-la. E, lapidado bem no centro da pedra, mal se conseguia ver o formato de uma lágrima.

Os dois examinaram a folha de papel como dois turistas perdidos estudando um mapa. Quando Victor aproximou mais o desenho do rosto, percebeu que o texto estava em francês. Ele havia esperado que fosse alemão.

— Que legal — comentou Victor, porque não sabia mais o que dizer. — Elegante — foi outra coisa que ele disse, infelizmente. — Está aqui?

— O colar? Não. — Ela deu um sorriso melancólico e guardou o papel de volta na gaveta. — Em espírito, talvez.

— Ou na França, quem sabe? Isso é francês, não é?

— Sim, em algum lugar da França. É bom acreditar que sim. Espero vê-lo antes de morrer.

Victor não tinha resposta para isso. Temeu lembrar a Johanna de sua mortalidade, temeu que ela subitamente se lembrasse do marido, temeu o próprio excesso de confiança ao achar que a havia distraído o bastante para que esquecesse. Coube a ele a tarefa de fechar a gaveta, enquanto Johanna caminhava lentamente até a janela.

— Tenho aquele desenho há muito tempo.

Ela estava começando a soar como uma vampira: *Sim, mas há quanto tempo você tem dezessete anos?*

— Minha mãe ainda tem uma caneca da campanha de Michael Dukakis.

Johanna se virou da janela para encará-lo, com uma mudança tão súbita nas feições, nos músculos faciais, que o assustou. Victor se perguntou se ela talvez não sofresse de demência, pelo modo como o encarava, como se o tivesse visto pela primeira vez. Mas Johanna logo se recompôs e apoiou as palmas das mãos no peitoril atrás dela, estendendo os ombros para trás.

— Nunca falo sobre isso. — Ela fez uma careta, as rugas se destacando nos cantos dos olhos. — Já esteve em Paris, não é?

Victor balançou a cabeça, negando.

— É mesmo?

A surpresa dela o confortou. Todos naquele casamento o olhavam como se ele nunca saísse de casa. Era bom ver pelo menos uma pessoa presumir o contrário.

— Bom, sei que não preciso lhe vender Paris. Mas você deve ir. Não há lugar como aquela cidade. As pontes e os parques, os museus, os cafés onde se pode ficar sentado por horas. E então, à noite, os reflexos das luzes oscilando sobre o Sena. E há sempre um ponto de referência. É impossível se perder em Paris. A menos que se queira. Diego e eu costumávamos viajar para lá todos os anos, no primeiro fim de semana de maio.

— É esse fim de semana em que estamos.

— Sei disso. — Ela sorriu. — Ele conhecia todos os restaurantes, eu conhecia todos os cantos escondidos. Formávamos uma boa dupla. Eu costumava mostrar a ele o apartamento onde morei quando menina... tinha um belo pátio com uma roseira e um banco onde todos prendiam suas bicicletas. Diego dizia, "Ah, olhe só, puseram plantas no parapeito", ou, "Ainda não havia notado quantos painéis de vidro há nas janelas". Acho que ele pensava que eu ficaria desapontada se não víssemos algo novo. Mas eu não me importava. Ia até o apartamento por puro hábito, uma pequena peregrinação egoísta de volta à minha infância.

– Você não tem sotaque francês.

– Não sou de Paris. Fui criada em um subúrbio de Berlim. Meus pais se casaram jovens demais. E já se encaminhavam em direção a um divórcio, mas minha mãe relutava diante da ideia. Depois da guerra, não havia tantos rapazes alemães com quem se casar, se não desse certo com o primeiro. Ela queria um pouco de tempo para fazer o casamento funcionar sem que eu estivesse em cena, por isso me mandou embora.

– Isso é terrível.

Johanna deu impulso no corpo, levantou as pernas e se acomodou no parapeito.

– Bem, com certeza é diferente de hoje em dia... fileiras e mais fileiras de livros cheios de instruções sobre como não deixar a criança se sentir culpada. Mas no verão de 1956, morei com minha tia, a meia-irmã mais velha da minha mãe. O pai dela era francês e lhe deixara um lindo apartamento na rue Charlot, que não era um bairro tão elegante, mas era *très charmant*. Minha tia era dona de todo o último andar, o apartamento construído ao redor de um pátio, assim ela podia me acenar da janela do seu quarto, dando boa noite. Era perfeito. Você não pode imaginar o que é viver em Paris para uma menina de doze anos de idade...

– Provavelmente não. – Victor voltou a se sentar na cama.

– Ella Fitzgerald e Edith Piaf tocavam nas rádios, carros pequenos rodavam por toda parte com os faróis redondos parecendo olhos de cobra. A Notre-Dame ainda coberta de fuligem. No dia em que cheguei, caminhei sozinha da estação de trem até o apartamento da minha tia. Me senti tão orgulhosa. Eu estava vestida como uma alemã. As meias subindo até aqui, sem echarpe, um suéter dez vezes o meu tamanho e os cabelos presos para trás, assim...

Ela passou os dedos pelos cabelos, produzindo um lifting facial momentâneo.

– Essa foto é desse dia. – Johanna acenou com a cabeça para a foto de si mesma do lado de fora do café. – Eu ainda nem havia desfeito minha mala e minha tia já me arrastou para fora de casa, até uma loja de departamentos, a La Samaritaine, para me comprar um vestido e um par de sapatos. Eu me lembro de sugerir que examinássemos minha bagagem primeiro, porque mamãe ficaria aborrecida se minha tia gastasse dinheiro me comprando algo que eu já possuísse. Minha tia apenas me olhou de cima a baixo, você sabe, como se eu fosse uma bolha na tinta da parede que precisasse ser estourada e disse, "Não acho que corremos esse risco, *ma bichette*".

– Então, espere... *ela* era francesa?

– Não, era metade alemã. Todos nessa história são pelo menos um pouco alemães.

– Ah.

– Ainda era... deselegante ser alemão na França. Mas minha tia era francesa de todas as formas que importavam. Ela amava tanto Paris... E me levou a todos os museus, embora na época não houvesse um em cada esquina, como há agora. Minha tia me mostrava os lugares de um ônibus com teto de vidro. E me comprava lápis de cor no Quai Voltaire, então nos sentávamos nos Jardins des Tuileries e desenhávamos as estátuas. Mas eu sabia que a atividade favorita dela era ficar sozinha, brincando com suas joias. Ela era viúva àquela altura, sozinha naquele apartamento enorme... penso muito nela atualmente, depois que Diego se foi, como deve ter sido, estar naquele espaço sem o marido. Às vezes, à noite, eu a espiava através do pátio. Meu francês era tão ruim. *Granuleux*, ela o chamava. Além do mais, eu não tinha amigos em Paris, a não ser por uma senhora mais velha. Assim, quando a noite caía, achava que estávamos no mesmo barco, eu e minha tia. Ou em dois barcos separados e solitários. Eu via a luz acesa no closet dela e a via pegar a caixa de madeira na prateleira mais alta. Ela se sentava na cama, de camisola, com as pernas abertas como se fosse uma garotinha, e remexia as próprias joias.

– O que ela estava procurando?
– Como assim?
– Ela estava organizando as joias?

Johanna deu de ombros.

– A mesma coisa que procuro quando lhe mostro minha coleção. Essas joias são o museu de uma mulher, e a curadoria é da memória. Sei que as meninas gostam de suas coisas cintilantes, e é assim que costuma começar o amor, de fora. Mas então fica mais profundo. Imagine a sensação que você tem ao apreciar um quadro. Você pensa em quem o fez, onde isso aconteceu, que valor o quadro tem para o mundo e que valor tem para você pessoalmente, o quanto o quadro se torna poderoso quando esses valores se sobrepõem.

– Na verdade, detesto essa sensação.
– Eu também. – Ela sorriu. – Gosto de pensar que ninguém mais entende as minhas obras de arte favoritas a não ser eu e o artista que a criou.
– E você quer que todos sumam da galeria em que o trabalho está exposto.
– Exatamente! Mas com joias não há esse problema. Imagine que você tem a possibilidade de enfiar a cabeça através de uma tela dos nenúfares de Monet e colocá-los ao redor do pescoço. Você pode esfregá-los quando estiver nervoso, ou colocá-los entre os dentes. Imagine que pode pousá-los sobre o peito, na altura do coração,

sabendo que pessoas que já morreram fizeram a mesma coisa. Joias são tão vivas quanto o toque de qualquer pessoa. Seu propósito é o contrário do de um quadro: elas são uma tela em branco que será preenchida pela pessoa que as usar, não pela pessoa que as fez.

– Como um anel do humor.

– Isso tem algo a ver com pedra da lua?

– Não, é como um... deixa pra lá. Continue, desculpe.

– Então, um dia, no início de um mês de agosto, vi um garoto da minha idade, talvez alguns anos mais velho, entregando folhetos em uma banca de livros. Nunca passei por aquela fase em que meninas não gostam de meninos. Nunca.

Victor sorriu e limpou os pelos de gato da calça.

– Ele estava distribuindo folhetos para um show no nono *arrondissement* e convenci minha tia a me levar. A princípio, ela disse que não era seguro sair à noite, então falou que havia subidas demais e degraus demais, depois disse que não gostava de música... e foi quando percebi que minha tia estava arrumando desculpas para não ir. Ela não queria que eu fosse sozinha, por isso fomos juntas, mas não conseguimos encontrar o lugar. Ficamos andando em círculos, voltando sempre às mesmas curvas de paralelepípedos. Insisti para que procurássemos um pouco mais. Eu queria brincar de ser adulta, ficar sentada em um bar, ouvindo música francesa como se pudesse entender um único verso. Minha tia estava cansada. Olhei para seu rosto ruborizado, o zíper da saia serpenteando enquanto andava e, pela primeira vez, me dei conta de sua idade. Assim, desistimos e chamamos um táxi.

"Quando chegamos em casa, eu soube na mesma hora que havia algo errado. A chave virou com muita facilidade na fechadura, porque a porta não estava trancada. Lembro de logo ter compreendido. Minha tia estava em cada molécula daquele apartamento e as moléculas haviam sido absorvidas por outra pessoa enquanto estávamos fora. De algum modo, não tenho ideia como, ela foi direto para a cristaleira onde guardava a prataria. Minha tia abriu o labirinto de estojos de veludo. Estavam vazios. A não ser pelas facas. Elas estavam certinhas no lugar, como se nada tivesse acontecido. Mais tarde, a polícia explicou que o roubo havia sido obra de ladrões profissionais. Ao que parece, não se consegue derreter facas. Elas têm níquel no centro, não prata. São inúteis.

"Enquanto minha tia checava todo o apartamento, fui até meu quarto na ponta dos pés. Subi na minha cama e mantive os olhos baixos para que ela não me visse espiando-a. A caixa de madeira já estava sobre a cama, com todas as gavetas abertas. A mesma parte dela que se transformava em uma garotinha quando todas as joias estavam ali teve uma reação de garotinha ao ver que elas haviam sumido. Minha tia começou a socar o colchão. Ela andou de um lado para o outro diante da janela. Fiquei assustada. Ela jogou uma luminária de vidro pela janela, que se espatifou no pátio. Algumas lâmpadas caíram em alguns dos apartamentos de baixo. Eu me senti envergonhada. E também sabia que a culpa era minha. Se não tivesse arrastado minha tia para ver um garoto qualquer de olhos verdes, aquilo nunca teria acontecido."

– Você não pode ter realmente pensado isso.

– É claro que pensei. Eu estava atrapalhando o casamento dos meus pais e eles me mandaram para Paris porque eu também estava atrapalhando o divórcio dos dois. Você não tem ideia do que é se sentir como se estivesse sempre no caminho dos outros...

– Posso imaginar.

– Enfim, depois de algum tempo, desci o corredor. Minha tia havia jogado água fria no rosto. Ela me pegou pela mão e me levou até seu quarto. Lá, abriu a caixa de joias. Era como uma colmeia sem abelhas. Foi então que ela me deu aquele desenho.

Victor desviou os olhos para a cômoda e logo voltou a encarar Johanna. A luz da manhã estava se tornando mais pronunciada e ele começava a perceber as consequências secundárias de uma ressaca: a acidez no estômago, uma sede torturante.

– Uma vida inteira de joias – continuou Johanna –, e tudo que sobrou foi aquele desenho.

– De onde elas haviam vindo?

– Antes de conhecer meu tio, minha tia teve um caso de amor secreto. Ela estava vivendo em uma Paris ocupada durante a guerra e acabou se apaixonando por um soldado alemão que dava aulas em uma escola para filhos de oficiais, na Normandia. Ele fora passar o fim de semana com amigos em uma Paris abandonada e tensa. Os alemães tinham seu próprio guia de conduta em relação à cidade, e os soldados eram avisados para não se deixarem levar demais pela comida. Eles eram os intrusos, mas, você sabe, minha tia era meio francesa e estava montando a vida dela ali. Ela já tinha um emprego, fazia algum tipo de trabalho de secretariado, e conheceu o soldado na rua, como nos filmes. Minha tia deixou cair um maço de papéis. O soldado ajudou a pegá-los. Estavam quase casados.

"A noite do roubo foi a primeira vez que ouvi falar sobre isso. Nem mesmo minha mãe soube... era muito crítica e se soubesse que a irmã havia se apaixonado por um... um..."

– Nazista. – Victor engoliu em seco.

Johanna ajeitou o corpo no parapeito da janela.

– Sim, tecnicamente.

– Tecnicamente?

Ele não queria estragar a conversa com questões semânticas, mas ser "mais ou menos" nazista não era como estar "um pouco" grávida? Se você usa uma suástica, pode muito bem ter comprado o pacote inteiro.

— Bem, não acho que ele tenha *matado* ninguém. Não era oficial e não bombardeava casas. Ele dava aulas em uma escola para crianças alemãs.

Victor mordeu a língua para não falar.

— A escola ficava em um castelo em algum lugar da Normandia — continuou Johanna —, um castelo que pertencia a uma família francesa que se mudara para uma casa menor na propriedade.

— Que generoso da parte deles...

— Victor.

Ela não o havia chamado pelo nome antes. Victor não havia se dado conta de que ela sabia seu nome. E acabou parecendo o nome de outra pessoa sendo dito por Johanna.

— Sou judeu.

— Sim, sei disso. — Johanna o encarou com uma expressão que era ao mesmo tempo envergonhada e altiva. — E eles não eram. E foi por isso que se mudaram para uma outra casa na propriedade. Quando os alemães montaram a escola, todos os bens de valor haviam sido roubados ou confiscados. Um dia o soldado saiu para resolver alguma coisa no celeiro e viu uma bolsa atrás de uma das garrafas de vinho empoeiradas. De acordo com minha tia, ele abriu a bolsa e lá dentro estava um colar e aquele desenho.

Johanna acenou com a cabeça para a gaveta.

— Ele sabia como minha tia amava joias. Por isso mostrou o desenho a ela e prometeu lhe dar o colar assim que percebesse que poderia pegá-lo.

— Porra, que loucura.

— Pois é. — Johanna não se alterou diante do palavrão e Victor não se desculpou por isso. — Ao que parecia, a principal preocupação dele era que seus superiores pegassem o colar durante uma checagem de segurança. E não, não ocorreu a ele ou a minha tia devolver o colar à família. O que posso lhe dizer? Eram pessoas imperfeitas.

E quem sabe se o colar realmente pertencia à família, se sabiam que estava ali? Era uma peça antiga. O soldado jogou o colar de volta na bolsa e o escondeu atrás de um tijolo em seu quarto redondo na pequena torre do castelo, com vista para as flores. Eu me lembro dessa parte porque me soou como uma princesa presa na torre.

– Uma princesa nazista.

– Sim, uma princesa nazista. Enfim, foi isso.

– Desculpe... foi isso o quê?

– Eles continuaram o romance. Mas àquela altura já era 1944. A guerra chegara aos gramados da frente do castelo, as tropas aliadas invadiram e minha tia nunca mais viu o soldado. Talvez ele tenha sido levado para um campo de concentração, talvez tenha morrido de fome na floresta. Ninguém sabe. O primeiro amor da minha tia desapareceu junto com qualquer pista de onde poderia estar o colar. Ela nunca soube onde ficava a escola. Só o encontrava em Paris.

– Mas... quer dizer, quantos castelos foram transformados em escolas durante a Segunda Guerra Mundial?

– Você ficaria surpreso. – Ela deu de ombros. – Essas coisas não são de domínio público, não é tão fácil encontrar apenas ligando o computador.

– Mas talvez Felix pudesse ajudá-la a rastreá-lo.

– Felix não sabe sobre o colar. Ele é muito sensível sobre qualquer coisa que se relacione com a herança nazista.

– Quanta rigidez da parte dele!

– E quem sabe se a joia ainda está onde o soldado a escondeu? Não sei nem ao menos o nome dele. E, além disso, o colar não é meu para que possa reivindicá-lo.

– Mas ele não deveria ser devolvido a quem for de direito?

– A quem? – Johanna sorriu, pois já estava habituada a essa charada em particular. – Nunca apareceu.

Victor ouvira falar de objetos como esse antes – ovos Fabergé e cópias da Declaração da Independência dos Estados Unidos, cujo destino era aguardar o tempo deles e ter esperança. Não haviam sido roubados como vítimas de um sequestro. Era mais como idosos enfermos que haviam escorregado dentro das próprias casas e agora precisavam aguardar no escuro até que alguém os encontrasse.

– Venha – ordenou Johanna, parecendo se lembrar do próprio código de silêncio em relação ao assunto. – Esse é um assunto chato para um jovem que precisa tomar um banho e comer.

– Não acho chato.

Ela foi até a gaveta e trancou-a. Sem Johanna bloqueando a janela, Victor teve uma visão clara do pastiche tropical que era a palmeira e do mar azul a distância. Era desorientador estar no presente, na Flórida, novamente.

– Vou acompanhá-lo pelo corredor.

– A passagem reta bem do lado de fora da porta?

– Uma piada! – Ela fez um carinho ligeiro com o dedo no centro do nariz dele. – Então você é o engraçado.

CATORZE

Victor

Victor se sentia um intruso conforme se aproximava da parte de trás do hotel Raleigh, onde estava acontecendo o brunch de casamento. Aquilo era o cúmulo da insegurança, levando em consideração que estava acompanhado da noiva, do noivo e da mãe do noivo. Mas esse era o problema com refeições que duravam horas. Os ritmos social e digestivo não combinavam. Algumas pessoas estavam terminando o café da manhã enquanto outras se levantavam segurando os pratos ainda virgens. Victor fixou o olhar, em busca dos amigos. Uma presença com ares de gazela, com cabelos de cor indefinida, flutuou na direção dele. Grey. Ela usava um vestido listrado que, por causa da gravidez, fazia com que ela parecesse uma ilusão de ótica. Paul vinha logo atrás da esposa, as mãos nos bolsos. Sam também se aproximava, usando uma camisa *Knight Rider*, escura nas axilas.

— *Bonjour!* — Grey encostou o rosto em ambas as faces de Victor.

— Se importa? — Johanna pousou as mãos no colo de Grey e virou o fecho do colar para trás, deixando-o fora de vista novamente.

— Faça um pedido — ordenou.

Grey fechou os olhos com força e tocou a barriga distendida com um gesto dramático.

– Victor desmaiou na cama da minha mãe! – Felix deixou escapar, animado.

Grey abriu os olhos rapidamente.

– Eu não estava *acomodado* na cama – esclareceu Victor.

– Canalha. – Sam bufou e acenou com um talo úmido de aipo diante do rosto de Victor. – Você expulsou a mãe de Felix da própria cama? Ha-ha. Canalha.

– Preciso de café – anunciou Victor.

A areia arranhava seus pés descalços enquanto ele se afastava. Uma fileira de folhagem tropical separava o pátio dos fundos do Raleigh da praia pública. Orquídeas aleatórias caíam de galhos curvos. Aglomerados de algas se espalhavam no chão depois da tempestade da noite anterior. Havia um homem pilotando a preparação de omeletes e outro misturando algum drinque não tão apropriado para aquela hora do dia, que se chamava "Daiquiri Dragão". O homem parecia especialmente atormentado por uma figura feminina usando jeans branco.

– Senhorita, vou bater em um instante.

– Não precisa bater nada. – Kezia pegou uma jarra de suco de melancia. – Só vou pegar esse copo.

Ela estendeu a mão para um recipiente plástico cheio de copos para drinques, mornos.

– Está tendo uma boa manhã? – Victor passou por baixo de um galho e se aproximou.

Kezia se sobressaltou.

– Jesus!

Ela estava cheirando a menta. Como todos os outros. Devia ser o sabonete líquido do hotel. Victor tentou afastar com força a imagem de Kezia e Judson ensaboando um ao outro.

— Você está sorridente. — Ela ergueu uma sobrancelha. — E essa roupa me parece familiar.

— Ah. — Ele abaixou os olhos. — Não é o que parece.

— Nenhum de nós dois voltou para o nosso quarto no hotel ontem à noite?

O sorriso dela era certamente um sorriso malicioso pós-coito típico. Pessoas que acabaram de transar tinham o hábito irritante de presumir que todos ao seu redor também haviam acabado de fazer o mesmo. O que também era, coincidentemente, o que as pessoas que não haviam transado presumiam. Kezia mudou o foco para uma série de pequenas tigelas. Algumas estavam cheias de nozes de macadâmia, outra com pedras brancas.

— Está vendo isso? — Ela pegou uma pedra. — Nos confunde desnecessariamente.

— Eles têm fé em sua capacidade de não comer pedras.

— Eles nem mesmo acham que posso *me servir de suco* sozinha.

Kezia tirou os óculos escuros e secou a parte de cima do nariz com a blusa, revelando uma faixa de pele que Victor não gostou de imaginar Judson tocando. Ou lambendo. Ou ejaculando sobre, de uma grande distância, apenas para provar que conseguia.

— Onde está seu namorado?

— Judson — disse Kezia lentamente — tinha marcado o voo de volta para Dallas bem cedo.

— Dallas? — Victor cerrou os dentes. — É claro, Dallas.

— Já esteve alguma vez em Dallas?

— Obviamente não.

Sam se aproximou deles, carregando um prato com uma pilha de *danishes*, bacon e fatias grossas de abacaxi. Ele estava deixando crescer um bigode. Victor percebeu a vontade que Sam tinha de coçar o bigode pelo modo como ele não parava de passar a mão pelo lábio superior.

– Sobre o que estamos falando?

Sam enrolou uma fatia de abacaxi em outra de bacon.

– Sobre nada – retrucou Kezia. – Como consegue comer isso com esse calor?

– Ah, entendi. Estamos falando sobre Judson.

– Jura? – Ela jogou as mãos para o alto. – Vocês trabalham na segurança do hotel?

– Cara, *eu* treparia com aquele cara. E nem sequer gosto, vocês sabem...

– De homens?

– Palhaços, mas é isso mesmo – concordou Sam. – Judson parece um salva-vidas. Tipo, um salva-vidas do mal cujo assovio tem o poder de invocar o demônio.

Victor se perguntou se alguma vez na vida já fora tão alegre.

– Ele é como um Burt Reynolds depilado – intrometeu-se.

– Ou... quem era aquele cara, daquele filme? Que dizia "Você é uma merda e ela sabe que você é uma merda...", e por aí seguia.

– Andrew McCarthy? – arriscou Victor.

– James Baldwin?

– Não era James Baldwin.

– Era o James Spader, seus bobos.

– Spader! – Sam cerrou os dentes. – Isso acontece mesmo?

– *O que* acontece mesmo? – Kezia deu um gole no suco conseguido a tanto custo.

– O assovio dele invocou o demônio quando você o chupou?

– Você está sendo nojento.

– É você quem está sendo nojenta. Estou fazendo uma pergunta legítima sobre assovios.

– Ela não transou com ele! – Victor sorriu. – Você não transou com ele. Do que estamos falando? De tudo menos...?

– Não estou na sétima série.

– Você fazia sexo oral na sétima série?

– Cale a boca, Samuel.

Um pedaço de carne caiu da boca de Sam na areia.

– Você deveria arrumar um lugar para se sentar e comer isso.

– Estou esperando minha omelete.

O homem da omelete serviu artisticamente uma omelete oval, amarela, sobre a pilha de comida de Sam, que embalou o prato como se fosse um bebê recém-nascido.

– Há crianças famintas no Sudão – repreendeu-o Kezia.

– Também há crianças bem-alimentadas no Sudão, racista. Vou para perto de pessoas que me amam. Onde está Olivia?

Victor riu.

– Olivia não ama você.

– Vocês dois não sabem nada sobre a sociedade da América do Sul. Esse é o jeito deles. É o ritual matinal por lá. Um jeito frio e corpos brasileiros quentes...

– Venezuelanos.

– Que seja, Kezia.

Do outro lado da piscina, Olivia virou a cabeça na direção deles, os olhos escuros como adagas conforme Sam se aproximava. Ela estava em seu elemento, usando um biquíni quase todo feito de cadeias de metal unidas, falando um espanhol acelerado com parentes idosos de Felix. Ela tirou o pé de dentro da piscina e ficou de pé na borda de pedra, se preparando para a humilhação.

– Como se diz "Essa é a criança de quem tomei conta" em espanhol? – Kezia voltou a colocar os óculos escuros.

– *Este es mi idiota.*

– Chegou bem perto.
– Então, quer ouvir uma história engraçada? Dormi na cama de Johanna na noite passada.
– Como? – Ela protegeu os olhos com a mão.
– A mãe do noivo.
– Sei quem é ela.
– Bem, na verdade dormi jogado em cima da cama, não aconchegado nas cobertas.
– Ai, meu Deus, comece do início.

Victor se deliciou com a curiosidade dela. Se havia uma coisa que ele não costumava ser, era misterioso. Se havia outra característica típica dele era que provavelmente contaria qualquer possível mistério imediatamente, o que só alimentava sua personalidade não misteriosa.

– Odeio chuveiros ao ar livre – comentou Kezia quando ele acabou a história.
– Há mais uma coisa. – Victor abaixou a voz. – Há um colar, só que ele não existe mais.
– Hein?
– Se eu lhe descrever um colar, você seria capaz de identificá-lo?
– Identificá-lo de que modo? Como não sendo uma pulseira?
– Não. Você seria capaz de me dizer se a mãe de Felix não é só uma doida alemã, ou se ela realmente tem algo famoso, que pertence a um museu? E é alemã.
– Não tenho ideia do que você está falando, mas não sou uma gemóloga profissional. E mesmo se fosse, não é o mesmo que ser médico. Não posso prescrever remédios pelo telefone com base no que você me conta.
– Seu médico faz isso?

— O médico de todo mundo faz isso. Por quê? Johanna tem o diamante Hope guardado no armário ou coisa parecida?

— Mais ou menos — sussurrou Victor.

— O diamante Hope está no Instituto Smithsonian. — Kezia sussurrou como ele.

— Você sabe que as pessoas tiveram seus bens sequestrados durante a ocupação nazista na França, certo?

— Pessoas como os judeus?

— Kezia, Johanna tem um cofre secreto, como um baú do tesouro, em seu quarto.

— Eu sabia! Sabia que você *estava* bisbilhotando no quarto dela! Qual é o seu problema? Sinceramente, você deveria se perguntar isso pelo menos umas três vezes por dia.

— Eu não estava, eu...

Kezia se voltara na direção de Nathaniel, que estava deitado na beira da piscina, o braço atrás da cabeça, parecendo tão despreocupado que chegava a irritar, com o que parecia ser um roteiro apoiado contra os joelhos. Uma garota com uma camiseta apertada lhe ofereceu um cardápio e a resposta dele a fez rir.

— Kezia... — Victor tentou retomar o foco de atenção dela.

Kezia desviou rapidamente o olhar de Nathaniel.

— Ei, Indiana Jones. Não seja esquisito. É um colar.

— Na verdade, é só uma imagem de um colar.

— De um colar que não existe! Ainda melhor.

— Mas é enorme, com diamantes e uma enorme esmeralda azul no centro.

— Isso é uma safira.

— E há uma lágrima esquisita no centro da pedra, lapidada dentro dela.

— Na parte de trás da própria pedra? Isso é impossível.

– E as anotações estão em francês, mas Johanna é alemã. Não é estranho?

– Por que seria estranho?

Um grupo de crianças passou correndo, batendo uns nos outros com espaguetes de espuma usados na piscina.

Victor abaixou a voz.

– Por causa dos nazistas.

– Você está com insolação.

Eles ficaram em silêncio. Victor fez o melhor que pôde para não parecer desapontado, e para não arrastar os pés na areia. Havia um aviso luminoso de saída preso às árvores atrás deles e, além dele, barracas de cores diferentes que marcavam o fim de um hotel e o começo de outro.

– Talvez a mãe de Felix seja nazista. Pode ser que todos eles sejam. Podemos estar em um casamento nazista muito hospitaleiro.

– Esqueça. Achei que você poderia se interessar.

Ele bateu as solas dos sapatos que carregava.

Kezia lhe deu uma chance.

– E me interesso. Desculpe, só fico meio mal-humorada pela manhã.

– Sim, ora, sempre é manhã em algum lugar...

– Está vendo? Esse – Kezia suspirou dramaticamente –, esse é o motivo por nós dois não estarmos mais nos vendo. Eu peço desculpas, sou sincera com você por um instante e você me chama de insuportável.

– Com certeza não fiz isso. E o motivo pelo qual não nos vemos mais é porque você ficou chique demais para os velhos amigos. Faça novos amigos e mantenha os velhos, um é prata e o outro é ouro. Hemingway disse isso.

– Esse é o lema das bandeirantes, idiota.

– Ah, desculpe, não sou Nathaniel.

– O que isso tem a ver com qualquer coisa? Tipo, tudo é fácil para todo mundo e difícil para você, não é? Como é possível? Não somos todos Olivia e Caroline. O restante de nós não nasceu privilegiado. Nathaniel descobriu isso. Eu descobri. Até Sam descobriu.

– Sam tem apenas uma calça.

– A questão é que você escolhe pensar que todos estamos melhores do que você.

Na maior parte do tempo, Victor precisava se convencer a pensar que estava melhor não sendo namorado de Kezia. Outras vezes essa sensação vinha naturalmente. Ela estava prestes a continuar a falar, mas eles agora tinham companhia. A mais nova sra. Castillo se aproximou, usando uma túnica laranja com a estampa de uma estrela do mar. Felix vinha com ela, carregando uma travessa de doces.

– Acho que já vamos – disse ele. – Paris aguarda.

Caroline agarrou a mão de Kezia.

– Estou tão empolgada. Vamos ficar no Plaza Athénée e então seguimos para o sul da França, com Paul e Grey.

– Vocês vão passar a lua de mel a quatro?

Victor olhou para Kezia, esperando que a discussão entre eles pudesse ser resolvida caso cerrassem fileira contra esse assunto novo e muito interessante: quatro dos amigos deles enfiados juntos em um carro em um país estrangeiro.

– Vamos. – Felix levantou os cantos da boca.

– Que horas são? – Caroline virou o pulso de Felix para checar.

Felix ofereceu os doces.

– Sirvam-se, peguem um *Franzbrötchen*.

Bolas de massa doce estavam curvadas para cima na travessa como se fossem embriões de cães da raça Shar Pei. Os doces tinham aroma de canela, um cheiro que parecia deslocado na praia. Ficaram todos ali, segurando os doces pegajosos entre os dedos.

– Eram os doces favoritos da minha mãe quando ela era criança.

– E sua mãe cresceu na Alemanha?

– Sim. – Felix riu.

– E ela nunca morou em nenhum outro lugar?

– Ignore-o. – Kezia lambeu a lateral de seu *Franzbrötchen*. – Ele está com insolação.

QUINZE

Victor

—P ode colocar isso na sua bolsa? Kezia entregou a ele um secador de cabelos que levara com ela, mas por algum motivo o aparelho se recusava a caber de volta na bolsa dela. Eles haviam passado alguns minutos sozinhos, apenas os dois, no quarto do hotel. Durante a noite, a arrumadeira havia destrancado o banheiro, revelando o cardápio padrão da bancada da pia: loção hidratante, xampu, sabonete, nada de pasta de dente. Victor pegou o sabonete e Kezia o xampu. Agora eles estavam sentados na traseira de um táxi, a mala de mão dela amontoada entre os dois, e Victor sentia inveja da lista de afazeres bem mundo real que a perturbava.

– O que aconteceu com o serviço de carro? – perguntou ele, abaixando o vidro da janela.

– Consigo disfarçar. Só não consigo fazer isso o tempo todo. Comi demais nesse fim de semana. – Ela tocou o estômago. – Ei, desculpe se fui babaca antes. Pode me contar sobre o misterioso colar agora. Sério.

– Está tudo bem. – Ele apoiou o antebraço na janela, sob o sol.
– Deixa pra lá.

O FECHO

Quando eles já estavam no portão de embarque, o número do assento de Kezia foi anunciado antes do dele. Ela jogou a bagagem no ombro e se juntou à massa que se deslocava estrategicamente.

Kezia sorriu.

– Vejo você do outro lado.

Victor checou o número do próprio assento: 39E. Última fileira, meio. Agora Deus estava simplesmente rindo dele. Kezia estava perto de uma janela, digitando uma mensagem de texto, quando ele passou. Victor prendeu o cinto de seu assento, colocou os fones de ouvido e abriu a revista da companhia aérea. Eles pareciam insetos robóticos. Victor mexeu as pernas antes da decolagem, pressionando intencionalmente os joelhos contra o assento vazio na frente dele. Como se desse um aviso ao próprio corpo, dizendo, "Ei, joelhos, no caso de ficarem curiosos mais tarde, esse é o limite até onde podem ir". Uma comissária de bordo empurrou a bolsa de viagem de Victor no bagageiro acima dos assentos, forçando-a à submissão.

Ele olhou através do corredor, enquanto o avião ganhava velocidade, balançando a cabeça na direção da janela quando a aeronave se elevou sobre a costa de Miami. E viu as longas caudas brancas deixadas pelos barcos a motor na água. Cometas no dia claro. A audição dele estava ficando abafada. Um executivo sentado ao seu lado se dedicava a uma digitação agressiva. No assento do outro lado, um adolescente cheio de espinhas, usando um boné dos Yankees, cruzou os braços e fechou os olhos. Victor abaixou a bandeja diante dele.

Ele se inclinou para a frente e retirou lentamente uma folha de papel do bolso de trás da calça, desdobrando-a com cuidado sobre a bandeja. Victor tentou alisar a marca da dobra, para que o branco do papel não marcasse o azul do meio.

Naquela manhã, Kezia o olhara nos olhos e dissera que ele era o único dos amigos deles que não conseguia "perceber" que estava deixando a vida acontecer passivamente. Seria verdade? Ora, aquele desenho não havia simplesmente *caído* dentro do bolso dele, não é mesmo?

Enquanto Johanna estava com o olhar perdido na fotografia da tia, Victor, como o micróbio que era, escolhera agir. *Finja que o objeto é algo que você perdeu, finja que sempre foi seu. Você o perdeu sem querer. E está voltando para recuperá-lo. Não o está pegando, e sim recuperando-o. Então saia da mesma forma que entrou.*

"*A4: Collier de saphir et diamant avec larme*", diziam as palavras na parte de baixo do papel.

Larme. Lágrima? Isso era tudo que ele conseguia decifrar. O restante estava cortado ou as letras em francês desbotadas. Victor esticou os braços para ver toda a imagem. Então deixou a vista nublar até distinguir apenas um monte de pontos com um grande ponto azul no meio.

Ele agira. Tomara uma decisão, embora provavelmente uma decisão terrível. Muitos anos antes, evitara que sua tendência a cometer crimes menores fosse descoberta por nenhuma outra razão que não o destino ter tido pena de um réu primário. Ninguém sabia o que ele havia feito. Mas o destino fizera muito pouco por Victor desde então. Portanto, talvez lhe devesse isso. Talvez tivesse escolhido Victor e apenas ele para ouvir a história de Johanna. Talvez o colar sempre tivesse sido dele.

PARTE DOIS

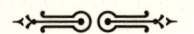

DEZESSEIS

Nathaniel

Ele tropeçou em uma bagagem inesperada quando entrou em casa. Tropeçou mesmo. E conseguiu ouvir Percy rindo no próprio quarto. Nathaniel se levantou e socou a porta. Acabara de sair do avião, precisava dormir antes da reunião marcada para o almoço do dia seguinte e não estava com humor para uma das visitas surpresa de algum Antigo Amigo De Percy, os A.A.D.P. O colega de casa era, de longe, a pessoa não realmente famosa mais popular que ele conhecia. Sorte de Nathaniel no abstrato, mas frequentemente um inconveniente quando se era mais específico.

– Pare com essa barulheira, filho! – gritou Percy. – Ah, ei! Tudo bem se a pessoa em cuja bagagem tropeçou pegar seu carro emprestado amanhã?

Ao contrário de Percy, Nathaniel trabalhava em casa. O que significava que os A.A.D.P. que apareciam de surpresa chegavam bem perto de parecer um casamento arranjado surpresa. Nathaniel desceu o corredor e viu a silhueta de um corpo no sofá, roncando embaixo de uma manta. Ele voltou pelo corredor.

– Nem ferrando. – Ele deu uma batida na porta. – Tenho uma reunião.

– *Tudo bem*. Egoísta. Mas fale baixo. Tem gente tentando dormir.

– Babaca.

— Você me ama muito — disse Percy com uma gargalhada.
— Me chupa, então.
— Não sou gay.

⋆⇒◦⇐⋆

Na manhã seguinte, Nathaniel acordou nervoso. Estava repassando sua proposta de projeto havia semanas, e se concentrara em suas anotações até no fim de semana. Já fazia muito tempo desde *Dude Move*. Estava na hora de voltar à sala dos roteiristas.

Nathaniel preparou um café para si mesmo e desceu o corredor, lembrando-se de que, quando chegasse ao final, um antigo companheiro de fraternidade de Percy na faculdade estaria dormindo no sofá. Mas eis que os pés do A.A.D.P. estavam pendurados no braço do sofá... e eram longos, delicados e com esmalte nas unhas. O que significava duas coisas: primeiro, o que ele imaginara ser um amigo era, na verdade, uma amiga. Segundo, ela não estava tendo nada com Percy, já que estava dormindo ali na sala.

Minutos mais tarde, a A.A.D.P. estava parada no pátio, tomando o café que Nathaniel pretendia fazer apenas para si mesmo, usando apenas um short de menino e uma camisa masculina aberta. Era uma aspirante a modelo da Filadélfia. Nathaniel mal alcançava a altura dela. Mas sabia que tinha uma chance. Era um cara bonito. Tinha um belo cabelo. Não tinha barriga saliente. E recentemente investira em um tônico facial.

— Como chamam isso? — A A.A.D.P. apontou para um cacto que pendia de uma viga.

A camisa dela se abriu, expondo a maior parte de um dos seios, parando pouco antes do mamilo. A garota examinava com atenção o cacto.

— Plantas aéreas. — Nathaniel mordeu o lábio.
— É mesmo?

— Acho que não há outro nome para elas. — Ele pigarreou. — Suculentas?

— São tão legais — comentou a amiga. — Adoro. Gostaria de poder cobrir o teto do meu quarto com elas. Meu teto tem aquele tipo de pintura texturizada, que parece uma pipoca.

— Gostaria que *eu* pudesse cobrir o teto do seu quarto — disse Nathaniel.

— Não entendi. — Ela abriu um largo sorriso para ele. — Vocês têm leite de soja?

— Talvez na geladeira?

Definitivamente não havia nenhum leite de soja na geladeira.

— Aqui são todos tão antipáticos com soja. — A aprovação dela desabou. — É como uma invasão de amêndoas, tudo é feito de amêndoas.

— É assim mesmo que imagino a invasão de amêndoas acontecendo.

— Mas soja ainda é melhor para as pessoas do que *leite* leite, certo? Já experimentou leite de castanha-do-pará? Eu fiz para mim uma vez. É tão cremoso. Melhor do que leite de cânhamo.

— Como você fez? — Ele falou para a parte de trás das coxas da garota, que se inclinara dentro da geladeira aberta, e descreveu todo o processo em detalhes.

A A.A.D.P. tinha dois testes no mesmo horário do almoço de Nathaniel, mas seria a "melhor amiga dele para sempre", se pudesse pegar o carro dele emprestado. Ela cheirava a frutas vermelhas e a sexo. Se aquele era o aroma que os poros da garota exalavam, sua vagina devia ter gosto de torta.

— Sem problema — disse Nathaniel para as coxas dela.

DEZESSETE
───────────
Kezia

— Não consigo respirar. – Rachel entrou como um tornado no escritório, como um demônio em sandálias de plataforma. – Está quente como um saco escrotal aí fora.

A temperatura em Nova York vinha subindo sem parar antes de Kezia viajar para o casamento de Caroline. Uma onda oficial de calor, que castigava mais do que o sol de Miami e que, por algum motivo, era pior a céu aberto, no Meatpacking District, do que em qualquer outro lugar de Manhattan. Kezia conseguia sentir cada ponto de costura de sua roupa, como se tivesse tomado drogas psicodélicas. E ainda não estavam nem em junho. Ela disse a si mesma que em Calcutá aquele seria considerado um dia frio e sonhou com outubro, e com coisas com sabor de abóbora.

– Olhe para isso, é nojento.

Rachel parou diante da mesa de Kezia, tirou o blazer e levantou o braço. Havia uma penugem preta ali, como barba de velho em uma axila.

– Eles não sabem que não tenho chuveiro no trabalho?
– Eles?
– Deus.

Rachel ajeitou o macacão sem alças. E levantou os colares que usava, como se estivessem contribuindo para a opressão que sentia. O buldogue de Rachel, Saul, cheirou o cano do aquecedor, no canto, explorando uma nova lasca de tinta. O escritório ficava em um loft com canos pintados, tijolos esfarelentos expostos e janelas antigas e gigantescas com painéis de chumbo – uma violação ao código sanitário a cada lugar para onde se olhava. Mas os pisos eram claros e cintilantes, as mesas holandesas, cor de creme. Saul arrastava a guia atrás dele enquanto farejava em busca de lascas de tinta como um porco querendo achar trufas.

Coma a tinta, pensou Kezia.

– Quer que eu pegue água para ele? – perguntou Marcus, o contador, atravessando o loft e pegando a guia de Saul.

O cachorro não tinha um dos dentes de baixo e arfava constantemente. Até mesmo para o padrão de Saul, a língua dele estava baixa demais naquele dia.

– Não, o veterinário disse que Saul deve beber água filtrada.

– Seu veterinário lhe disse isso? – perguntou Marcus.

Kezia olhou para a frente, forçando o rosto a permanecer impassível. Marcus era uns vinte anos mais velho do que ela, pai de duas meninas, proprietário de uma casa no Queens, na qual instalara recentemente uma queda d'água zen. Em um escritório cheio de mulheres jovens que pareciam ficar animadas com telefonemas em pânico sobre amostras perdidas (na verdade, Kezia sabia que as mulheres ficavam empolgadas, porque costumava ser uma delas), Kezia gostava muito de Marcus. Às vezes, ela o via como a encarnação de seu antigo eu, mais bondoso, era como uma última ligação entre ela e a versão idealizada de si mesma. O que significava muita pressão em cima de um contador.

Rachel ficou parada ali, arejando o peito, puxando o elástico do macacão contra ele. Marcus se abaixou para fazer carinho em Saul e o cachorro rosnou para ele, um rosnado que mais pareceu um gorgolejar, por causa do dente que faltava.

– Um cachorro do mato entrou pela nossa cerca dos fundos no verão passado e minha filha mais nova o expulsou gritando e acenando com uma boneca para espantá-lo.

– Isso é in-crível – comentou Rachel, arregalando os olhos para Kezia.

– No Vietnã, as pessoas comem carne de cachorro. – Marcus voltou para a própria mesa. – Na China, gatos. No Vietnã, cachorros.

Marcus havia sido contratado sete meses antes de Kezia. Eram a força de trabalho a ser explorada sem muito crédito aos seus cérebros. Mas depois que Rachel descobrira que Kezia não transformaria seu negócio em cinzas se a deixasse preencher algumas ordens de compras, não viu mais razão para interagir com nenhum dos dois. Mesmo diante de uma emergência financeira legítima, Rachel evitava chamar Marcus. Kezia suspeitava que a chefe ficava contrariada com o som de portas de tela batendo, de óleo em frigideiras e das filhas de Marcus brincando no pátio dos fundos. Ou de falar Queens e ponto, sua voz se rebaixando a um distrito que não ligava o bastante para ela.

– Eu deveria tomar um pouco de água também – disse Rachel. – Toda a água do meu corpo está do lado de fora no momento.

Aproveitando a deixa, uma assistente usando botas de caubói, que escutava a conversa, veio deslizando com uma garrafa de água recém-aberta.

– Você salvou minha vida, Sarah.

A assistente, Sophie, sorriu. "Sarah" havia sido próximo o bastante.

Então ela deslizou de volta para o lugar de onde viera. Kezia tentou tirar furtivamente a tampa do iogurte que levara. Mas o iogurte estava liquefeito e espirrou na saia dela como uma golfada de bebê. Kezia sentiu o estômago se revirar um pouco enquanto limpava a saia.

O FECHO

Ela sabia que era magra em comparação ao restante do país, mas era uma ogra se comparada com as garotas que trabalhavam naquela vizinhança. Precisava se esforçar para não ficar olhando para as coxas das outras mulheres enquanto caminhava até o trabalho todas as manhãs. O teste dela para deformidade corporal era o seguinte: se conseguisse arremessar uma bola de golfe por entre as coxas da mulher que caminhava à sua frente, sentia inveja. Se conseguisse arremessar uma bola de boliche, se sentia superior. Uma revista uma vez lhe dissera que ela deveria dizer coisas gentis sobre o próprio corpo, acariciar a autoestima antes de ir para a cama. "Fique nua diante de um espelho de corpo inteiro e diga a si mesma: 'Tenho um belo traseiro', ou 'Tenho bons peitos'."

– Como foi sua folga? – perguntou Rachel, puxando os lábios com força da garrafa.

– Foi um casamento. Em Miami apenas, e choveu o tempo todo.

– Você foi naquela coisa no Shore Club?

– Que coisa?

– Deixa pra lá. Deveria ter me dito aonde estava indo. Eu poderia ter ligado para Reginald e conseguido um desconto no Setai.

Kezia não conhecia Reginald, e não ouvira falar do Setai até o dia seguinte ao casamento. E só porque o hotel ficava perto do lugar onde aconteceu o brunch do casamento. Além do mais, Rachel sabia *exatamente* o destino da viagem porque Kezia, na verdade, contara a ela e as duas, na verdade, haviam se falado enquanto Kezia estava em Miami.

– Da próxima vez, me conte o destino da sua viagem.

A chefe tinha um modo todo especial de puxar para si o crédito da conversa, se oferecendo para mexer os cordões bem depois de as marionetes terem sido recolhidas.

— Não sei por que não comentei nada — disse Kezia, enquanto Saul arfava aos seus pés.

A língua seca do cachorro roçou na pele dela, na esperança de que o pé de Kezia fosse uma lasca de tinta gigante. Ela colocou os dedos atrás do calcanhar para protegê-los.

— Você tem um guardanapo?

— Na cozinha.

Rachel fez a mesma cara que Kezia fizera depois de ouvir falar de Reginald. A cozinha era um cômodo de que ela supostamente ouvira falar, mas não conseguia se lembrar do motivo. Ela abriu com cautela a geladeira e colocou algo dentro do café.

Então franziu o cenho dentro da xícara.

— Detesto quando o leite de soja faz isso.

O leite havia se separado em flocos que pareciam algas. Parecia impossível de beber.

— Meu celular está tocando. — Rachel vasculhou a bolsa e pegou o aparelho estridente.

Ela seguiu para a própria sala, com divisórias de vidro. Saul foi trotando logo atrás. Marcus encheu uma tigela com água da bica, colocou-a no chão e voltou ao trabalho. Eles escutaram, junto com os outros empregados e estagiários espalhados pelo loft, enquanto Rachel tentava defender a engenharia de produto de um colar que fora entregue com defeito a uma butique de Chicago. Aquela era uma conversa que Kezia ouvira bastante nos últimos tempos.

A maior parte das peças de Rachel era produzida do outro lado do loft, bem à vista da mesa de Kezia. Mas muitas das peças principais, principalmente as que usavam pedras semipreciosas, ou com cacos de opalina vintage, eram produzidas fora dali. E um problema qualquer na produção de um dos colares de Rachel estava fazendo com que o fecho se abrisse. Uma cliente levava a mão ao pescoço despreocupadamente e, puf... o colar havia desaparecido.

Normalmente, não seria a própria designer das joias que lidaria com uma questão dessas, mas as coisas haviam chegado a um ponto de ebulição. Havia cada vez mais devoluções. Do ponto de vista de Kezia, Rachel tinha três opções:

1. Culpar o design (não era uma opção).
2. Culpar a si mesma (opção pouco melhor).
3. Culpar Kezia (melhor opção).

O colar era o bebê de Rachel – o design dela mesma –, mas ela deixara os detalhes da produção a cargo de Kezia. Isso colocava Kezia no papel de mãe adotiva: ela não podia levar o crédito pela criação do colar, mas poderia ser acusada de sua destruição.

O computador dela deixou escapar um som animado.

O que vc está vestindo?, perguntou o balão de uma mensagem de texto.

Kezia se concentrou nos pixels, sem saber se havia mais coisa de onde viera aquilo.

Aqui é Judson.

Rachel andava de um lado para o outro na sala dela. Outro balão apareceu.

Bj, balão, *Judson.*

Kezia checou o que estava usando. Naquele dia ela vestira uma blusa de seda, calças que pareciam de pijama, vários braceletes com fecho em T, e um cordão comprido feito de fitas e tentáculos de lula em níquel, da primeira coleção de Rachel. Embora não fosse exigido que usasse joias de Rachel Simone, era encorajado.

Calça. Kezia pressionou enviar.

Está dizendo só calça? ☺ *Haha*, Judson escreveu de volta no mesmo instante.

Estou no trabalho, então...

Na verdade, "só calça" não era uma suposição tão absurda. Kezia podia distinguir um sutiã escuro através da blusinha curta de uma designer júnior. Outra garota usava uma roupa que parecia ter sido destroçada por uma matilha de lobos rivais. Enquanto isso, dentro da sala de Rachel, a discussão com a loja de Chicago ficava ainda mais acalorada. Rachel invocou seu nome completo, precedido pelo artigo "a" e seguido pela palavra "marca".

– Lamento que se sinta dessa forma – disse ela sem um pingo de sinceridade.

Kezia pegou um revirar de olhos apiedado pela divisória de vidro.

– ... mas alegar produção com defeito sobre um percentual tão pequeno de... é claro que me responsabilizo por tudo o que produzimos, mas não espero que possa entender por que não posso compartilhar totalmente de sua... É verdade, mas não está falando com Cartier. As minhas peças são únicas. Escute, você já comeu um tomate heirloom?

Silêncio.

– Ora, ele parece deformado, mas você o come mesmo assim.

O barulhinho no computador voltara: *Pego você do outro lado, linda.*

Do outro lado de quê?

– Caro demais? – gritou Rachel no telefone. – Caro demais!

Marcus olhou para Kezia e deu de ombros. A garota com a roupa rasgada fez um clique com a caneta.

As joias de Rachel eram, de um modo geral, caras demais. Principalmente aquela linha em particular. Enormes colares de seda com cristais não lapidados pendurados, cada um mais caro do que o seguinte, culminando em um exorbitante colar Starlight Express. Mas a linha vinha recebendo uma enxurrada de elogios da imprensa. As revistas de negócios citavam Rachel dizendo coisas

O FECHO

como "Gosto de desenhar a minha inspiração desde os detalhes mais insignificantes, até a estrutura em larga escala". Uma foto mostrava Saul, de costas, com um monte de colares pendurados na cauda. Rachel gostou tanto dessa foto que mandou ampliá-la, emoldurou-a e pendurou atrás do vaso sanitário no banheiro do escritório. Marcus precisava urinar encarando o orifício anal de Saul.

Se corresse a notícia de que a coleção Starlight Express estava com defeito, seria ruim para todo mundo.

Kezia provavelmente removeria a loja de Chicago do banco de dados deles até o fim do dia.

– Special K! – Rachel abriu a porta da sala dela e Kezia entrou apressada.

– Esse é o meu nome preferido no mundo.

Rachel fechou a porta e olhou para fora pelo vidro.

– Tenho certeza de que não fui seguida – sussurrou Kezia.

Rachel levou as mãos ao rosto e arrastou os dedos pela pele enquanto falava.

– Quantas dessas coisas estão fodidas?

– Da Starlight Express? Não diria que elas foram "fodidas".

– Não há necessidade de defender a honra delas para mim. Meu nome está nelas. Tenho permissão para ser cruel com elas.

– Nesse caso... algo como... todas?

– Todas?

– Bem... sim. Cassie veio até aqui para fotografá-las para os catálogos, na semana passada, e não conseguimos que os fechos ficassem fechados nem para as fotos. Acho que todos têm o mesmo problema, do mesmo vendedor – Claude Bouissou, em Paris – , e é restrito ao próprio fecho.

– Restrito. – Rachel deixou a palavra rolar pela boca como uma bola de gude. – É o peso, não é? Eu sabia que isso aconteceria com os cristais grandes, mas se usasse os cristais pequenos as peças ficariam parecendo bijuterias vendidas em promoção nos anos 1990. Mandaria Sarah dar um pulo até a rua 47 só para consertar os fechos se eu achasse que funcionaria.

— Não vai funcionar.

— Sabe de uma coisa? *Cloisonné* foi uma escolha ruim.

Ela esticou a palavra ao pronunciá-la. O fecho do colar era tão bom quanto o resto da peça. Kezia tentara deter Rachel, mas Rachel se recusara a ouvir.

O fecho era esmaltado, mas não um esmaltado qualquer. Era um esmaltado *cloisonné* – um esmaltado francês, produzido artesanalmente em uma fábrica especializada, no velho mundo, usando uma técnica cara, que só rivalizava com os chineses, que costumavam cobrir vasos inteiros de flores com *cloisonné*. Os chineses, obviamente, tinham mais paciência do que os franceses, que haviam aperfeiçoado a técnica para ser usada na joalheria. Kezia ficaria cega fazendo o que aqueles joalheiros faziam, cobrindo uma superfície de metal com centenas de fios finos dourados, então preenchendo cada espaço com pasta de esmalte vitrificado e pigmentado. Nem mesmo no antigo emprego dela usavam *cloisonné*. Era caro e lento demais. Um fecho daqueles estava acabando com a linha Starlight Express, o Expresso Estrelado de Rachel.

Tendo como tema o musical de Andrew Lloyd Webber que fizera um enorme sucesso nos anos 1980, o colar fora um problema desde o dia em que elas haviam recebido as amostras de venda. Sob as estrelas esmaltadas (que estavam lascando por algum motivo) ficava um intrincado mecanismo com um fecho duplo de ímãs. Havia muita coisa para quebrar.

— E também custaram uma fortuna para serem feitos.

— Eu sei – disse Kezia.

— Aliás, o que é que você está vestindo? – Rachel franziu o cenho.

– Essa é a pergunta do momento, não é mesmo? Uma blusa.
– Parece pronta para ir a um enterro.
– Isso é porque mais de vinte por cento do meu corpo está coberto.
– Para alguém que está vestida como se fosse a um enterro, você está sendo um tanto petulante.
– Muito bem. Sobre o fecho, eu não tenho uma varinha de condão. Gostaria de ter. Ninguém conhece aquele colar melhor do que eu. Quer dizer, quase ninguém.

Rachel se sentou na cadeira dela e virou a orelha de Saul para dentro, enquanto examinava a pele rosada do animal.

– O que você *realmente* conhece é esse pessoal convencido e temperamental da joalheria fina. – Ela suspirou. – Achamos que há alguma possibilidade de que nosso amigo na França tenha notado que não cumprimos sua quantidade mínima?

– É possível.

Na verdade, era um fato. Para criar peças customizadas, Claude Bouissou exigia um pedido mínimo de quatrocentas unidades. De outro modo, não valia a pena para ele. Mas, por mais bem-sucedida que fosse, Rachel não poderia arcar com o custo. Por isso contornava a questão da quantidade mínima fazendo uma encomenda grande de "amostras" (cerca de 150), dando a entender que faria um novo pedido. Mas nunca fazia isso.

– E achamos que Claude Bouissou não está priorizando Rachel Simone por causa disso?

Às vezes Kezia achava que Rachel havia entrado naquele negócio apenas para realizar o sonho de sua vida de referir-se a si mesma na terceira pessoa.

– Foda-se Claude Bouissou. – Rachel se inclinou sobre o computador, e começou a clicar furiosamente com o mouse. – Foda-se a cara de peixe que eu tenho que fazer só para pronunciar o nome dele. Quem são nossos outros vendedores aqui?

— Aqui, nos Estados Unidos?

— Sim, aqui.

Kezia não conseguia pensar em um único fabricante doméstico de *cloisonné*.

— Talvez devêssemos deixar de lado o esmaltado e optar por algo mais simples no lugar. — Ela deu de ombros. — Posso conseguir fechos-rosca rapidamente.

— Muito quarta série.

— Fecho-mola?

— Náutico demais.

— Fecho-lagosta?

— Marítimo demais.

— Fechos em T?

— Derivativo.

— Fivelas?

— Por acaso parece que minha loja é uma Claire's qualquer?

Saul e Rachel rosnaram em uníssono.

— Rachel, ninguém nessa cidade, ou nesse continente, é especializado em *cloisonné*. E se houvesse alguém, o serviço demoraria demais, ou não iam querer...

— Não iam querer o quê?

— Acho que iam querer saber que o trabalho deles terminaria em uma gargantilha de diamantes. Confie em mim, eu trabalhava para essas pessoas.

— Bom para você. — Rachel tamborilou com as unhas sobre a mesa. — Então deveria saber exatamente quem chamar. Isso é um pesadelo. Tenho que estar em Tóquio em dois dias.

Uma gota de suor escorreu pela parte de trás da coxa de Kezia e ganhou velocidade na altura do joelho. *Dia frio em Calcutá, dia frio em Calcutá.* Saul pousou o queixo sobre uma pilha de papéis recém-saídos da copiadora.

– Olhe só para ele!

A língua de Saul se projetava pelo lado da boca, como um brinco pendurado.

– Ele não é bonito.

– Você não tem alma.

Kezia apontou com o polegar para a porta.

– Estou indo.

– Foda-se Tóquio. Foda-se a França, também.

– Farei o melhor que puder para foder todos esses lugares.

DEZOITO

Victor

Ao voltar, Victor encontrou o apartamento em que morava do mesmo jeito que o deixara. As persianas não estavam fechadas porque ele não tinha persianas. Roupas do lado do avesso, canecas na pia cheias de água – um débil tributo à futura lavagem, um gesto contra o caos. A mesa de centro estava cheia de garrafas de cerveja e guimbas de cigarro. Era o dia de folga da empregada.

Victor deixou a bolsa no chão, foi urinar e ficou segurando o botão da descarga por vinte segundos além do necessário. Então, jogou fora uma revista deformada de alguma semana sem importância em março. Precisava de ventilação artificial. Ele subiu na cama e ligou o ar-condicionado. Nada aconteceu. O pai de Victor sempre dizia que aqueles aparelhos eram espertos o bastante para quebrar no momento em que suas garantias expiravam, mas nunca espertos o bastante para continuar funcionando. Irritado, Victor foi abrir a segunda janela estreita do quarto, mas ela já estava toda aberta.

Ele deixara a janela daquele jeito? Victor tinha uma regra com os elementos externos: eles ficavam do lado de fora e ele do lado de dentro. Victor tentou fechar a janela, mas estava emperrada.

Ele quis sentir curiosidade com o motivo, mas a ficha do que estava acontecendo – do que já acontecera e, portanto, não poderia ser mudado – começava a cair.

O FECHO

Victor girou o corpo e confirmou que seu computador, o Xbox, os alto-falantes, a impressora, o aparelho de TV a cabo e a televisão haviam sumido. Ele foi até a escrivaninha e ao rack da TV para ter certeza de que esses itens não estavam cobertos por capas de invisibilidade.

Na pressa, os ladrões provavelmente haviam arrancado o fio do ar-condicionado da tomada. Sentindo que precisaria do pouco que lhe restara de autocontrole por algum tempo, Victor não se apressou enquanto voltava a ligar o aparelho na tomada. O barulho baixo do motor começou e ele ficou parado em frente ao ar-condicionado, escutando, sem se refrescar. E se perguntou se os vizinhos também haviam sido roubados. Victor se sentiria perversamente reconfortado se soubesse que outras pessoas também tiveram suas casas arrombadas. Ser roubado sozinho era um pouco parecido demais com ser deixado isolado.

Precisava de uma chuveirada. Victor abriu a cortina do chuveiro para confirmar se ainda tinha uma barra de sabonete. Tinha. A torneira rangeu quando ele a girou. Valia a pena procurar a polícia? Demoraria horas e eles lhe fariam perguntas cronológicas que ele não teria como responder. Passara dois dias fora. Não conseguiria identificar ninguém, ou nada, a não ser o cheiro de laticínios podres saindo da geladeira. Ainda assim, Victor se sentia grato por algumas coisas. Era de dia quando ele voltou para casa, o que significava que tivera tempo de reivindicar psicologicamente o próprio espaço antes de anoitecer. Se possuísse mais bens, talvez a sensação de violação tivesse sido maior. Mas a maioria das coisas que possuía nem sequer era dele – mobília velha, da época em que os pais haviam renovado a sala de estar, coisas de lojas baratas, e o livro *Norton Anthology of English Literature*, de Nathaniel, que Victor usava para matar baratas.

Victor saiu do chuveiro e foi até a cozinha. O comunicado entusiasmado a respeito de sua dispensa da *mostofit* estava amassado e manchado de molho. Ele abriu a gaveta de talheres. Todas as facas estavam ali. Checou os armários, então. Bicarbonato de sódio, cereal, salgadinhos Tostitos... e meia garrafa de uísque Jameson. Pelo menos haviam lhe deixado isso. E pelo menos os cheques do seguro-desemprego haviam começado a cair em sua conta, assim ele poderia comprar uma nova TV. Victor cogitou a hipótese de comprar uma maior. Mas a ideia morreu quando ele se virou para ligar o computador.

Não havia computador para ser ligado.

Victor pegou a tigela com cereal e sentou no sofá. Uma mensagem de Caroline, com o assunto "melhor fim de semana da VIDA bjs" estava esperando para ser aberta no celular. Ele sacudiu a caixa de cereal, tentando acessar os aglomerados de nozes.

Alguém bateu na porta. Victor quase bateu no teto.

– Vic-tour! Victour, está em casa?

Era Matejo, o vizinho dominicano do andar de baixo, que não podia passar por Victor sem lhe informar que ouvira música alta ou passos, mas sempre destacando que "eu não me importo". "Viva e deixe viver!" era uma expressão da qual Matejo gostava. "Cada um com o que é seu!", era outra de suas frases. Era a forma de reclamação de barulho mais manipuladora que Victor já vira – Matejo estava estocando a boa vontade da vizinhança para as semanas em que sua família inteira o visitava.

Victor puxou uma camisa de um cabide no armário e prendeu a toalha molhada ao redor da cintura.

Então, abriu a porta.

– Oi, como vai?

A corrente de segurança da porta já não estava ali quando Victor se mudara, mas a base ainda estava presa negligentemente à parede, como uma mezuzá judaica.

– Está todo mundo bem por aqui?
– Sou só eu, Matejo. E, sim, estou bem.

As pupilas de Matejo se deslocaram em uma expressão preocupada, enquanto exploravam o mundo por cima do ombro de Victor.

– Só estou vendo... – Matejo deixou a voz falhar.
– Eles também o pegaram, não é?
– Victour, foi um desastre. – Matejo coçou o pescoço. – Meu cofre foi levado.
– Você tem um cofre?
– Tinha. Eu tinha um desses cofres domésticos. Dizem que não se consegue levantá-los, mas os caras conseguiram. Eu tinha uma garantia do cofre, mas adivinha onde estava?
– Dentro dele.
– Minha esposa acha que foi alguém conhecido. Diz que sabe que foi o filho da minha irmã. Não sei como ele vai fazer para abrir o cofre. Acho que vai prender uma corrente na porta, a corrente a um caminhão e vai abrir assim.
– Pode ser.
– Mas onde o garoto vai conseguir um caminhão? Ele não tem carteira de motorista. Não que tenha sido ele o culpado. Mas minha esposa diz que ele está naquela idade, entende?
– A idade de roubar?
– O pestinha sabe que eu o mataria na frente da minha irmã.
– Acho que se tivesse sido alguém conhecido, teria entrado pela porta da frente. Aberto com a chave ou coisa parecida.
– Exatamente! – Matejo se animou.

O dominicano era o morador mais antigo do prédio e, portanto, na prática, era extremamente bem-informado sobre em que dias da semana os lixeiros levavam embora caixas de papelão. O prédio era uma responsabilidade espiritual para ele.

— Se foi meu sobrinho, ele vai devolver tudo que pegou. Mas não foi ele.

— Você não para de repetir isso. — Victor não conseguiu se conter.

— Porque não foi. — Matejo pressionou o polegar contra a tranca falecida muito tempo antes.

— Quem mais foi roubado?

— O pessoal novo lá de cima. Christina, do porão, estava em casa, eu acho. Ela disse que não ouviu nada. Basicamente todos desse lado do prédio. E em todos os apartamentos, pelas janelas.

— Você falou com a polícia?

Era fácil para Victor sugerir isso quando ele mesmo já decidira que era perda de tempo procurar a polícia. Perda de tempo para fazer o quê? Dormir até tarde e consumir comida branca e líquidos marrons? Que fosse. Depressão exigia tempo, devoção. Era preciso alimentá-la, mantê-la longe da luz direta do sol, deixar que ocupasse a cama à noite, como um cão.

— Não falo com a polícia — disse Matejo, como se estivesse declarando uma alergia a nozes.

— Ora, minhas coisas foram roubadas. Isso é uma merda. E está quente e minha janela não fecha mais, o que também é uma merda.

— O síndico vai consertar minha janela. Posso dizer a ele que você voltou e pedir para que dê uma olhada na sua também.

— Obrigado.

Passou-se um momento entre os dois, em que cada um dos homens se dividia entre acusação e defesa. Matejo batera na porta de Victor uma hora depois que este voltara. Já havia falado com todos os outros moradores do prédio. O sobrinho dele deveria estar em um reformatório. Ele e os amigos. Delinquentes juvenis sempre tinham amigos, alguém para segurar a janela aberta.

— Ei, alguém já lhe disse que você se parece com um Adrien Brody abatido?

— Alguns argumentariam que Adrien Brody já parece abatido.
— Sim, mas pense em quantas bocetas aquele cara consegue.
— Vou pensar a respeito.
— Meu fogão está ligado — lembrou-se Matejo de repente e desceu o corredor.

Victor fechou a porta e trancou-a. Então, chutou a bolsa de viagem para cima do sofá, tirou a camisa e abriu a garrafa de Jameson. Seu umbigo estava suando, desfazendo a satisfação do banho. A calça que havia usado no avião estava jogada no chão do banheiro. Ele se lembrou do delicado desenho do colar, da vida que não era dele. Era como se houvessem se passado semanas, não apenas horas. Deveria tirar o desenho dali. Ainda sob a energia pesada de um apartamento recém-arrombado, Victor se sentia ansioso em relação à segurança do desenho.

Uma onda de tristeza, mais forte do que o normal, o atingiu. E o abateu. Victor se deu conta de que não possuía nada.

Na verdade, também não possuía nada *antes* do roubo — nada que garantisse o nível de cuidado que Johanna mostrara por suas joias. Não havia história na vida dele, na família dele (a pista se perdeu depois que os avós chegaram da Rússia). Mas onde estavam os totens dele, suas relíquias de família? Não era materialista. E totens e relíquias exigiriam bens materiais. Mas talvez uma caneta antiga, um pincel de barba, ou coisa parecida? Alguma coisa que houvesse sido passada para ele. Era judeu, não budista. Que peças desse mundo lhe pertenciam?

Victor tinha uma manta de retalhos caindo aos pedaços, que pertencera à avó, mas que não era nem mesmo feita à mão. Era só uma colcha velha que a avó dera a ele porque ela comprara uma nova. Na etiqueta lia-se "Coleção Casa Ralph Lauren". Ficava claro que a manta havia sido feita para o outlet onde ela a comprara. Mas dinheiro nunca foi o ponto. Esse era o princípio silencioso da riqueza que Victor não havia compreendido, ou que não se importara em compreender durante a maior parte de sua vida. Só quando conhecera Johanna é que se vira forçado a encarar a importância da história dos objetos. Ele poderia ter uma centena de computadores e duas centenas de televisões roubadas e não importaria, porque poderia simplesmente ir até uma loja e repor tudo. Não ele exatamente, não com a conta bancária que tinha, mas alguém poderia. O fácil acesso tornava essas coisas sem valor. Enquanto parte do valor do colar era a impossibilidade de tê-lo.

Victor bebeu o máximo de Jameson que conseguiu e deixou escapar um assovio. Então, examinou a garrafa. Era de um tamanho estranho, não exatamente do tamanho das que se encontrava em um frigobar, mas também não igual às que ficavam atrás do balcão do bar. Em um retângulo no rótulo, lia-se: "Não revender." Sobra das festas de fim de ano, um presente promocional de Nancy, a Temporária, que ganhara a garrafa do pessoal do departamento de Publicidade, pessoas que gostavam dela o bastante para lhe dar coisas.

Victor esvaziou o restante da garrafa na cara.

DEZENOVE

Kezia

Os prédios baixos e ruas amplas do bairro faziam com que o sol entrasse mais cedo pelas janelas ali do que no centro da cidade, onde a maior parte dos amigos de Kezia trabalhava. E eles ainda dispunham de um glorioso e irresponsável ar-condicionado central. E de elevadores que não eram de carga. Os amigos dela abriam as geladeiras da empresa e encontravam mais do que leite com prazo de validade vencido e polidor de metais Brasso. Até mesmo Victor trabalhava para uma empresa decente. Kezia checou suas mensagens. Mandara vários e-mails para Victor desde que eles haviam voltado, mas não recebera nenhuma resposta, o que não era comum. Quando eles se comunicavam, era ela que costumava se sentir culpada por não responder rápido o bastante.

– Está tudo bem?

Sophie, a assistente que usava botas de caubói havia se manifestado e encarava Kezia com os olhos confusos de uma gazela. Uma gazela com coxas que segurariam uma bola de tênis. Sophie queria o emprego de Kezia. Se o objetivo fosse alcançado, a garota poderia então rastejar por dentro da vagina de Rachel, se enrodilhar no útero dela e dormir para sempre.

– As coisas parecem tensas. Está tudo bem com a Starlight Express?

Brincadeiras bobas com companheiras gazelas no escritório haviam deixado Sophie com o equivalente a um alvo de metal na testa, um bindi fixado no ponto exato onde um caçador poderia atirar nela.

— Sim, não é nada. — Kezia minimizou sua caixa de entrada do e-mail.

— Precisa que eu ligue para alguém? — Sophie pressionou o bindi.

Ela estava usando um anel de lucite que passava por cima de quatro dedos. Uma das peças favoritas de Rachel.

— Acho que tenho a situação sob controle — respondeu Kezia. Para suavizar o golpe, acrescentou:

— Não acredito que terei que fazer outra rodada de ligações onde tenha que dizer "Starlight Express", com o rosto sério.

— Acho que é o colar mais incrível que Rachel já criou — declarou Sophie, como se houvesse uma escuta da conversa delas.

— É mesmo? O *mais* incrível?

— Lindo demais. Adoro as filosofias contrastantes e os materiais, sabe? Como o modo como as cores das estrelas esmaltadas funcionam em uma justaposição reversa com o cristal?

A garota andara cheirando suco em pó?

— Bem, está estragado.

— Ahhh, é o fecho, não é? — Sophie tocou um protótipo do colar, que jazia como um cadáver sobre a mesa de Kezia. — Pobrezinho. O que aconteceu com você?

Sophie era conhecida por seu hábito muito comum de antropomorfizar as coisas.

— Muito bem. — Kezia indicou o cadáver com um lápis. — São dois problemas. O peso está forçando os elos de cada lado do fecho. Por isso, o mecanismo interno do fecho está se movendo em ângulo e ficando preso. Como uma alga congelada. E para culminar, partes inteiras de *cloisonné* estão lascando como esmalte de unha.

— Ah. — Sophie passou os dedos pelo colar. — Ela está tentando dar as mãos e não consegue.

Kezia podia ler os pensamentos da garota: *Isso pertence a um hospital de bonecas. Quero seu emprego! Bolhas!*

— Se precisar que eu procure novos fornecedores para você, posso fazer isso — sussurrou Sophie, como se para não acordar o colar.

— Sophie, não quero ser grosseira, mas temos acesso ao mesmo banco de dados, não temos?

Kezia era quem tinha o conhecimento institucional ali. Não pedira por isso, mas tinha. Era a funcionária mais antiga e, com o tempo de serviço, vinha um grande conhecimento enciclopédico do banco de dados.

— Siiim. — Sophie sorriu com uma expressão passivo-agressiva que era o mal puro e simples. — Mas contar com esse banco de dados foi o que trouxe você a esse problema, antes de mais nada.

— Talvez devêssemos deixá-la descansar — sussurrou Kezia.

— Com certeza — Sophie sussurrou também e voltou para a própria mesa.

A garota era apenas cinco anos mais nova do que Kezia, mas naqueles tempos voláteis isso era o bastante para ser elevada a um planeta inteiramente diferente. Sophie não sabia, por exemplo, por que dizer "Starlight Express" uma dúzia de vezes por dia deveria provocar constrangimento. Nunca tocara em patins. Nem mesmo aqueles com as rodas alinhadas. Provavelmente nunca assistira a um musical da Broadway. Kezia tentou se concentrar. Tinha duas semanas para encontrar um novo fornecedor *naquele* continente, descontando transporte, aprovação e as chamadas de Rachel de Tóquio nos fuso-horários mais absurdos para reclamar de pasta de feijão. Era impossível. Havia quatro fábricas no mundo que faziam joias *cloisonné* e, dessas quatro, três ficavam na mesma calçada, na mesma rua de Paris. A quarta ficava na calçada em frente.

Kezia mudou seu status de mensagem instantânea para "invisível" e abriu o banco de dados. Ligou para uma empresa em Rhode Island, mas eles não eram sofisticados o bastante para lidar com aquele tipo de material. Havia outra empresa em Sacramento, na Califórnia, um contato que Kezia achava que era muito antigo. Isso foi confirmado quando uma voz automática informou que o número não estava mais em serviço. Outra empresa ficava em Evanston, Illinois, e a manteve esperando ao som da trilha de *O império do Sol* por tanto tempo que Kezia achou que se debulharia em lágrimas. Ela desligou o telefone e pegou um catálogo de materiais na gaveta da escrivaninha – páginas e mais páginas de engastes e pequenos tubos. Nada daquilo funcionaria. Kezia pressionou a espinha no queixo. Entortou um clipe de papel, transformando-o em uma minúscula arma letal. Talvez pudesse simplesmente fechar à mão, com um clipe de papel, todos os 150 colares.

O telefone dela fez um bipe e Kezia olhou para ele entusiasmada. Havia desistido de mandar mensagens para Victor e ligara para ele – deixara uma mensagem perguntando quanto lhe devia pelo quarto do hotel. Tinha certeza de que isso o forçaria a responder. Mas era apenas Rachel.

– Por que não há um emoji de dedo do meio?

No canto extremo do loft, Sophie estava conversando animadamente com Hannah, a coordenadora de publicidade da empresa. As duas tinham 24 anos. Será que já haviam parado para pensar no que aconteceria com a amizade delas dali a dez anos? Será que perderiam o número de telefone uma da outra? Se Caroline não tivesse convidado Kezia para o casamento, Kezia não teria se surpreendido. Caroline sempre fora maldosa. Costumava fazer comentários depreciativos sobre a constituição delgada de Kezia, e mirava em Grey também. Ela fazia isso como se fosse um castigo justo por se ter um metabolismo decente. Nem todo o dinheiro do mundo poderia comprar isso e, na verdade, acabava comprando o oposto: macaroons Ladurée, salame italiano, peixe defumado da Barney Greengrass. O estômago de Kezia roncou quando ela pensou naqueles macaroons. Os Marksons os traziam de Paris com um bilhete sob a fita verde, instruindo Caroline a comê-los "imediatamente". Essa era uma das lembranças mais carinhosas que Kezia tinha de Caroline, e não era nem da colega... era dos doces.

– Deus, essa coisa está se comportando pessimamente nos últimos tempos. – Hannah puxou com força a porta do elevador de carga.

– Está mesmo, não é, companheira? – Sophie se dirigiu diretamente à porta...

O engate de metal finalmente cedeu e o som reverberou através do loft.

– Até mais, Special K! – despediu-se Hannah.

– Boa noite – resmungou Kezia.

Finalmente: silêncio. Kezia foi ao banheiro, mirou uma lata de aromatizador de ambiente bem no orifício anal de Saul e voltou para a cadeira. A página inicial do site da empresa mostrava uma frase de Rachel. Aparecia enquanto o site carregava, antes que o cliente recebesse permissão para "Entrar no mundo de Rachel Simone".

1% carregado: ALGUMAS PESSOAS SÃO FIOS.
35% carregado: CORRENDO ATRAVÉS DOS NOSSOS CORAÇÕES.
70% carregado: ELAS ESTARÃO SEMPRE LÁ.
75% carregado: OUTRAS PESSOAS SÃO APENAS CONTAS NESSE FIO...
98% carregado: A VIDA É SEPARAR OS FIOS DAS CONTAS.

Então o texto sumia e, no lugar dele, em toda sua glória de pedras, cristais e *cloisonné*, estava a peça sobre a qual girava a reputação da empresa: o Starlight Express.

Com um clique violento, Kezia saiu do Mundo de Rachel Simone.

VINTE

Kezia

Kezia achou o modo como descobriu sobre o arrombamento na casa de Victor tão estressante quanto a novidade em si. Foi Olivia que lhe contou. Kezia havia saído para comprar saladas para ela e para Marcus quando esbarrou com Olivia, que estava a caminho do salão de beleza. Ou voltando de lá. Olivia era uma dessas mulheres que poderia pegar uma mecha de cabelos, levantá-los como uma corda gasta e dizer "Olhe só que horror!" e você teria que aceitar a palavra dela. Também era uma dessas mulheres que cortava o cabelo na 12th Street no meio de uma quinta-feira. O que Olivia *fazia* o dia todo, afinal? Era tarde demais para Kezia perguntar. Tinha algo a ver com eventos? Todo trabalho tinha algo a ver com eventos. Cirurgia cerebral era um evento.

– Como está o trabalho? – perguntou Kezia.

– Uma loucura – respondeu Olivia –, mas é sempre atarefado assim nessa época do ano.

– Posso imaginar.

Kezia não podia.

– Além do mais, estou sempre atolada em burocracia, entende?

Kezia não entendia.

Fosse anestesista, ou barista, Olivia tinha o horário de trabalho de um vampiro. Nas poucas vezes em que Kezia esbarrava com ela, sentia-se como se houvesse entrado na bruma dourada de Olivialândia, onde as pessoas acordavam sem culpa às onze da manhã e dormiam de négligé.

— Você está com uma marca aqui embaixo no rosto — comentou Olivia.

— Sardas. — Kezia cobriu o rosto.

Ela checou o relógio, que estava escorregando pelo pulso, lubrificado pelo suor. Não era aconselhado passar muito tempo fora das vistas de Rachel durante uma crise na produção. Ela não tivera sorte em sua busca de como consertar o fecho nos Estados Unidos e fora dispensada por dois outros fabricantes de *cloisonné* em Paris, com a justificativa de "pouca antecedência". Kezia desconfiava que Claude Bouissou havia banido Rachel do meio deles. A cena de fabricantes independentes de esmaltado na Europa não era grande, e isso não era nenhuma surpresa. Precisava encontrar um novo fecho, ou um novo emprego. Não porque Rachel fosse demiti-la, mas exatamente porque não faria isso. Rachel optaria por uma tortura casual, enchendo Kezia de trabalho e fazendo dela uma participante de um joguinho chamado *Esse não é o meu emprego! Diga o que ela ganhou! Ora, uma passagem na classe econômica para visitar uma fábrica de produção de resina em Guangdong!*

— Ah! — Olivia já começara a se afastar, mas voltou correndo. — E você acredita no que aconteceu com Victor?

— Sim, ele não é lá muito brilhante, aquele ali.

Kezia presumiu que ela estivesse se referindo à troca de camas com a mãe de Felix.

— Você sabe como aconteceu? Ele deixou o apartamento destrancado?

— O quê?

— Sam me disse que entraram pela janela.

— A mãe de Felix entrou pela janela dele?

— Victor foi roubado.

– Em quê?

Kezia achou que Victor talvez houvesse perdido uma eleição, ou algum jogo.

– Não, não. – Olivia estava irritada, o que era assustador, porque a maior parte das pessoas ficava passivo-agressiva quando irritada, mas Olivia dava a sensação de que iria mesmo bater no interlocutor. – O *apartamento* dele.

– Ai. Merda. Isso... é verdade?

E por "é verdade", Kezia queria dizer: Sam? Victor contara a Sam, mas não a ela?

– É verdade. – Olivia prendeu a bolsa embaixo do braço. – Muito bem. Tchau, chica.

⁘

Quando voltava para o escritório, com a sacola das saladas girando ao redor do polegar, Kezia voltou a ligar para Victor. Quando caiu novamente na caixa postal, ela se perguntou se o celular também não teria sido roubado. Assim que desligou, o celular tocou.

– Oi. Desculpe, eu não conseguia encontrar o celular.

Kezia imaginou o apartamento de Victor revirado, as almofadas do sofá rasgadas, luminárias que ela estava quase certa de que ele não tinha estilhaçadas no chão. E se alguma coisa tivesse realmente acontecido com ele? E se ele tivesse sido roubado depois que voltara para Nova York? Kezia sentiu um inesperado peso no peito. Victor poderia ter sido morto.

– Ladrões e assassinos não estão no mesmo espectro – argumentou ele.

– Você poderia ter sido esfaqueado no rosto!

– Qualquer um pode ser esfaqueado no rosto a qualquer hora.

– Mas essas pessoas arrombaram e entraram no seu apartamento.

— Você sabe o quanto é redundante arrombaram e entraram? Quem arromba e não entra? Além da Ku Klux Klan? Pense um pouco.

Kezia sabia o que ele estava fazendo, ficando com o crédito por ser corajoso quando era fácil fazer isso. Quando o fato já acontecera e ele estivera a milhares de quilômetros de distância.

— Por que não respondeu minhas mensagens?

— Não sei.

— Você está esquisito.

— Não estou.

— Tem a ver com o que você estava tentando me contar na praia, sobre um colar nazista? Me conte, então.

— Não, já lhe disse... esqueça. Estou bem. Não sabia que se importava tanto.

— Você ligou para os seus pais?

Os pais de Victor haviam mandado o filho para a faculdade como se o estivessem enviando para uma prisão tailandesa. Eram o tipo de pessoa que se preocupava sem razão, suburbanos puros, *anticidade grande*, *anticampo*, desconfiados tanto de transportes subterrâneos quanto de caminhonetes rurais. Kezia os encontrara várias vezes ao longo dos anos, quando eles iam jantar com Victor, convencidos de que o filho estava comendo mingau no refeitório. Eles se reapresentavam a ela todas as vezes. É um prazer conhecê-la, *Kesha, também está no segundo ano?* Eram tão diferentes dos pais de Kezia, que haviam ficado *empolgados* por tudo o que a universidade tinha a oferecer à filha deles. Quando ela se mudara, o pai apontara para a calçada do lado de fora e dissera: "É aqui que as pessoas estacionam? Fantástico!"

Kezia tocou a campainha do porteiro eletrônico para o loft de Rachel Simone. Um adolescente sem-teto estava sentado na calçada, perto dela, a letra no cartaz que ele segurava começava forte, mas depois ficava fraca. Talvez eles *realmente* dividissem a mesma caneta, pensou ela. Kezia colocou um dólar no chapéu do garoto e apertou novamente o botão. Hannah abriu para ela.

– Estava pensando em ligar para eles – concluiu Victor. – Mas os dois já se convenceram de que este bairro é perigoso.

– Obviamente é perigoso.

– As ruas estão cheias de caixas de fraldas. E não tenho muito mais a ser roubado.

– Seu celular.

– Estou usando o celular enquanto falamos. Ei, é no DMV que vamos para renovar o passaporte?

– Jura? No departamento de trânsito? Não. Você pode fazer isso on-line.

– Vai demorar demais.

– Você pode simplesmente ir até o centro da cidade, na agência que cuida disso. Demora demais para quê? Aonde você vai?

– A lugar nenhum. Estou só brincando com uma ideia.

– Victor?

– Sim?

– Você nunca vai a lugar nenhum.

Eles desligaram e Kezia subiu a escada quente. Quando voltou para a própria mesa, Marcus lhe entregou um recado de uma esmaltadora de relógios em Beacon, Nova York, uma das muitas tentativas que ela fizera na noite anterior. A esmaltadora havia ligado para o ramal errado e acabara sendo atendida por Marcus.

– Essa senhora pode fazer o cuasi-nê. – Marcus entregou a Kezia um recado em um post-it.

Kezia o encarou sem entender.

– O cuasi... Ah! O *cloisonné*!

– Exatamente. – Marcus deu de ombros e voltou para a própria mesa.

Kezia examinou o bilhete. A esmaltadora de relógios não conseguiria replicar exatamente os fechos, mas poderia fazer bem parecido. E conseguiria atender ao prazo de Rachel. Isso salvaria ambas da perturbação de Kezia ter que entrar em um avião para defender seu caso com um francês mal-humorado. E sabia que conseguiria convencer Rachel a aceitar o "bem parecido". Era um pequeno milagre. Mas tudo em que Kezia conseguia pensar era na expressão no rosto de Victor quando ele sussurrara para ela na praia sobre um colar francês invisível. Cinco segundos antes, ele dissera que estava bem. Ela deveria acreditar. Victor era adulto. Se dissera que estava bem, era porque estava.

Kezia amassou o recado e jogou-o no lixo.

VINTE E UM

Nathaniel

Era o primeiro dia de trabalho do motorista de táxi. O homem demorou uma eternidade para encontrar a casa de Nathaniel, então eles pegaram um engarrafamento e, depois, por alguma razão que Nathaniel não conseguiu imaginar, o motorista se recusou a entrar no estacionamento da Soho House. Nathaniel acabou sendo deixado do lado de fora de um complexo de escritórios do outro lado da rua. Nathaniel checou o celular. Não havia tempo para discutir. Quando finalmente subiu os degraus de mármore da escada do lugar, tentando disfarçar o pânico na frente do maître, Lauren estava esperando, sentada perto de um lago de ninfeias.

– Desculpe. – Ele estava suando.

– Sem problema. – Ela levantou o celular jovialmente como prova.

Lauren pediu o salmão com quinoa, um chá gelado sem açúcar e a conta.

– Sou eu que peço desculpas – explicou ela. – Ficaria aqui a tarde toda, mas preciso voltar para o escritório às duas.

Como se Nathaniel fosse gostar disso, desperdiçar a tarde como se fosse bruma sobre o vale. A temporada dos pilotos de novos programas, um baile de debutante de possibilidades, havia acabado de começar. Lauren era apenas a vigia do portão, uma executiva de desenvolvimento, que levava a um estúdio, que levava a uma rede de conhecimentos, que levava à fama e fortuna. Nathaniel não gostou de ela estar presumindo que ele não tinha outras obrigações.

– Muito bem. – Nathaniel respirou fundo. – Então basicamente o programa será assim: em vez de ser uma coisa desequilibrada, onde o policial é paranormal, o advogado é um assassino em série, ou o professor é, tipo, absolutamente desqualificado para ensinar... Em vez disso, tudo está errado. Ninguém é especial. Todo mundo é confuso. A séria seria chamada de *Pretenders (Impostores)*. Como *Heroes*. Só que boa.

Ele esperava uma reação mais animada do que um aceno de cabeça.

– É interessante – comentou Lauren, sem um pingo de seriedade.

Não, não era, não de verdade. Mas bom para ele se Lauren pensava que sim. Ela era cerca de oito anos mais velha do que ele. E ocorrera mais de uma vez a Nathaniel se a mulher queria ir para a cama com ele. Mulheres solteiras de quase quarenta anos em Los Angeles podiam ser criaturas terríveis.

– Gosto da ideia dos falsos super-heróis – cismou ela –, mas você teria que encontrar um modo de seguir em frente com a ideia através do arco de uma série.

– Com certeza. – Nathaniel deu uma risada dura.

A risada era o verdadeiro problema. Ele não tinha ideia de que seria necessário tanto riso falso para sobreviver em Los Angeles. Alguém realmente deveria ter dito alguma coisa. A questão era que Nathaniel normalmente era muito *bom* nisso. Mas ele fora surpreendido com um fim de semana em que vira pessoas que já haviam sido as que melhor o conheciam, acabara descuidando do vocabulário (usando palavras como penitenciária, encarceramento, cana). Estava fora de forma no momento.

O FECHO

O telefone dele avisou que uma nova mensagem alegre de texto chegara e esperava para ser destravada. Era o dia do aniversário dele. Nathaniel nascera às 12:47, uma informação que ele sabia porque uma garota com que fora para a cama o fizera descobrir, para que ela pudesse fazer "o mapa dele". Nathaniel completaria trinta anos de idade no decorrer daquele almoço. Talvez Lauren soubesse disso e fosse lhe dar de presente o piloto de uma série. Todos os outros e a mãe deles tinham um piloto de série. Literalmente. Nathaniel conhecia um cara que acabava de vender uma série com o tema "voltando a morar com a mamãe", escrita em parceria... *com a mãe dele.*

O que ele poderia fazer aquela noite que não fosse uma má escolha? Estava velho demais para se preocupar com essas coisas. Não fazia muito tempo, havia descoberto um ponto com dois pelos brancos no queixo – sementes que precisavam ser ceifadas. Na outra semana, preocupado com o coração e sem conseguir dormir, Nathaniel comprara um travesseiro elétrico redutor de tensão no formato de uma banana. Mas tinha certeza, pelo modo como acordava, com a cabeça batendo no travesseiro, que não estava usando-o corretamente.

– Que tipo de travesseiro é tão complicado a ponto de uma pessoa não conseguir usá-lo do modo certo? – Percy riu.

O telefone de Nathaniel voltou a fazer barulho.

Ele o deixou à sombra de uma cesta de pães intocada. Daquele modo, Lauren talvez pensasse que ele estava sendo requisitado profissionalmente. Nathaniel usaria qualquer artifício de que precisasse para conseguir o que queria, principalmente agora que estava velho demais para ter garantido o carimbo de "gênio" só por completar um projeto.

– Não precisa atender? – perguntou Lauren.

Nathaniel fingiu examinar a tela em busca de alguma emergência profissional.

— Não. — Ele afastou o celular. — Pode esperar.
— O sr. Popular. — Ela sorriu. — Está se valorizando.

Lauren tinha um bom sorriso, largo. Los Angeles tinha seus defeitos, metafórica e geofisicamente falando, mas não era um lugar malicioso. As pessoas eram *legais* ali. Hollywood era o tipo de professor de escola que começava lhe dando um "A", até você falhar. Nova York era o lugar que lhe dava um "F" no começo, até você melhorar e merecer nota mais alta.

— A versão feminina do seu programa é "realeza secreta". — Lauren se recostou na cadeira. — É como nós, mulheres, vemos as princesas.

Nós, mulheres. A República Popular das Vaginas.

— De acordo com os filmes — continuou ela —, sempre há alguma razão válida para esconder a herdeira do trono de um pequeno país. Esse é nosso poder secreto, que os homens não desconfiem da nossa aparência quando nossos cabelos estão presos em um rabo de cavalo.

— Com certeza esse não é o único poder secreto.

— Como?

— Acho rabos de cavalo excitantes.

Lauren sorriu, os olhos no prato, e colocou os cabelos atrás das orelhas.

— Rabos de cavalo são como asas de caneca — continuou ele —, precisamos ter onde segurar. Como rédeas.

Ela parou de tocar nos cabelos.

— Não disse isso pensando em sexo forçado.

— Eu sei.

— Porque não acho brincadeiras sobre estupro engraçadas.

— Fique tranquilo, não achei que você estivesse fazendo uma brincadeira sobre estupro.

— A não ser pelo fato de que agora ambos estamos pensando nisso.

– Estamos?

Ela descansou as mãos no colo.

– Realmente gosto da ideia de um programa com um elemento feminino poderoso guiando-o. – Ela estava praticamente falando consigo mesma agora.

– Haveria um elemento guia, com certeza. Não, tipo, à força.

Ele era incapaz de passar cinco minutos sem fazer alguma referência a estupro?

– Você precisa pensar sobre a engrenagem semana a semana. Pensar no que eles querem. Querem ser normais? Querem ajudar uns aos outros ou destruir uns aos outros?

– Ora, eles não querem a mesma coisa toda semana. Essa é a parte do realismo.

– Isso é bom, gosto disso. – Lauren assentiu e pegou um pedaço de salmão.

Ninguém na posição de Lauren queria ser tacanha, ter uma visão limitada, que não conseguisse detectar potencial. Lauren passava os dias jogando espaguetes meio cozidos na parede do estúdio, para ver qual grudava. Tudo que Nathaniel queria era ser um espaguete.

– Na verdade, acho que a pergunta mais importante é: qual é o ganho amoroso?

– Não sei bem. Esses personagens não estão usando seus talentos para irem para a cama.

– Por que não?

– Porque então você precisa resolver a questão e depois que colocar os dois na cama, a audiência perde o interesse. Cara A e garota B finalmente ficam juntos e a série sofre. Não estou dizendo isso como roteirista, e sim como alguém que viu muita TV desde criança.

Nathaniel levou a mão ao coração. Ele parecia o menos ameaçador possível aos olhos de Lauren. Ela riu, fingindo engasgar com o peixe.

Ele podia sentir a própria autoridade subindo à superfície.

– Tensão sexual é como colocar a proverbial arma de fogo no primeiro ato.

– Não consigo tolerar essa mistura de sexo e violência.

– É Chekhov...

– Ah! – Lauren se corrigiu. – Não tinha me dado conta de que ele escrevia romances policiais.

– Fez alguma coisa – disse Nathaniel.

Esse era o preço da vida dele até ali: não tinha colhão na hora, na esperança de ter o maior pau da sala mais tarde.

– Gosto disso. – Lauren pegou o celular. – Desculpe a indelicadeza, mas realmente tenho que dizer às pessoas que vou me atrasar.

– Sem problemas.

Nathaniel gesticulou, avisando que estava indo ao banheiro. Lauren assentiu. Ele adentrou o restaurante por um corredor escuro e coberto de fotos de polaroid que era, por mais absurdo que pudesse parecer, o lugar onde ficavam os únicos degraus do andar. Nathaniel quase tropeçou ao descer. Eles tinham uma daquelas cabines de fotos instantâneas ali também, como a do casamento de Caroline e Felix. Grey e Paul o haviam arrastado para a cabine fotográfica, contra a vontade dele, e o fizeram usar colares de contas típicos dos desfiles de Mardi Gras. Nathaniel examinou os instantâneos do corredor do restaurante como se fossem fotos em um museu. Ele se demorou o máximo possível. Quando finalmente voltou para a mesa, estava preparado para que ela dispensasse o papo de vendedor dele, que alegasse que a história era parecida demais com *Tio Vanya*.

– Ei. Muito bem. Eu gosto disso. Gosto do quanto é ambicioso. E você claramente tem noção de nuance, o que é o mais importante. Mas a questão é...

Eles não haviam acabado de estabelecer que o papel da Questão seria interpretado pela Nuance?

– Está tudo em execução.

O entusiasmo sem compromisso dela o assustou. E não de um modo que "corta o incentivo", mas de um modo "escrever sem garantia de retorno". Haveria uma expressão mais temida na língua inglesa? Santo Deus do Céu, que desse a ele uma entrada no site Deadline e o deixasse ir. Nathaniel sentia que estava perdendo a sensibilidade no rosto.

– Você sabe como é. – Lauren deu de ombros, já pagando mentalmente o tíquete do estacionamento.

O último programa de Lauren a conseguir ir ao ar havia sido o *Nailed It*, que tivera vida curta, e era sobre uma manicure e um carpinteiro que namoravam. Portanto, Nathaniel não estava exatamente tentando uma vaga em Harvard naquele momento. Um fato que não diminuía em nada o quanto ele ansiava pela aprovação de Lauren.

– Eu pago. – Ela jogou o cartão de crédito corporativo dentro de um envelope acolchoado.

Um garçom se materializou e pegou o envelope.

Lauren não queria foder com Nathaniel, nem mesmo por esporte.

– Escute, você sabe que todos adoramos o que escreve...

O que ela poderia ter lido dele?

– ... mas a melhor coisa para você é trabalhar em algo sem garantia de retorno. Você tem uma caneta que eu possa roubar? Eles esqueceram a caneta.

Lauren olhou por sobre o ombro. Nathaniel enfiou a mão no bolso e entregou a ela. Lauren assinava como um médico. Ele não achou que ela *realmente* pretendia roubar a caneta, mas Lauren a jogou na bolsa, levantou-se e o encorajou a "ficar por ali o quanto quisesse". Mais uma vez deixando explícito que ele não tinha nada melhor para fazer.

– Obrigado – retrucou Nathaniel, impassível –, estou me sentindo como o garoto de programa que você acaba de deixar no quarto de hotel.

Lauren riu com vontade, como fizera durante todo o almoço, jogando a cabeça para trás.

– Você é o melhor. – Ela parecia capaz de machucar a si mesma.

⊷≡◉≡⊶

Nathaniel circulou pela varanda e se sentou em uma poltrona, protegido da vista. Ainda não estava com vontade de chamar um táxi. Ele desligou o celular para aproveitar um momento de contemplação silenciosa em seu aniversário. Estava cercado por vidro. Mesa baixa de vidro, divisórias de vidro, painéis de vidro nas janelas, cidade de vidro. Trinta anos. Trinta anos e o que havia conquistado? Alguns poucos artigos aqui e ali, enterrados no fundo de sites da internet lidos apenas por pessoas que não importavam e que não poderiam ajudá-lo. *Dude Move*. Esse seria o título de seu obituário se ele não conseguisse outro programa. Nathaniel se inclinou para a frente. Estava um dia claro e a cidade se estendia por quilômetros, prédios que entravam direto nas montanhas, interrompidos por outdoors ocasionais de filmes sempre com a frase "para sua consideração". Fileiras simétricas de palmeiras pareciam rabos de poodle em rigor mortis, enterrados pela base no chão.

Nathaniel queria ir a uma festa naquela noite, embora estivesse cansado de festas. Cômodo após cômodo cheio de pessoas para quem nada no mundo era grande coisa, que só conseguiam mostrar algum entusiasmo por alegrias passadas das próprias infâncias –

jogos de tabuleiro, o sorvete astronauta vendido nos museus de ciências e tecnologia, passos de dança da escola. Isso os mantinha a salvo das fundas do solipsismo porque, afinal... não eram obcecados consigo mesmos *agora*, eram obcecados consigo mesmos *naquela época*. Totalmente diferente. Todos aqueles roteiristas desgraçados a quem eram oferecidos bons negócios só porque conheciam as pessoas certas. Nathaniel estava cansado de lutar, de se convencer que escrever trinta páginas de diálogo era melhor do que escrever trinta páginas de qualquer outra coisa, de ser persuadido a ter aquela atitude mental e ser rejeitado de saída. Estava enjoado de estar na parte errada do gramado, ou na festa errada de um modo geral quando Jack Nicholson aparecia – maldito Jack Nicholson – e emprestava o chapéu para Bean.

Notificação: Bean publicou uma foto em seu *feed* – 204 pessoas curtiram e 39 comentaram!

Como consegue ser tão linda, garota?
Não mudou nada. Maldita. Bjs
Incríííível... ou Amazeballs! (esse resolveu invocar Paris Hilton)
Heeeeeere's Johnny.
Quero lamber esse rosto, traga-o para mim em Ohio.
Hummm... esse com vc na foto é quem eu acho que é? Deixando Akron orgulhosa.

Porque, sim, Anna, de Akron, ele é quem você está pensando que é. Lá está ela, Bean, a garota mais bonita a caminhar pelos corredores de sua escola no ensino médio, com olhos de cores diferentes e nem um único pensamento mais profundo passando entre eles. Ela está "fazendo tipo" de tímida e "botando" o chapéu fedora de Jack Nicholson. E ali, tatuadas ao longo de um bíceps que promete manter a forma para sempre, estão as palavras "Eu nunca vi algo selvagem ter pena de si mesmo", tirado de um cardápio de um restaurante em Marfa, no Texas, do tipo em que a comida ia da fazenda para a mesa, que por sua vez pegara de D. H. Lawrence.

Nathaniel se sentiu tentado a clicar em "adicionar à família". Só para ser psicótico.

Se seus antigos amigos soubessem... Eles presumiam que Nathaniel tinha sucesso em todos os campos.

Nathaniel colocou no bolso uma caixa de fósforo de um cinzeiro limpo. Então, colocou o cinzeiro todo no bolso. Na saída, desceu pesadamente os degraus de mármore e ligou o celular. Uma dúzia de chamadas perdidas e várias rolagens de mensagens de texto? Tudo o que fizera fora nascer, não ganhara um Globo de Ouro. Algo estava errado. Algumas mensagens eram de Kezia e Sam, mas eram mais do tipo "me liga" do que do tipo "Feliz aniversário". O mais perto que ele chegou de um "feliz aniversário" havia sido na mensagem de Percy, que perguntava "quais são os planos pra noite?".

Nathaniel ignorou Kezia.

tava em reunião, escreveu para Sam, *o que foi?*

Victor foi roubado. Levaram tudo, menos a cama dele.

ele tá bem?

sim. mas perdeu td.

cara. que merda.

O que mais havia para dizer? Se eles não tivessem estado todos juntos na Flórida, aquele era o tipo de informação que teria demorado um mês para chegar no Oeste.

tenho que ir, escreveu Sam, como se estivessem realmente falando.

gay, digitou Nathaniel em resposta.

Dois atores, um ator de gênero e outro um ator famoso, pararam ao lado dele.

– Pressão arterial – disse o comediante enquanto os três se espremiam no elevador. – Pressão arterial é o assassino silencioso.

– Achei que o assassino silencioso fosse o monóxido de carbono.

— De jeito nenhum — insistiu o comediante, apertando o botão —, é a pressão arterial.

Um momento de silêncio se passou na cela acolchoada do elevador. Quando a porta se abriu, um cara e uma garota estavam esperando, os olhos ainda se ajustando à claridade do lado de fora. Nathaniel reconheceu a garota no mesmo instante. Os atores a miraram de cima a baixo.

Bean. Ela usava uma regata branca justa e um cordão com um dente de tubarão que apontava para sua pélvis. O cabelo estava preso para cima expondo a pena de perdiz tatuada na lateral direita do pescoço. Não era Jack Nicholson acompanhando-a. Mas além desse rudimentar processo de eliminação (um homem a menos, restavam quatro bilhões) sobrava um deserto indiscernível de jaquetas de couro sem colarinho e barbas por fazer. O Cara Que Não Era Jack Nicholson provavelmente era de uma banda. Provavelmente uma banda folk com um nome no estilo Não Somos Jack Nicholson. O Cara Que Não Era Jack Nicholson morava em Venice, com o cachorro e as guitarras vintage, bebendo café filtrado, e vendendo fotos de sem-tetos morando em trailers, para ricos em trailers reformados. O Cara Que Não Era Jack Nicholson falava baixarias sobre o diretor de fotografia de seu filme independente. O Cara Que Não Era Jack Nicholson detestava West Hollywood. Ele gostava do simples. Simples. E, ainda assim, sempre se via ali, arrastado de seu bangalô para um jantar de sushi grátis.

Os atores saíram do elevador, relanceando brevemente o olhar para a bunda de Bean. Nathaniel colocou os óculos e acelerou o passo. O cinzeiro em seu bolso esbarrou levemente nela.

— Ai — reclamou Bean, esfregando o pulso.

Ele continuou a caminhar antes que ela tivesse a chance de reconhecê-lo... ou de não reconhecê-lo.

VINTE E DOIS

Victor

— Cacete, estou ligando para eles!

Victor ainda precisava soltar o telefone que tinha na mão.

— Alô? — veio uma voz misteriosa... masculina, profissional, confusa. — É Victor Wexler?

Victor havia esquecido como lidar com essa situação. O problema de não saber quem estava do outro lado da linha, assim como o problema de ligar para o número errado, estava em risco de extinção.

— Quem fala?

Minha mãe não pode atender agora, ela está no banho.

— Estou procurando por Victor Wexler.

Victor cedeu.

— É ele que está falando.

— Victor, aqui é Silas Gardner. Nós nos conhecemos no casamento de Caroline e Felix.

Victor tentou se lembrar de um Silas. Tudo que visualizou foi o que o nome lhe remetia: cachimbos de sabugo de milho e celeiros sendo postos de pé.

— Acho que nos encontramos no banheiro — completou Silas, tentando ajudar.

Entendido. Óculos estilo aviador. Diarreia explosiva. Entendido.

– Espero que tenha se divertido no casamento.

Silas ainda estava confundindo Victor com alguém que prestava muita atenção aos conhecidos.

– Bem... veja só, Victor, lamento incomodá-lo. Sei que isso é um pouco fora do padrão.

– Ligar para as pessoas é fora do padrão?

Pensando bem, era. Victor nunca ligava para ninguém, por motivo algum, nem mesmo para Kezia.

– O motivo pelo qual estou ligando é fora do padrão. – Silas estava mexendo em papéis. – Peguei seu número com Caroline. Você está podendo falar?

Victor ouviu alguém praguejar quando Matejo jogou os bifes de hambúrguer que haviam queimado por passarem muito tempo na geladeira, de cima da escada de incêndio dele. Os bifes de hambúrguer fizeram o barulho de sinos quando bateram na calçada.

– Posso. – Victor tomou um gole furtivo de uísque.

– Na vida real, sou advogado e trabalho com direito de sucessões.

Victor, que estava sentado, endireitou o corpo.

– Houve um incidente na família.

– Caroline e Felix estão bem?

– Sim, estão.

– Ah, ufa. Espere, está se referindo à minha família?

– Não, eu não conheço a sua família.

– É óbvio. – Ele disfarçou um arroto.

– Tenho notícias tristes. Acho que você conheceu a mãe de Felix, Johanna.

Victor se levantou e desligou o ar-condicionado. O silêncio da sala o surpreendeu. *Ting, ting, ting*, fizeram os hambúrgueres congelados. Silas não precisava dizer a ele. A verdade do que acontecera, embora ainda não dita e abstrata, orbitou mais para perto.

— Johanna tinha um linfoma não-Hodgkin. Foi diagnosticada alguns meses antes do casamento. Não sei o quanto você sabe sobre câncer, mas...

— Um tio meu teve câncer de pele.

— Entendo.

— Ele tinha uma verruga nas costas, que ficou enorme, mas foi removida. Meu tio está bem agora.

— Fico feliz em saber. No caso de Johanna, bem... depois que o câncer atingiu os nódulos linfáticos, o fim foi rápido. Era um tipo bem raro da doença.

Até mesmo os cânceres da família Wexler eram medíocres. Victor se distraiu, observando uma garrafa de cerveja velha sobre a mesa. Uma formiga passou por baixo da guimba de um cigarro que estava dentro da garrafa, seguindo na direção de uma poça de cerveja velha no fundo e tudo o que Victor conseguia pensar era: Johanna estava morrendo enquanto aquela natureza-morta diante dele estava em formação. Morrendo quando ele comprou a cerveja em um mercadinho, morrendo quando abriu as outras cervejas antes disso, morrendo — de câncer, nada menos —, enquanto ele fumava o cigarro, morrendo quando ele deixou o casamento em que a conhecera, morrendo enquanto ele dormia na cama dela, na penúltima noite que Johanna passaria na Terra. Por causa dele, ela passara aquela noite no quarto de hóspedes. Havia um estranho peso na participação dele naquela situação.

Silas continuou, usando a determinação do advogado para regurgitar a experiência de um médico. Victor voltou a abaixar os olhos para a própria calça.

— Caroline e Felix adiaram a lua de mel por causa do funeral. Victor, lamento ter que lhe dar essa notícia, mas estou ligando porque sou o executor do testamento de Johanna e, até onde sabemos, ela estava em perfeita capacidade física e mental até o fim.

– As pessoas realmente falam desse jeito.
– Sim, é assim que se fala.
Tudo aquilo era bastante alheio a ele. O último avô vivo de Victor havia morrido quando ele estava na faculdade. Não era fluente nos documentos da morte. Mas Johanna era. Isso explicava aquela ocasional expressão ausente nos olhos dela. Victor presumiu que ela havia contado a ele a história da família porque já não estava totalmente presente, porque era uma mulher cujos filtros confessionais haviam se ampliado com a idade. Mas Johanna sabia o que estava por vir e teve vontade de compartilhar um segredo. E havia gostado dele.
– Na noite seguinte ao casamento – continuou Silas –, Johanna me mandou um e-mail com algumas preocupações logísticas. A maior parte delas tinha a ver com declarações de renda. Não li o e-mail de imediato porque, sinceramente, achei que não precisava. E não checo e-mails de trabalho nos fins de semana. É terrível.
– Também não checo e-mails de trabalho nos fins de semana.
– Li uma entrevista com Arianna Huffington sobre isso e ela nunca se arrependeu. De qualquer modo, no fim desse e-mail de Johanna há uma nota em relação às joias dela, dizendo que quando a família precisasse saber onde estava tudo, deveria perguntar a você.
– Está de sacanagem – murmurou Victor. – Nem me dei conta de que ela sabia meu sobrenome...
– Ela mal sabia seu primeiro nome. Mas devo presumir que você é o único... – Silas consultou o e-mail e leu – amigo alto de Caroline, bom ouvinte, Vi-alguma coisa, com o nariz?
O vidro do relógio de Silas bateu na mesa quando ele abaixou a mão.
– Sou eu. O que tem o nariz.

Victor sentia todos os seus órgãos internos tentando escapar pela garganta. Os Castillos suspeitavam que ele os roubara? As defesas dele foram rápidas para manter seus órgãos internos no lugar: como ousavam? Como ousavam descer de seu poleiro dourado e contar com Victor, entre todas as pessoas, em busca de informação? Onde estava a confiança? Até mesmo a *verdade* não era assim tão ruim. Afinal, ele não pegara nenhuma joia, apenas a imagem de uma joia.

– Estou indo a Nova York amanhã, com Caroline e Felix. Você estaria livre para almoçar conosco, para discutirmos os detalhes da questão? Às vezes ajuda apenas ouvir sobre qualquer interação que outra pessoa tenha tido com o falecido. Podemos conseguir descobrir alguma coisa em detalhes que você talvez ache irrelevantes. A menos, é claro, que você saiba do que ela estava falando.

– Eu... não.

– Vai levar algum tempo para fazermos uma busca mais completa do que já fizemos na casa, mas todos os cofres já foram inventariados...

Cofre*s*! No plural! Matejo morreria.

– De qualquer modo, adoraríamos ouvir mais sobre aquela noite, sobre qualquer coisa que Johanna possa ter compartilhado com você. Quero que pense a respeito.

Não era necessário pedir isso. Victor *só* pensava na história de Johanna... na história da tia dela, na verdade. Em Paris nos anos 1950, no misterioso castelo e no colar perdido-mas-não-perdido.

– Eu estava bem bêbado.

– Fique à vontade para ter algum representante legal da sua parte também presente no almoço, se isso for fazê-lo se sentir mais confortável.

– Porque eu estava bêbado?

– Porque a coleção de Johanna vale o mesmo que o diamante Hope.
– O diamante Hope está no Instituto Smithsonian.

⁂

Victor se levantou e começou a andar de um lado para o outro. Ele levou a garrafa de cerveja para a pia e abriu a torneira. A água atingiu uma colher suja e espirrou nele.
– Droga.
Victor colocou a garrafa sob o jato de água e afogou a formiga. Ele queria admitir o que fizera. Como diabos ia passar um almoço inteiro fingindo não saber do que estavam falando, quando a única conversa que se lembrava de ter tido com ela que *não* fora sobre joias, girara ao redor de chuveiros ao ar livre?
Ele fechou a torneira. Um redemoinho de água com cinzas desceu pelo ralo. A mente dele estava disparada, saltando de um pensamento para o outro. Eles não sabiam onde procurar. A própria família dela. Esqueça o colar, eles não sabiam nem sobre a gaveta. Mas mesmo se Victor contasse a eles, o que poderiam fazer? A chave estava enterrada ao redor do pescoço de Johanna.
Uso isso o tempo todo.
É verdade que eles poderiam arrombar a cômoda, jogá-la pela janela, como astros do rock na suíte de um hotel. Mas Victor também estava certo de que aquela cômoda deveria ir para um museu.

VINTE E TRÊS

Nathaniel

Já escurecia e, em um canto do pátio dos fundos de Nathaniel, estava parado um mexicano, usando um boné de beisebol, o rosto rígido, apoiado em um carrinho de metal. Em uma parte mais baixa do carrinho havia um fogareiro, para aquecer tortilhas. Aquilo era fruto da imaginação fértil de Percy, o ponto crucial da festa surpresa para comemorar o aniversário de Nathaniel. Era a coisa mais legal, mais sincera que Percy já havia feito por ele. O mexicano estava ali desde antes do pôr do sol, mas agora eram dez da noite e a fila era de cinco pessoas fiéis – uma visão que Nathaniel preferia muito à alternativa, quando o número de pessoas presentes era menor do que o de limões podres no chão.

Aquela era a casa de Nathaniel, por isso ele não poderia aparecer tarde demais. Mesmo assim, Nathaniel tentou. Ele tinha uma vaga sensação de que Percy estava arquitetando alguma coisa, por isso, em vez de chamar um táxi depois do almoço, voltara caminhando pela curva de Sunset, seguindo apenas um pouco mais devagar do que o tráfego. Ele caminhou até o hotel Chateau Marmont, onde acenou com a cabeça, determinado, para os manobristas e sentou-se nos sofás aveludados do saguão. O Chateau era agradável durante o dia. Como uma estrela de cinema sem maquiagem. Nathaniel pegou um exemplar do *New York Post* e deu uma olhada nas páginas, enquanto clientes se aproximavam do balcão de recepção. As pessoas olhavam para Nathaniel em busca de sinais de fama. Não era um modo ruim de matar uma hora no dia do aniversário.

Los Angeles havia ensinado a ele o que Nova York não conseguira. A cura para a solidão não é a socialização, não eram mil mensagens perguntando "o que você anda aprontando?". Era *mais* solidão. Buscar contato com as pessoas não acabaria com a sensação de inadequação. Era exatamente o oposto. Tudo o que os que tinham vidas plenas e bem-sucedidas queriam era tempo para si mesmos, um alívio das exigências da popularidade e do trabalho. O truque era agir como se estivesse sendo muito solicitado.

O telefone de Nathaniel voltou a avisar da chegada de uma mensagem. Mas seu coração saltou no peito quando ele viu as letras que formavam o nome de quem enviara: Bean. Ela o reconhecera no elevador. E sabia que ele a ignorara de propósito. Como poderia se explicar? Nathaniel abriu a mensagem.

Oi, estranho. Qual é o nome da camisinha que vc usa? Fina/Sueca, talvez? Haha. Sério, me diga! Bjs.

Nathaniel se recostou na cadeira e levantou o jornal na frente do rosto.

– É estranho. – A A.A.D.P. gesticulou com o copo de refrigerante Solo para o mexicano. – Ele fica simplesmente parado ali, com as fajitas.

A A.A.D.P. tinha um nome: Meghan. E Meghan estava perplexa com o mexicano dos tacos. Daí ela se referir ao que ele estava servindo com "fajitas", quando obviamente não eram fajitas. Nathaniel compreendia. Fajitas soavam menos como um estereótipo. Mas ele morava em Los Angeles havia tempo o bastante para já ter se habituado às flagrantes divisões raciais da cidade, para perceber que se você é um "roteirista de TV" sem equipe, o homem que aparece em sua casa alugada para servir feijões mexicanos provavelmente estava ganhando mais do que você.

– Como foi sua reunião na TV?

– Boa. É melhor você pegar um prato.

Meghan balançou a cabeça, pousou a mão sobre o estômago e informou a Nathaniel sobre seu iminente "bebê abacate". Ela estava usando a mesma camisa masculina da manhã, mas com as pontas amarradas ao redor dos quadris. A luz acesa da cozinha – onde as pessoas estavam admirando a parede decorada com lancheiras de super-heróis de Percy – a iluminava por trás. A penugem na pele dela parecia uma delicada fotografia de um pêssego. A cintura de Meghan era do tipo que uma avó beliscaria sem aviso e exigiria saber como todos os órgãos dela podiam caber ali dentro. Mas a vesícula da garota não era motivo de preocupação naquele momento, desde que sua vagina fosse do tamanho padrão.

Por mais doce e confiável que Meghan parecesse (ela morava na Filadélfia, a quem contaria sobre as dificuldades dele?), Nathaniel não sentiu vontade de se abrir. Não valia a pena, mesmo parado ali, no pátio do apartamento dele, Meghan pressionando-o por detalhes do almoço como se aquele tivesse sido o primeiro dia de ambos em um emprego. Ele se ressentiu da atitude camarada.

– Minha reunião foi o mais produtiva possível – comentou ele.

– Você sabe como funcionam essas coisas.

– Sim, eu sei. Foi impossível conseguir uma resposta objetiva do meu agente depois do meu primeiro teste, porque eu obviamente não tenho o tipo que eles queriam... soube disso assim que entrei. Mas meu agente não queria ferir meus sentimentos. Isso já aconteceu com você? As pessoas são tão legais que você não tem certeza se está sendo rejeitado?

Nathaniel conseguia ouvir a voz de Lauren, agora, dizendo o quanto adorava o que ele escrevia.

– Enfim – Meghan enrolou uma mecha de cabelos ao redor do dedo –, obrigada por me emprestar seu carro. Eu nem bati nem nada!

– Fico feliz por isso.

– Você realmente se surpreendeu com a festa dessa noite?

– Não exatamente. – Ele levou o dedo aos lábios. – Não conte a Percy.

Em uma cadeira de jardim atrás deles, Percy contava sua história favorita sobre a vez em que ficou preso no trânsito a caminho do trabalho, e estava com tanta vontade de urinar que pegara uma garrafa vazia de Coca-Cola, abrira o zíper da calça... e foi assim que descobriu que a urina tem uma alta concentração de oxigênio, porque o pau dele ficou preso. Percy furara a garrafa com uma caneta esferográfica e espalhara mijo pela calça. Quando chegou ao estacionamento, correu para o banheiro, se molhou todo com água e inventou uma história qualquer sobre um cano que explodira. Para Percy, qualquer experiência que lhe garantisse a oportunidade de fazer uma piada que lembrasse a do chinês que queria fazer xixi na Coca-Cola era uma grande oportunidade.

Atrás dele, na inclinação do pátio, estava sentado um agente da UTA, a agência de talentos, chamado Eric Goldenberg. Ele parecia ter 34 anos, mas tinha 24, talvez fosse até mais jovem. Usava terno com lenço no bolso e mocassins, e citava tantos nomes que os únicos verbos que Nathaniel conseguiu discernir foram "assinou", "partiu", e "fodeu". De resto, apenas um fluxo constante de nomes próprios unindo as fodas e fodidos.

– Caramba, pensei, lamento vir na esteira da merda, *Ridley*, mas esse é a merda do meu trabalho.

Parecia que em todos lugares onde Nathaniel ia, havia algum garoto ansiando para ser a indesejável voz da razão do diretor.

Duas mulheres vieram caminhando com um passo arrogante na direção dele: a roteirista de uma série recém-escolhida para ser produzida, sobre uma banca de frutas, e a atriz principal da mesma série, uma garota com unhas cor-de-rosa que tinha uma página no IMDB. Nathaniel só conhecia a roteirista, Ava, por sua presença na mídia. Mas já havia sido apresentado a Stacey. Ela era amiga de Bean.

– Ela agora é minha chefe. – Stacey riu e cutucou o ombro de Ava com o cotovelo.

– Sou! Sou totalmente sua chefe! – Ava vibrou os lábios quando deixou o ar escapar das bochechas. – Na verdade, viemos até aqui para...

– ... para dar parabéns ao Nathaniel, que está oficialmente velho. – Stacey deu um sorrisinho falso.

– Ora, sim, isso, obviamente foi para isso. – Ava cuspiu um chiclete mascado no gramado, o gramado *dele*. Um diretor musical desengonçado, com quem Nathaniel costumava competir pelas mesmas mulheres, passou com uma garota em sua cola. O diretor musical segurava o celular da garota no alto.

– Colin, seu cretino! – A garota corria atrás dele, pulando para tentar pegar o aparelho.

– @KidRock está @cagando se você tuíta para ele! – gritou Colin.

– Mas nós também...! – Ava passara o braço pelos ombros de Meghan. – Também viemos dizer a *você*... qual é seu nome?

– O nome dela é Meghan.

– Ela pode responder por si mesma, Nathaniel – disse Stacey.

Ava usou sua melhor voz de Palestras no LACMA, o museu de arte de Los Angeles:

— Meghan, você é tão linda. E não de um modo inacessível, mas de um jeito realmente intimidante. Do tipo, nós ficamos intimidadas de vir até aqui. Mas foi exatamente por isso que nos dispomos a vir. Porque se nós, mulheres, não apreciarmos umas as outras, quem o fará? As mulheres de Hollywood precisam assumir sua aparência, em vez de se sentirem tristes se não forem lindas, ou envergonhadas se forem.

— Obrigada — respondeu Meghan, os olhos fixos no chão.

— Quem tem vergonha de ser linda?

Elas o ignoraram, por isso Nathaniel voltou a falar.

— Além do mais, Meghan não vive em Hollywood. E trabalha como modelo.

— E daí? — Stacey cuspiu no rosto de Nathaniel, indignada. — Eu também sou.

— Você é o quê?

— Modelo.

— Desde quando?

— Já fiz alguns trabalhos.

— Nat, você está com alguma equipe? — perguntou Ava, como se o programa um em um milhão dela houvesse lhe dado o toque de Midas para usá-lo à vontade.

— Estou bastante ocupado no momento... mas aberto a propostas.

— Espere. — Stacey gesticulou para Meghan. — Quero voltar ao assunto em pauta. Nathaniel, você não acha que sua amiga precisa da afirmação das companheiras?

— Hein? Estou apenas sugerindo que ela é fantástica e que não deveria ser surpreendente que outras pessoas tenham notado isso antes de vocês duas. Se você ouvir Bob Dylan tocar guitarra em uma festa e disser "Ei, esse cara tem talento", isso é engraçado, certo? Porque ele é Bob Dylan.

— Isso não significa que não precisa ser dito. — Meghan se colocou ao lado das outras duas mulheres. — Todo mundo precisa ouvir.

— Sim, *Nathaniel*. — Stacey passou os dedos pelos cabelos.

— Por que está falando como se esse não fosse meu nome verdadeiro? Só comparei Meghan a Bob Dylan. Como posso ser o babaca aqui? Meghan, você sabe que a acho bonita.

— Nossa, obrigada. — Meghan revirou os olhos e as outras riram.

Então ela estendeu a mão, pegou a dele e apertou-a com força. Isso era tudo o que ele precisava fazer, em vez de emprestar o carro a ela e dar atenção às perguntas absurdas de Meghan sobre ataques de coiotes? Elogiá-la diretamente? Essa possibilidade nunca teria lhe ocorrido...

— Enfim — disse Ava —, estou indo embora. Tenho academia bem cedo amanhã, a Soul Cycle. Você não precisa vir, Stace.

— Não, vou com você.

— Tem certeza? Fique. Se está se divertindo, fique.

— Não, já vou. Feliz aniversário, Nathaniel.

Stacey beijou-o no rosto. Nathaniel observou as duas saírem da festa, rindo, se abraçando, lamentando a própria inabilidade para passar mais tempo com pessoas com quem não haviam feito o menor esforço para socializar nas últimas duas horas. Quanto tempo levaria até a série sobre banca de frutas de Ava ter péssimos números de audiência, seguidos por avisos conflitantes das redes, seguido por rivalidades, seguido por uma imagem em GIF, viral, de Stacey fazendo sexo oral em uma banana madura? Será que ele não poderia pular logo para essa parte?

— Ei. — Meghan jogou os cabelos. — Quer ver uma coisa?

— Sempre quero ver uma coisa.

Ela passou a mão pela tela do celular, murmurando:

– Onde está? – O rosto de Meghan era realmente estonteante, iluminado daquele jeito pela luz da pequena tela. Ela abriu uma foto de si mesma, nua, com um tigre bloqueando a visão do traseiro dela. Um tigre de verdade. Então ela engatou em uma história de uma viagem que fizera com o namorado, um protetor do meio ambiente, até uma reserva de vida selvagem na Nigéria.

– Ele ainda está na sua vida?

– O tigre?

– Não, não o tigre.

– Ah. – Meghan abaixou os olhos para o gramado. – Ele viaja muito a trabalho.

– Você também.

– Sim, mas não posso ser do tipo, "Ei, pare de construir poços em Bangladesh, é chato".

– O que você faz também é importante. Pergunte a Stacey e Ava.

– Está se referindo ao fato de eu ter uma aparência decente? Sim! Eu apenas sou assim, você sabe.

Ela recuou um passo e pôs as mãos na cintura.

– Somos todos exatamente assim, meu bem.

Novas pessoas chegaram, vindas pela lateral do pátio, com cervejas na mão. Havia assistentes de produção, assistentes pessoais, assistentes secundários. O comediante menor, ocasional, ou o músico independente, haviam aparecido, convencidos por Percy. Ver tudo aquilo através dos olhos de Meghan fez Nathaniel sentir saudades da Costa Leste.

– Você sabe que eu acho que elas são cheias de merda, não é?

– Como?

– Estava só sacaneando aquelas duas. Acho uma tendência fascista essa ideia de mulheres que estipulam que, ou todas as mulheres estão no mesmo time, ou terão que encarar algum tipo de excomunhão feminista. Tipo, se eu criticar uma mulher, sou uma traidora, ou uma puta. Automaticamente. Mas, vamos lá, se eu odeio coentro, e odeio, acho que tem gosto de sabonete, você acha que isso significa que estou com inveja do coentro?

— Não, não acho.

— Acha que tenho algum plano anticoentro em ação?

Nathaniel balançou a cabeça, negando.

— É claro que não. Só não gosto do coentro. Mas todo mundo precisa ficar de boca fechada, a menos que tenha algo gentil para dizer. Foi por isso que tive que ligar para minha agente hoje e *obrigá-la* a me dizer que não consegui o trabalho. Estou lhe dizendo, essa vertente do feminismo está transformando mulheres em criancinhas.

— Ah, meu Deus.

— E essas garotas terem usado a carta do poder feminino sobre a minha *aparência*, entre tanta coisa... é superficial e contraproducente.

— Quer casar comigo?

— Claro. — Ela deu de ombros.

Nathaniel juntou o copo vazio dela ao ele e lhe deu a mão.

— Venha comigo, agora.

— Nathaniel... olha lá, tenho namorado...

— O quanto essa frase é verdadeira? Em uma escala de um a dez.

— Hummm. — Meghan fingiu pensar a respeito até que, finalmente, sussurrou no ouvido dele: — Está certo. Só porque é seu aniversário.

VINTE E QUATRO

Victor

O restaurante ficava a poucas quadras ao norte de Times Square. Tinha um letreiro dourado e uma cortina que cobria a metade inferior da janela. Victor ficou parado, colado à calçada do outro lado da rua. A fachada do lugar lhe pareceu familiar. Estava quase certo de que seus pais haviam ido jantar ali uma vez, para comemorar um aniversário de casamento. Victor tinha uma imagem clara dos pais brindando com champanhe, o pai quebrando a cobertura de caramelo de uma sobremesa com a mesma intensidade com que cortaria lenha. Ele se pegou preso entre o constrangimento pelos pais, caso o restaurante não fosse elegante, e a repulsa por Caroline e Felix se acabasse descobrindo que era, sim, um lugar elegante.

Victor se abrigou sob a marquise de um prédio comercial e acendeu um cigarro. A cidade estava mais saudável atualmente. Se as pessoas capturassem seu olhar quando você tinha um cigarro entre os lábios, a expressão no rosto deles era menos de *Posso filar um?*, e mais de *Seus dias estão contados*. Ele dobrou a ponta do desenho de Johanna para a frente e para trás no bolso. Estava preparado para confessar. Contaria tudo a Felix e a Caroline. Sobre aquela manhã, sobre a tia-avó de Felix e o nazista com coração de bronze, sobre o castelo misterioso e, é claro, contaria o que mais queriam saber dele: a nova localização das joias de Johanna.

Victor acabou de fumar e seguiu por entre o trânsito. Dentro, o restaurante era um espaço oval fundo, como a pista de dança de um navio de cruzeiro. Havia uma tigela de crocantes de nozes, um agrado para clientes que estivessem indo embora, com um par de pinças em cima.

– Boa tarde, senhor – cumprimentou o maître. – Tem reserva?

Victor esquecera o sobrenome de Silas. Mas logo uma figura loura se ergueu acima dos clientes da hora do almoço, o braço nu acenando, usando um vestido cor-de-rosa, conservador. O outro braço mantinha um guardanapo preso ao meio das pernas como se fosse a folha de parreira de Eva.

– Não se preocupe. Já os encontrei.

Silas estava torturando uma fatia de limão. Ele deixou a carcaça cair dentro de um copo de água mineral e apertou a mão de Victor.

– Sente-se, sente-se – disse Felix, que tinha a aparência educada e estupefata de quem passara por muita coisa em muito pouco tempo.

Felix era jovem demais para ter brincado de dança das cadeiras com a família. Dois meses antes, esse cara tinha o pai, a mãe e uma namorada, e agora não tinha mais os pais e a namorada se tornara esposa. Victor sentiu vontade de dizer *Também sinto saudades dela*, mas seria um absurdo.

– Gostaria de expressar condolências pelo falecimento prematuro de sua mãe.

As pessoas à mesa o encararam como se Victor tivesse acabado de colocar um quilo de arenque sobre a mesa.

– Ah. – Felix acenou para o ar. – Obrigado. – Estou... feliz por você ter tido a oportunidade de conhecê-la.

Uma garçonete usando gravata se aproximou da mesa, distribuindo cardápios e dizendo alguma coisa sobre um peixe qualquer de águas profundas. Caroline abriu o guardanapo que cobria uma cesta de pão, colocou um pão de queijo na boca e começou a mastigar violentamente.

– Já decidiram o que gostariam de beber? – perguntou a garçonete. – Temos um rosé estupendo.

Estupendo, Felix repetiu para Victor, apenas mexendo a boca, sem som.

Caroline pediu rum e Coca-Cola, Felix optou por uísque com soda, Silas quis outra água com gás e Victor só queria um instante. Sentiu-se desconcertado ao ouvir Felix falar "uísque", uma mistura de alemão e cubano claros em sua pronúncia, lembrando que fora por causa da missão fracassada de Victor de pegar a garrafa de Macallan que todos estavam ali agora. Nunca fizera parte do efeito dominó antes. Seu estilo era mais aleatório.

– Como está o gato?

– Está com Harvey. – Felix deu um sorriso afetuoso. – A caseira.

– Aquele gato me odeia – disse Caroline.

– Sim, é. – Silas pigarreou. – Se eu puder falar pelo grupo...

– Você precisa falar por eles? – ressentiu-se Victor. – São meus amigos.

Caroline o encarou irritada.

– Não há necessidade de ficar na defensiva. Ele não teve essa intenção.

– Não estou na defensiva. Se estiver alguma coisa, é defendendo vocês.

– Então admite que estava na defensiva.

– Jesus, Caroline. Por que não deixa o sr. Garter me dizer qual foi a intenção dele?

– Gardner.

– Caroline – disse Felix em um tom de súplica –, não há motivo para ficar aborrecida.

Victor tentou permanecer calmo.

– Não sei do que vocês todos estão falando. Isso é pão de queijo?

– Tem sido uma época difícil – justificou Felix. – Estamos todos um pouco tensos. Não tenho conseguido dormir.

– Tentou se mudar para outra parte da casa?

– Isso é engraçado. – Felix sorriu, satisfeito. – Minha mãe costumava fazer isso. Sabe, acabamos de receber a primeira leva de fotos do fotógrafo e Johanna aparece na maior parte delas. Pareceu tão simples, eles entregando as fotos pelas quais pagamos...

Caroline pegou a mão do marido sob a mesa.

– Victor – Silas tentou de novo –, o objetivo dessa conversa não é fazer com que se sinta na sala do diretor da escola. Só não queremos deixar escapar nada. Sem trocadilho.

Victor queria ajudar Felix. Queria contar tudo a ele. Agora seria a hora. Ele colocaria o desenho sobre a mesa e contaria toda a história a eles. Mistério resolvido. Mas ao ver Caroline olhar para ele com um grau fora do comum de prazer deslavado, Victor sentiu a onda familiar de ressentimento pulsar por seu corpo. Por isso, mentiu.

– Escute, a ideia de ser a solução dos seus problemas me atrai, sério. Mas já disse a vocês que não sei de nada. Estou ciente de que Johanna mandou um e-mail para você em que fui mencionado, mas por que saberia de alguma coisa?

Caroline encarou Felix, que tentou com determinação fazer contato visual com a esposa.

– Porque, tonto... na verdade foi com você que Johanna teve sua última conversa, o que seria uma coincidência se todas as joias dela não tivessem desaparecido. *Desculpe.*

– Seu tom não é de uma pessoa arrependida. – Victor se recostou na cadeira.

O FECHO

Felix tamborilou com a colher sobre a mesa. As mãos dele eram cobertas de pelos louros que se moviam conforme as veias subiam. Agora estava claro que era ele, e não Victor, quem menos queria estar naquela mesa. Ele soubera que Victor estava ali para ser emboscado.

A garçonete retornou com os drinques, pousando cada um no lugar com muito cuidado.

– *You want to live like common people* – Victor começou a cantarolar baixinho a música do Pulp, cuja letra dizia *Você quer viver como uma pessoa comum.* – *You want to do whatever common people do...* – E continuava com *Você quer fazer o que quer que pessoas comuns fazem...*

– O quê? – Caroline pegou o garfo de salada como se a qualquer momento fosse inverter o talher e atingir a mão de Victor.

– Nada.

– Victor – disse ela lenta e deliberadamente –, sei quem é você.

– Sim, e eu sei quem é você.

– Não, estou querendo dizer que sei. *Sei* sobre você.

Ele apoiou os dois cotovelos sobre a mesa, entrelaçou os dedos e a encarou com dureza. E ela retribuiu com o mesmo olhar. Todos aqueles anos! Caroline sabia que ele era um ladrão. Ela sabia. Havia vasculhado a gaveta da escrivaninha de Victor bem na frente dele, vira as evidências e fechara a gaveta. Caroline, que não conhecia moderação em nenhuma área da vida, decidira guardar o segredo dele. Era mesmo uma WASP, uma norte-americana típica, uma campeã em ignorar problemas. Mas como era possível essa discrição em alguém que tinha o talento de filtragem de uma raquete de squash? Talvez ela apenas não tivesse desejado abalar o equilíbrio do grupo deles.

– Estou perdendo alguma coisa? – perguntou Felix.

Seu merdinha, disse Caroline para Victor, apenas mexendo os lábios.

Quanto mais assassina ficava a expressão dela, maior era a confiança que Victor sentia.

— Gostaria de fazer uma pergunta, se possível. Vocês já a enterraram, certo? Praticamente só estive em funerais judeus. E não tantos assim, um avô e um incidente com um garoto no ensino médio e uma obscura placa de "Pare"... foi muito triste, na verdade, mas daquele modo típico do ensino médio, em que todos se tornam magicamente os melhores amigos do cara, entendem?

Silêncio.

Victor se pegou com uma capacidade recém-descoberta de colocar em palavras, para si mesmo, um sentimento que estivera em ebulição silenciosa por uma década, desde uma noite em que dera uns amassos com Caroline e o sentimento era: ele a odiava. Odiava a essência, a alma dela e seu modo de se portar no mundo. Odiava a tolerância que ela mostrava com ele, como se ele fosse uma pessoa a ser tolerada e, ela, uma pessoa que tolerava os outros, como se Victor fosse parte da história dela, um defeito em sua coleção ideal de colegas de faculdade que, de resto, era perfeita. Eles haviam sido jogados no mundo real no mesmo dia, certo? Era uma existência uniforme. Na verdade, de acordo com todos os livros e filmes já feitos, aquela era a história *dele*. Caroline era herdeira de um hotel, pelo amor de Deus. O que dava a ela o direito de questioná-lo como se a vida dele lhe pertencesse? Não estava ali para ser parte da experiência de Caroline. Ela estava ali para ser parte da experiência dele.

Caroline torceu o guardanapo.

— Victor, vou lhe perguntar da forma mais gentil de que sou capaz: onde diabos estão elas?

— Onde diabos estão o quê?

Ela apontou com o garfo na direção dos olhos dele.

– Vou raspar suas sobrancelhas enquanto estiver dormindo.
– O que está acontecendo? – Felix não achava que raspar sobrancelhas era uma resposta proporcional a nada.
– Vamos falar sobre as joias, Victor. – Por incrível que pudesse parecer, Silas ainda estava tentando manter aquele trem nos trilhos.
– Tem certeza de que ela não mencionou nada a você? De acordo com o testamento de Johanna, ela possuía inúmeras peças dos séculos dezoito ou dezenove. Alguma coisa assim.
– Alguma coisa assim.
– Não faz diferença – disse Silas.
– Faz para as pessoas que viveram naquela época, provavelmente.
– Não faz diferença porque, de qualquer modo, não conseguimos localizá-las e, além do e-mail de Johanna, nos disseram objetivamente que Johanna lhe mostrou esses itens durante o casamento.

Caroline se recostou na cadeira e cruzou os braços. Ela parecia um gato que acabara de engolir o canário. Victor balançou a cabeça e deixou escapar o ar. *Kezia*. Tão pequenina, com a boca tão grande.

– Sei que ela estava doente – manifestou-se Felix –, e que às vezes acabava... não sei... sumindo no passado. Acho que foi para lá que ela foi. Mas por que diria que você sabia onde estava tudo se você não sabia?

A garçonete voltou e colocou na frente deles copinhos com doses de uma lama verde.

– Uma entradinha. É uma sopa de ervilha gelada com um pouco de dente-de-leão.

Caroline pegou o copo diante dela e virou-o.

– Muito bem. – Felix suspirou. – Isso é loucura. Kezia mencionou que Johanna havia lhe mostrado onde guardava as joias e obviamente estava mal informada. Quer dizer, seria um absurdo minha mãe mostrar uma coisa assim para um estranho, de certo modo.

– É isso? – perguntou Caroline ao marido em voz alta. – Fim do interrogatório?

– Prometo não fazer carreira como advogado, docinho.

Silas revirou os olhos.

– Não.

– Lamento não poder ajudar – disse Victor, realmente chateado por Felix, mas sabendo que acabariam encontrando o tesouro de Johanna. – Mas você deveria estar em casa fazendo o que quer que as pessoas fazem quando perdem o pai ou a mãe. E se posso ser sincero...

– Você consegue? – falou Caroline.

– ...uma parte de mim está interessada em ficar para o almoço porque aposto que tem um sanduíche de lagosta incrível aqui. Mas outra parte de mim sabe que uma lagosta não passa de uma barata do mar.

– Victor. Você não é esperto o bastante para agir disse jeito estúpido!

Ela jogou as mãos para o alto e gemeu. Com um único gesto, conseguiu jogar o copo de uísque de Victor e o próprio copo de água no chão. As bases dos copos permaneceram intactas, enquanto a parte de cima explodia em cacos. Victor seguiu um dos cacos enquanto ele girava, como uma tábua Ouija em alta velocidade.

– Desculpe – murmurou Caroline.

– Sim, já vou indo.

– Então vá – debochou ela.

– Victor – falou Felix –, a última coisa que queríamos fazer era ofendê-lo.

– A última coisa que queriam era que eu me sentisse ofendido, Felix. Não tem problema, mas é diferente.

A caminho da saída, Victor pegou um pedaço de crocante de nozes. Sem a pinça. Como um maldito caubói. O pedaço que escolheu estava preso a um crocante maior, mas ele jogou tudo na boca, como um grande bloco de gelo.

VINTE E CINCO

Nathaniel

— Adoro as lancheiras de Percy. — Meghan apontou enquanto eles atravessavam a cozinha.

As lancheiras eram um elemento comovente na existência de Percy, na existência da casa. Nathaniel as via como algo infantil. E eram infantis. Eram lancheiras.

Ele chutou a porta do quarto, que já estava ligeiramente aberta. Meghan riu e entrou valsando à frente dele. Nathaniel jogou o celular no chão e o aparelho tocou quase no mesmo instante, como se tivesse resolvido disparar ao ser jogado. Nathaniel viu que era Kezia, mas foi distraído por Meghan, que pegou o travesseiro especial dele e notou a cordinha pendurada.

— É um brinquedinho sexual?

O telefone continuou a tocar.

— Ki-zi-ah. — Meghan pegou o aparelho do chão. — Que nacionalidade é essa?

— É Kez que se fala. Como pés. E: irritada.

Nathaniel deveria ter deixado a ligação para lá, mas pegou o celular e falou rapidamente.

— Oi, o que houve?

— Bela forma de atender. Liguei para lhe desejar feliz aniversário.

Ele afastou o celular do ouvido e olhou para a tela.

— Não é mais meu aniversário — sussurrou, porque não queria que Meghan reconsiderasse sua lógica baseada no aniversário.

— Ora, idiota que eu sou por me importar. Estão dando uma festa?

— Mais ou menos. Percy está dando uma festa e fui convidado.

— Quem está aí?

Kezia conhecera um ou dois amigos dele durante as viagens que fazia a Los Angeles, mas não o bastante para que essa pergunta tivesse qualquer importância.

— Aquele cara, o Will, está aí?

— Estava.

— Ele ainda está com aquela garota?

Por que Kezia estava perguntando sobre pessoas que mal conhecia? Talvez estivesse querendo saber se havia garotas na festa. Sim, havia garotas na festa. Ela estava se comportando de um jeito esquisito, mesmo para os padrões de Kezia.

— Está bêbada? São três da manhã. Sabe onde está minha Kezia?

— Então agora sou sua.

— É uma piada.

— Ah, vá devagar. Estou cansada e não sou tão velha e tão sábia quanto você. Estou em casa. Parto para Paris depois de amanhã, porque preciso ter uma reunião com nosso fornecedor sobre uma das peças mais importantes de nossa linha de primavera, ou estarei totalmente ferrada, e Rachel está em Tóquio, por isso eu...

Meghan agarrou o telefone. E segurou-o de modo que Nathaniel pudesse falar. Com a outra mão, abriu o zíper do short. Nathaniel não pensara muito na roupa de baixo dela até aquele momento, mas ao ver que a garota não estava usando nada, percebeu que estivera esperando algodão branco.

– Kezia. – Ele esticou o pescoço na direção do celular. – Preciso ir.

– Espere, espere, quero falar com você sobre Victor.

– O que *sobre* Victor?

– Estou preocupa...

Meghan agarrou a camisa dele com força surpreendente e puxou-o também com força na direção dela. Nathaniel sentiu o gosto de cerveja e balm labial com aroma de flores nos lábios da garota. Mas também conseguia ouvir a voz distante de Kezia dizendo "Victor" e "deprimido" e "no limite". Não havia nada de novo naquilo, nada que precisasse ser resolvido. Kezia não queria consertar Victor, queria ser parabenizada por querer consertar Victor. Provavelmente porque se sentia culpada por nunca ter trepado com ele.

– Sua amiga parece a mãe do Charlie Brown – comentou Meghan.

– Ela fala desse jeito o tempo todo.

Meghan colocou a mão dentro da cueca dele, envolveu seu pênis e começou a fazer movimentos fracos e erráticos. Então deu um passo gigante para trás. Ela colocou o canto arredondado do celular sobre a vagina, rolando-o da parte da frente para a de trás, encostando-o e afastando-o de uma faixa de pelos púbicos. E empurrou o celular o mais fundo possível antes de se tornar fora de possibilidade continuar.

Ele estava excitado, mas agoniado: deixara aquele telefone cair em vários estacionamentos pelo menos três vezes naquela semana.

– Kezia, ligo para você amanhã! – gritou.

Meghan tirou o telefone da vagina, secou-o nos quadris e jogou-o sobre uma pilha de roupa para lavar no closet de Nathaniel. Quando os dois caíram juntos na cama, separando-se apenas por tempo o suficiente para que Nathaniel tirasse a cueca, ele olhou de relance para a luz na tela do celular para se certificar de que Kezia havia desligado.

VINTE E SEIS

Victor

Ele saiu rapidamente do restaurante, nervoso com a possibilidade de Caroline persegui-lo, de sair caminhando pesadamente na direção do monstro da cidade, ainda empunhando seu garfinho minúsculo. Ele precisava extravasar um pouco da energia acumulada, antes de voltar para o metrô. A distância, Victor viu o círculo amarelo reconfortante do trem da linha R, mas não conseguiria aguentar ficar no subterrâneo naquele momento, rezando para que um expresso passasse só para ele poder pegar um pouco da brisa do deslocamento. Precisava de ar. Ou do máximo de ar que o centro de Manhattan pudesse lhe oferecer. Havia esquecido como se despendia energia física na hora do almoço de trabalho, quantos esbarrões desagradáveis a pessoa era forçada a cometer, como o som dos freios dos ônibus machucava os ouvidos.

Victor nunca saíra intempestivamente de lugar nenhum. Sentia-se liberado, como se tivesse nascido de novo na cidade que oferecia todas as escolhas disponíveis para um homem adulto. E a primeira escolha que fez foi parar de se mover e encontrar algum lugar para se acalmar. As duas opções mais próximas eram o Empire State Building e a Biblioteca Pública de Nova York. As filas no Empire State estariam infestadas de turistas. Assim, ele foi para a biblioteca – bibliotecas eram lugares que não costumavam atrair multidões, a menos que as pessoas quisessem colocar fogo no conteúdo do lugar.

Victor entrou junto com um grupo de estudantes acompanhados e todos abriram as bolsas para inspeção de um indolente segurança. As vozes dos garotos ecoavam contra o mármore. Victor subiu as escadas até a sala de leitura principal e experimentou uma imediata sensação de calma. Não pusera o pé dentro de uma biblioteca desde os efêmeros dias do mestrado não concluído. E esquecera como era relaxante, como todos nas bibliotecas se movem em câmera lenta. Havia uma antecâmara provavelmente revestida de carvalho com corredores de títulos de referência, mesas com computadores pesados em cima. Victor se acomodou diante de uma das mesas livres.

Quando acordara naquela manhã, ele tivera a intenção de se livrar do desenho de Johanna, física e psicologicamente. Fosse qual fosse a afinidade que sentia com a imagem, era parte de um fim de semana em outra vida e, antes disso, parte de uma antiga família europeia e de uma guerra que ele só presenciara em filmes. O desenho não pertencia a ele, no presente, na realidade. Mas então Caroline o atacara com sua postura indigesta e Victor soubera no mesmo instante que ela não merecia os segredos de Johanna. Talvez o cérebro de Johanna estivesse anuviado, ou talvez não, mas de qualquer modo, fora a ele que ela escolhera.

Victor desdobrou o papel de modo que a parte superior do colar ficasse virada para um casal chinês atrás dele. A lágrima na pedra pareceu especialmente chorosa. Ele começou a checar o banco de dados da biblioteca. Uma busca rudimentar como aquela o fez se sentir como um patinador olímpico de renome fazendo uma participação em um show de patinação popular. Victor pegou um lápis minúsculo de um porta-lápis no fim da mesa e papel para anotações.

Ele começou montando um inventário das informações disponíveis em colunas, limitando-as e dando forma a elas. A data sobre a página do desenho era 1883. E usava o mesmo "1" em caligrafia Ronde francesa dos cartões que marcavam os lugares à mesa no casamento de Caroline e Felix. O restante da escrita, no entanto, seria ilegível até para um francês. As palavras começavam com claros Ms, Cs, ou Ts, mas logo eram seguidas por letras angulosas de um lunático. Havia um número no canto e uma palavra que Victor achou ser "quilates". Por fim, ele viu uma longa série de números na parte de baixo – antigos números de unidade de estocagem? O peso das pedras? O segredo de um cofre? Mas estavam apagados no desenho. Poderia ser um zero e a parte de cima de dois cincos.

– Muito bem. – Victor bateu com o pé no chão. – Século dezenove, século dezenove...

Ele poderia atacar os rabiscos franceses mais tarde. Por enquanto, só queria encontrar algo que se parecesse com o colar. Então, talvez, pudesse rastrear o original, descobrir quem o fizera e descobrir onde estava escondido. Que tipo de pessoa teria usado um colar como aquele? Victor presumiu a realeza... mas se fosse esse o caso, alguém além de Johanna não saberia que ela estava com o desenho? Victor começou a procurar por "pedras com formas entalhadas". Acabou descobrindo que Kezia errara, ao menos uma vez na vida. Não era "impossível" entalhar uma forma na parte de trás de uma pedra. O final do século dezenove havia sido cheio de cruzes e flores de lis entalhadas. Todo período tinha seus padrões. Como arcadas dentárias sociais. Quanto mais obscuro, mais fácil de rastrear. E graças ao estilo sentimental do colar de Johanna, Victor descobriu quando havia nascido (na Belle Époque) e onde (no norte da França).

Victor apertou o cotoco de lápis até ficar com as pontas dos dedos marcadas, enquanto preenchia formulários pedindo livros. Sentia-se virtuoso por estar fazendo a pesquisa ali, na biblioteca

O FECHO

pública, em vez de estar fuçando em um computador que já não possuía. Ele se sentou nos bancos muito lisos da sala cavernosa, esperando que seu número fosse chamado. Já com os livros na mão, Victor desceu o corredor entre as mesas. Os livros fizeram barulho quando ele os pousou e um homem no fim da mesa o encarou irritado. Victor conseguiu distinguir o que havia na tela do homem. A logo do *mostofit* o atingiu como um "bat-sinal".

Ironicamente, não ocorreu a ele que as pessoas de fato usassem o *mostofit* para buscas. Mas não havia como aquele camarada de coquinho no cabelo e barba de fazendeiro *não estar* usando o *mostofit* como uma declaração pessoal de estilo. Victor sorriu.

– *Pardon* – disse o cara, e puxou o computador mais para perto.

Muito bem, então ele não era hipster. Era apenas estrangeiro.

Os títulos dos livros eram longos e poucos em inglês. *European Metal work of the 19th Century (Trabalho europeu em metal no século XIX). Renowned Gems from Lascaux to the Belle Époque (Pedras famosas, de Lascaux à Belle Époque). The Great Expositions: London's Crystal Palace and the Parisian Palladium (As grandes exposições: o Palácio de Cristal de Londres e o Palladiun parisiense). Cabochon Construction: 700 Fine Jewelry Designs (Lapidação de um cabochon: 700 desenhos e joalheria fina). JetBlackJewels: Victorian Mourning Accessories. A Brief History of French Ornament (Uma breve história dos ornamentos franceses)*. "Breve", nesse último caso, na definição de quem? Aquele volume em particular tinha mais de duas mil páginas. Em uma hora, todos os títulos haviam se misturado de tal maneira que o cérebro de Victor aceitaria até *Claptrap and Poppycock: Pineapple Motifs in Norman Janitorial Society* (algo como *Besteiras e bobagens: Motivos de abacaxi na sociedade da guarda normanda*).

Por que aquele nazista não escondera algo que tivesse mais do seu próprio cromossoma, como uma pistola de duelo, ou um relógio de bolso legal? Victor não conseguia sentir tesão em uma pesquisa sobre as diferenças entre *rivières* e *parures*. Não conseguia nem ao menos pronunciar essas palavras! Uma peça particularmente ornamentada era descrita como "uma série de diamantes suspensos de forma invisível por gotículas de opalas de lapidação bruta, as extremidades chanfradas que caíam na nuca". Ele não tinha a imaginação espacial necessária para visualizar uma coisa dessas. E por que, de todos os séculos, em todos os países, de todo o mundo, o colar dele tinha que cair logo naquele século? Ao que parecia, os joalheiros finos eram para a França nos anos 1880 o que os engenheiros de software eram para Califórnia nos anos 1970. E rastrear joias não era o mesmo que rastrear uma pintura. Sem conseguir ler o que estava escrito à mão no desenho, poderia muito bem ser *Parabéns, é um colar.*

Não havia elogio pior do que um sem qualquer adjetivo.

Victor correu o dedo pela luminária de bronze da mesa, quente depois de um dia inteiro de eletricidade. O usuário barbado do *mostofit* já havia ido embora. A biblioteca logo fecharia.

– Onde está você? – sussurrou Victor para o desenho.

Ele se apoiou sobre a mão e empurrou os óculos para um ângulo propositalmente elegante. Informação que nunca estava estruturada para ser encontrada. Aqueles eram seu orgulho e sua alegria na época em que ainda tinha um mínimo de ambos. Victor tentou se concentrar. No livro *A Brief History of French Ornament (Uma breve história do ornamento francês)*, leu sobre um famoso diamante chamado L'Étoile du Sud, uma pedra enorme que uma garota, escrava, arrancara de uma caverna brasileira séculos antes. Tinha 125 quilates, valia vinte milhões de dólares e atualmente era de propriedade da Cartier. Ele consultou as credenciais do colar de Johanna. Dezenove. Dezenove quilates em uma única pedra. Algo que uma celebridade compraria de outra. Não era decadente demais. Então Victor levantou o papel e estreitou os olhos: 114 quilates. Os diamantes laterais, os *cantores do coro*, é que tinham dezenove quilates.

    Victor fechou o último livro e empilhou-o sobre os outros. Cadeiras de madeira arranhavam o piso de cerâmica escura conforme as pessoas se levantavam e arrumavam suas bolsas. Ele se perguntou o que Felix, Silas e Caroline estariam fazendo naquele momento. Será que haviam permanecido no restaurante depois de sua saída, Caroline fingindo estar empanzinada, mas ainda assim engolindo com vontade o docinho solitário coberto de chocolate que vinha junto com a conta? E depois? Haviam saído para passear, caminhando lentamente pelo Central Park, lamentando o fim do Plaza como o haviam conhecido? Teriam outros lugares para ir, ou já estariam passando pelo Midtown Tunnel, prontos para voltar para Miami? Era provável que fosse isso. O que mais fariam? Haviam ido até ali por causa dele, Victor.

VINTE E SETE

Nathaniel

Nathaniel abriu a porta do quarto e farejou o corredor como uma marmota. O mundo todo cheirava a tacos e cerveja. Partículas de poeira eram iluminadas por faixas de luz do sol, tentáculos do sol irritantemente animado do sul da Califórnia que não se importavam nem um pouco se você estava de ressaca. Os pés de Meghan se projetavam para fora da cama dele. Nathaniel fechou a porta silenciosamente, passou pé ante pé pelo quarto de Percy e se sentou do lado de fora. Os vizinhos haviam soltado o filho pequeno, que adorava ficar pulando no trampolim do quintal nas manhãs dos fins de semana. A luz batia nos topos planos dos cactos. Tudo o ofuscava. O som da criança gritando o ofuscava. Sinestesia induzida por ressaca.

Ele checou os recados que recebera. A maioria era de amigos de Los Angeles, perguntando se a festa ainda estava rolando. Um era de um antigo colega da revista literária onde havia trabalhado, ligando enquanto voltava para casa depois de um evento de lançamento de um livro, reclamando sobre a natureza antiquada das mensagens de voz no nosso tempo. Havia um barulho inútil de uma ligação feita com o traseiro – o som de tecido sendo esfregado na saída do microfone. E, por último, mas não menos importante, Kezia voltara a ligar. E Nathaniel percebeu logo que estava irritada. Talvez tivesse alguma coisa a ver com o fato de a ligação dela ter sido encerrada pela vagina de Meghan. No entanto, era mais provável que fosse porque Nathaniel não estava correspondendo aos padrões absurdamente altos de amizade de Kezia, ou, pior, *Precisamos conversar sobre Victor: Volume 12*. Falar sobre Victor fazia Nathaniel se sentir como se estivesse amarrado dentro de uma reunião de pais e professores. Dentro de casa, Meghan dormia para curar a ressaca, e ali estava ele, do lado de fora, ouvindo Kezia como se ela fosse de verdade e Meghan uma ilusão. Mas ele já havia colocado a língua, ou o pênis, ou qualquer peça inapropriada de tecnologia dentro de Kezia Morton? Que se lembrasse, não, não e não.

"Ei, sou eu. Você acabou de desligar na minha cara? Sei que tem convidados para atender ou para molestar, mas me ligue. Estou partindo para Paris em cinco segundos, por isso estou correndo como louca. Sei que deve estar pensando que sou dramática, mas Victor..."

Nathaniel colocou o telefone no colo, com a tela virada para baixo. Então respirou fundo e voltou a pegar o aparelho.

"Ei, sou eu. Você acabou de desligar na minha cara? Sei que tem convidados para atender ou para molestar, mas me ligue. Estou partindo para Paris em cinco segundos, por isso estou correndo como louca. Sei que deve estar pensando que sou dramática, mas Victor tem agido de um modo mais estranho do que o normal e está me evitando, o que não é típico dele. Estava confuso quando falei com ele ontem. Então, hoje, liguei para o número dele no trabalho e uma mulher rabugenta chamada Nancy atendeu e disse que Victor Wexler não trabalhava mais lá. E eu perguntando 'Estou falando com a *mostofit*?', enquanto ela respondia 'Sim, Victor não trabalha mais aqui', então a mulher começou a chorar e me contou que também havia sido mandada embora. Disse 'Eles atacam primeiro os socialistas' e desligou na minha cara. Enfim. Obviamente não é o caso de eu bater na porta dele, mas só queria saber se você teve notícias do nosso amigo, ou se o rosto dele foi devorado por gatos ferozes. A mensagem mais longa do mundo. Feliz aniversário. Mesmo não sendo mais o dia do seu aniversário."

Victor havia perdido o emprego. E daí? Ele sobreviveria. Kezia deixaria aquele tipo de mensagem sobre ele, Nathaniel, no correio de voz de Victor, se a situação fosse inversa?

Nathaniel pegava folhas cerosas de um arbusto e dobrava-as ao meio, quebrando-as, enquanto mexia no celular. Lamentavelmente, tinha um alerta do Google para Bean. Embora não precisasse – os alertas do Google eram como metadona, a intenção era libertá-lo do vício de ficar procurando toda hora o nome dela. Ao que parecia, Bean estivera no lançamento de um filme, na noite da véspera.

Para se distrair, ele entrou no site da *Deadline* e começou a passar distraidamente por posts como: A IFC FILMES VAI DISTRIBUIR VÍDEOS DOMÉSTICOS DE JOHNNY DEPP, ABC CORTA DRAMA SOBRE COLEGAS DE TRABALHO, e "GATINHO TURBULENTO" GANHA PILOTO. Então Nathaniel parou e prestou atenção.

Lá, em uma caixa minúscula, estava uma foto do Cara Que Não Era Jack Nicholson. O nome dele era Luke e o cara não só estava trepando com Bean usando as camisinhas de Nathaniel, como também era roteirista de TV.

Nathaniel não se preparara para possibilidade de sentir inveja e a notícia foi como um soco. Aquele tal de Luke acabara de vender um piloto sobre instrutores de surfe em Venice Beach, produzido por um diretor da série *The Wire*, com dois atores de primeira linha já ligados ao projeto. Nathaniel não conseguiu invocar sua usual habilidade de abafar a cobiça com o realismo (a maior parte dos roteiros nunca é produzida). Como se tudo aquilo não fosse ruim o bastante, como se ele já não estivesse com vontade de entrar celular adentro, arrancar a foto do site e pisar nela, *Surf's Down* havia sido vendida para Lauren, a mesma com quem ele, Nathaniel, almoçara na véspera. Havia uma foto dela também, um close de Lauren olhando para o lado, como se estivesse posando para o anuário da escola.

A porta de tela bateu atrás dele. Percy apareceu e arriou em uma cadeira. Ele apoiou uma das pernas sobre uma mesa em mau estado e secou o nariz na camiseta de dormir.

– Bahhhhh – cantou em sua voz de barítono, com a cabeça para trás.

– Realmente – concordou Nathaniel.

– Então. Meghan. Não sou a pior pessoa com quem dividir uma casa, não é?

Ele desejou se lembrar mais da noite da véspera. Em sua experiência, garotas com a aparência de Meghan nunca faziam mais do que tinham que fazer na cama, mas ela era como um livro de instruções ilustrado vivo. Nathaniel se lembrava vagamente de ter sido ele a pôr um fim nas jogadas de cabeça dela, na sensação vibrante dos gemidos de Meghan, de levantá-la para encará-lo. Se não fosse por isso, ela continuaria a fazer o que estava fazendo por horas.

– Meu aniversário é no mês que vem. – Os olhos de Percy estavam fechados. – Quero gêmeas.

– Só isso?

– Ah, inferno. – Percy endireitou o corpo na cadeira de um pulo. – Acabo de me dar conta de uma coisa. Em dez anos, trigêmeas não serão nada. Será totalmente padrão. Vamos querer quíntuplas. Mas não estamos autorizados a fantasiar com quíntuplas *agora* porque a ciência da fertilização ainda é muito recente, por isso estaríamos fantasiando em trepar com garotas de sete anos.

– Você deveria escrever isso.

– Deveria. Espere, já volto.

Nathaniel sentiu como se estivesse tendo uma vertigem. Precisava de algum lugar para sua mente ir que não fosse o pessoal de reconhecimento de locação de *Surf's Down* patrulhando o bulevar Abbot Kinney.

Ele podia ouvir Percy lá dentro, trocando cumprimentos matinais com Meghan. Ela estava recolhendo seus produtos de toalete do banheiro, e calçando-se, o que eliminava qualquer possibilidade de sexo matinal. Àquela noite, Meghan já estaria de volta em casa, na Filadélfia, olhando para o teto com a pintura texturizada que lembrava pipoca, dormindo com o namorado voluntário de meio ambiente, com quem provavelmente se casaria. Nathaniel a invejava por usar Los Angeles com moderação. Meghan absorvera o bastante da cidade – profissional, social e sexualmente – para levantar o humor e voltar com um brilho glamoroso para casa. Sem TÁ TODO MUNDO LOUCO! para Meghan. Ele também queria sair dali. Súbita e desesperadamente.

Na noite da véspera, Meghan avisara a Nathaniel que não perseguiria uma carreira de modelo se tudo o que pudesse conseguir fosse um trabalho de catálogo duas vezes por ano. Já começara a procurar por uma faculdade de Direito. A irmã do namorado havia ido para a Rutgers e gostara.

– Onde fica, mesmo? – perguntara Nathaniel.

– Em Camden, Nova Jersey.

– Lá não é, tipo... o lugar mais perigoso do país?

Meghan olhara languidamente ao redor do pátio dos fundos, para os agentes e produtores, para as assistentes de produção com blusas e vestidos de manga japonesa, e para os roteiristas de comédia com camisas de flanela abertas que as adoravam. Ela avaliou toda a cena antes de falar.

– É mesmo?

PARTE TRÊS

VINTE E OITO

Kezia

⋄⇒◯⇐⋄

Quando Grey soube que Kezia estava indo para Paris, ela e Paul insistiram para que se hospedasse com eles. Ao que parecia, o casamento havia aparado alguns anos da alienação casual deles. Kezia esquecera como havia sido aquela conversa. Quando Grey insistia, você tinha que aceitar. Simplesmente tinha. Não porque ela era legal como Olivia, ou insistente como Caroline, mas porque a pessoa ficava com a sensação de que partiria o coração de Grey se a questionasse. Na faculdade, se a pessoa não quisesse pegar emprestado um vestido que ela queria emprestar (porque o vestido arrastava no chão graças ao fato de que a dona dele tinha dois metros e meio de altura), ainda assim era vista atravessando o campus vinte minutos mais tarde com o vestido pendurado no braço.

– E vou pegá-la no aeroporto – disse Grey sorridente ao telefone.

Havia poucas cidades restantes no planeta em que essa não fosse uma oferta louca.

– Isso é loucura. Posso pegar um táxi, ou o metrô.

– O RER [trem] do aeroporto é lamentável.

– Estou certa de que funciona.

– Você precisa tocar nas portas para abri-las. E abaixar os assentos. E empurrar para sair. Essa é uma cidade cheia de trincos e botões. Nada aqui é automático.

Kezia estava começando a entender a propensão dos franceses para a xenofobia.

– Você não pega o metrô todo dia?

– Levo uma embalagem de álcool em gel – explicou Grey. – Você sabe que os franceses usam o metrô como urinol? Além do mais, você estará com malas.

Grey era sempre educada, mas aquilo era mais desespero do que educação. Certa ou errada, Kezia não tinha permissão para ter opiniões sobre Paris, e percebeu o motivo: estava chegando de uma cidade na qual a própria Grey se sentia rejeitada.

– Uma só, mas está bem. Obrigada. Aliás, há quanto tempo vocês já estão aí?

– Fará sete meses na próxima semana.

– Estão fazendo amigos?

– Ah, com certeza. Temos um monte de amigos.

– Está vendo? Os parisienses se tornam mais receptivos quando percebem que você não é um merda qualquer.

– Ah, bem... não, obviamente não temos nenhum amigo *francês*.

O círculo social de Grey era composto basicamente por expatriados como ela. Portanto, não era apenas o francês dela que nunca melhorava, mas o conhecimento do lugar. É possível aprender vocabulário sozinho, mas o conhecimento do lugar é adquirido por osmose. Grey não tinha um motivo concreto para interagir com franceses de verdade, que viviam na França. Nem, na verdade, com os mortos. O primeiro apartamento deles, pago por três semanas pela firma de Paul, era um lugar limpo e sem alma, com vista para o cemitério Père-Lachaise. Paul gostava de sair tropeçando pelas colinas calçadas com paralelepípedos, torcendo para esbarrar com Chopin durante sua "Caça aos ovos de Páscoa dos que já estão na danação".

– Você vai adorar o lugar onde estamos morando agora. Nosso antigo apartamento era sinistro. O elevador era do tamanho dos caixões do outro lado da rua. Sabe, às vezes eu achava que estava ouvindo o barulho de obras, ou de pica-paus, sei lá. Então percebia que era o som de letras sendo entalhadas nas lápides.

– Soturno.

– Os túmulos franceses são supercafonas, sabe? São cobertos por flores de plástico!

– Sim, mas eles têm Cézanne, Truffaut e Descartes. *Tout les cartes.*

– E daí?

– E daí que acho que são seguros de si o bastante como nação para usar flores de plástico. Quer dizer, os franceses têm um bilhão de anos de história, podem fazer qualquer coisa com isso.

– Mas essa é a questão! – Grey agora estava gritando. – Eles é que escolhem o que é sagrado. Não é como nos Estados Unidos, onde todo mundo se veste com uma mistura high/low de peças caras e baratas, mas que fica a seu critério que blusa é Chanel e que suéter é Zara. Aqui há uma resposta certa, estou lhe dizendo. É mais como... ah, você comprou seu sabonete a granel? *Intéressant.* Ou, ah, você pagou trinta euros por essa chaleira? É tão *original.* Mas eles guardam todas as respostas certas a sete chaves e depois jogam as chaves no Sena. Muito bem, tenho que desligar, Paul quer ir a alguma coisa no Pompidou. Vejo você na segunda.

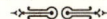

Grey estava do lado de fora do carro, esperando por Kezia, na área de Desembarque. A última vez que Kezia estivera no Charles de Gaulle, sua grande preocupação fora passar com uma bolsa cheia de ossos de alce, de volta para Nova York. De acordo com Rachel, se a imigração a pegasse, simplesmente confiscaria o contrabando e a deixaria seguir seu caminho. Sorrindo rigidamente para um guarda do aeroporto, Kezia sentiu um estremecimento retroativo pelo que poderia ter acontecido.

– E todos eles falam inglês – berrou Grey quando elas já entravam na rodovia –, todos eles, até as mendigas... mas fingem que não falam.

Os gritos de um DJ da Virgin Radio se tornaram mais altos depois que Grey fechou as janelas. Os outdoors passavam rápido, mas Kezia conseguiu ver um, bastante entusiasmado, da *mostofit* ("mussetufiti!" como soava no sotaque francês). Já fazia algum tempo que ela não via ou ouvia nada do lugar onde Victor trabalhava (ou, ao que parecia, trabalhara). Talvez a *mostofit* fosse como o seriado *Friends*. Adorado na França por toda a eternidade.

– Sim, sei que eles falam inglês.

Grey lançou um olhar à amiga, como se Kezia não tivesse nem ideia. Kezia não podia evitar se sentir exasperada. Os ataques a Paris estavam lhe dando nos nervos. Ela já estivera ali antes, afinal. Sabia como cumprimentar com beijinhos, como atravessar as ruas perigosamente com confiança, em que lugares podia andar e em quais não podia. Sabia ser seletiva quando escolhia "o especial do dia" em um restaurante. Em Nova York, "o especial do dia" era o que havia de mais fresco descrito no quadro-negro. Em Paris, poderia ser o que quer que estivesse parado na geladeira por mais tempo.

Grey mostrou um entusiasmo momentâneo quando elas pararam para abastecer o carro. Insistiu para que Kezia a acompanhasse até dentro da estrutura de vidro, enquanto ela pagava. Queria que Kezia visse "a melhor parte da França".

Através do vidro, Kezia podia ver sanduíches pré-embalados e um pôster de uma garota fazendo sexo oral com um picolé. Dez minutos mais tarde, ela e Grey saíam com dois cappuccinos feitos por uma cafeteira automática, servidos em xícaras finas de isopor.

— Bom. — Kezia soprou a bebida, deu um gole e assentiu.
— Minha obstetra diz que posso tomar uma xícara por dia. — Grey deu um sorriso travesso. — E vinho também. Os médicos franceses são a segunda melhor parte da França.

Depois do apartamento com elevador de caixão, Grey e Paul haviam encontrado uma residência mais permanente no Marais. Havia anúncios da Chanel e da A.P.C. colados na lateral de uma caçamba de lixo e até a caçamba era bonitinha.

— Paul diz que esse lugar é como se o West Village e o East Village tivessem tido um bebê.

— Lembra tanto o Village.

— Aqui estamos. — Grey virou de repente o volante. — *Voilà!*

A rua era pequena e monocromática de cima a baixo. A pedra dos prédios se misturava à cor de ardósia do céu. Cortes de ferro delicados pontuavam as fachadas *pierre de taille*. O apartamento de Paul e Grey ficava em cima de um *coiffeur* e de uma loja que parecia ter sido transplantada de Portland, no Oregon, e vendia macacõezinhos infantis e cavalos-marinhos de feltro. Grey estacionou com uma das rodas no meio-fio.

O novo apartamento, avisou Grey, era menor do que o anterior. Ah, e elas teriam que subir alguns degraus bem estreitos. Ah, não era aconselhável se apoiar no corrimão.

— Entendi. — Kezia sorriu. — Agora que você me sequestrou, a verdade vem à tona.

Enquanto Grey ajudava Kezia a tirar a mala da traseira do Peugeot, uma mulher usando um vestido de verão, óculos escuros e batom bem vermelho passou de bicicleta. Não era de estranhar que Grey se sentisse tão infeliz. As parisienses eram glamorosamente informais e superiores até a sola dos pés. Em Nova York, ao menos, Kezia podia voltar para casa sabendo que a pessoa mais elegante por quem passara naquele dia também estava tirando uma calça de moletom da gaveta para usar como pijama. As cômodas francesas já vinham com gavetas de lingerie rasas.

Grey girou a chave na tranca e abriu a porta do apartamento com um chute, o que perturbou a passadeira oriental, que teve que ser chutada de volta para o lugar. O cheiro de frango assado, limão e alecrim veio da cozinha e entrou no corredor onde Grey tirava os sapatos. Kezia seguiu a deixa. Paul surgiu. Mantendo as mãos sujas de frango no ar enquanto a abraçava. Ele sempre tinha exatamente a mesma aparência. Como um boneco Ken.

– *Bienvenue!* Que perfeição é essa de vermos você novamente em tão pouco tempo?

– Absolutamente perfeito – disse Kezia. E falava sério.

Era como voltar uma década no tempo, essa exposição tão grande a Paul-e-Grey.

– Rémoulade de aipo?

Em cima de uma geladeira com metade do tamanho normal, estava uma série de Arcos do Triunfo de plástico, alinhados pelas pontas, de modo que se pareciam com o enfeite primo dele, o monstro do Lago Ness. Ao lado dos Arcos, estava uma cumbuca de plástico com o que pareciam ser cérebros albinos. Paul estendeu a mão para a cumbuca.

– É uma delícia – comentou Grey.

– Talvez mais tarde.

– Na verdade, é também um vegetal. Você sabe que os franceses não acreditam em couve? E o mesmo acontece com milho. Não há milho na França no momento.

– Isso não é verdade. – Kezia olhou para Paul. – Pode ser verdade?

Paul deu de ombros.

– Com certeza não há aquela miniespiga de milho.

– E miniespiga de milho é alimento básico em algum lugar?
– Kezia sorriu e tirou o adesivo de identificação que estava colado em sua mala. – Acho que eles descobriram que couve demais vai matar vocês de qualquer modo.
– Eu lhe dou cinquenta euros se você conseguir encontrar uma salada sem rabanete. – Grey balançou a cumbuca com os cérebros. – Elas são só frango e rabanete. Aposto cinquenta euros.
– Não posso tirar dinheiro de vocês...
Ela poderia. E faria isso. Feliz. Paul ficara rico por conta de um fundo hedge anos antes e aproveitara essa experiência em outros investimentos de risco lucrativos com impressionante habilidade. Ele se juntara a Caroline e Olivia no ranking das pessoas permanentemente estabelecidas na vida.
– Ah, meu Deus! – exclamou Grey. – Esquecemos de falar sobre a história com Victor!
O nome dele fez os sentidos de Kezia entrarem em alerta. Victor era o motivo silencioso pelo qual ela estava ali, naquele momento, discutindo sobre legumes.
– Caroline ligou, enlouquecida porque acho que ela e Felix almoçaram com Victor.
– Em Nova York? Quando foi isso? Ele está bem?
Grey sorriu.
– Você anda se preocupando muito com Victor, de repente.
– Estou apenas confusa, só isso. Achei que eles viriam para cá.
– A lua de mel foi cancelada. – Paul pareceu solene. – A mãe de Felix faleceu.
– Ah, meu Deus. Quando?
– No domingo à noite, ao que parece. Eles estavam com tudo arrumado para viajar, e então? *Elle mange les pissenlits par la racine.*
– E no meio disso tudo, aparentemente Victor saiu de forma intempestiva do restaurante, depois de ameaçar Caroline, ou coisa parecida.

— Ele a *ameaçou*?
— Bem, ele cantarolou o refrão de "Common People".
— A música do Pulp? Isso não faz sentido.
— Eu sei. – Paul balançou a cabeça. – Eu mesmo não penso em Jarvis Cocker como particularmente ameaçador.
— Não, quis dizer por quê? Desde quando Victor vai embora de almoços de graça? Ou é babaca com quem está de luto? E por que eles pegaram um avião para Nova York quando deveriam estar entrando em um avião para cá? E por que almoçar com Victor, afinal de contas?

Kezia tinha perguntas demais e o pressentimento de que todas tinham a mesma resposta.

— Caroline na verdade não gosta de Victor.
— Isso é maldade – repreendeu Grey.
— Não é maldade, é a verdade. – Kezia bocejou e o "a" de verdade a fez abrir mais a boca.
— Cansada? – Paul perguntou. – Você deve estar *absolument fatigue avec décalage horaire*.
— Estou bem. Onde coloco isso?

Ela levantou ligeiramente a mala do chão.

— No seu quarto... onde temos uma surpresa para você!

Paul e Grey deram o braço e sorriram. Kezia parou por um instante de especular sobre o paradeiro de Victor, o rosto dele substituído pela imagem de uma cesta com queijos e adaptadores de tomada. Talvez também alguns daqueles macaroons que Carolina costumava mandar para ela.

— Você vai amar ou odiar – disse Paul.
— Essas são minhas duas opções?
— Sim – respondeu Paul. – É a Howard Stern das surpresas.
— Acho que ela vai amar. – Grey piscou para Paul, que piscou de volta.

– Que fofo... vocês estão tendo uma convulsão em conjunto?

– Vá. – Paul gesticulou com os ombros, enquanto lavava as mãos sujas de frango.

– Está beeeem. – Ela foi na direção do quarto, ainda olhando para os dois.

Kezia abriu a porta e viu uma cama feita à perfeição e duas mesas de cabeceira (do mesmo tipo que Meredith e Michael usavam). As portas do armário eram estilo sanfona e havia uma bolsa Céline pendurada na maçaneta. Um berço ainda desmontado estava apoiado contra uma das paredes. Nada para ver ali, pessoal. Era só um quarto. A menos que a bolsa Céline fosse para ela. Grey era legal, mas não era tão legal assim.

Kezia deu de ombros, colocou a bagagem no chão e passou a mão pela bolsa de viagem em busca do zíper. Não havia surpresas e certamente não havia macaroons de pistache. O que havia, no entanto, era uma umidade dentro da bolsa. Uma das embalagens líquidas dela explodira no avião.

– Merda – disse, tentando decifrar o que havia sido.

Ela precisava saber com o que ficar aborrecida. Dependendo de qual fora a embalagem, ficaria furiosa por ter perdido o conteúdo dela, ou furiosa por ter manchado a roupa que planejara usar na fábrica de Claude Bouissou no dia seguinte.

– Merda, merda – murmurou, ainda farejando.

– Você não parece muito animada em me ver – disse uma voz masculina.

Ela deu um grito e caiu para trás por cima do canto da cama. As portas do armário se abriram para revelar um Nathaniel às gargalhadas do lado de dentro.

Ele cruzou os braços e se deixou cair sobre o colchão, no estilo de quem testa colchões. Os cabelos ainda ficaram no ar depois que o corpo já estava imóvel. Kezia ouviu Paul e Grey às gargalhadas na sala.

— Tem um beijinho para o papai? — Nathaniel abriu os olhos e sorriu.

— Que diabos você está fazendo aqui?

Ele rolou para o lado e levantou os olhos para ela.

— Ora, agora você *realmente* não está parecendo animada.

VINTE E NOVE

Victor

Victor se pegou parado em um trecho da calçada no extremo fim de Upper East Side, examinando uma bandeirola em que se lia "fi:af". Em uma letra menor, estava escrito "French Institute (Instituto Francês)/ Alliance Française". Ele desconfiou que era o impulso francês que causava a confusão do design e o norte-americano que providenciava a explicação imediata. A pesquisa da véspera dera várias pistas a ele, mas bibliotecas eram como médicos: estava na hora de ver um especialista.

Ele atravessou as portas duplas e segurou uma delas para que entrasse uma mulher que usava uma echarpe no pescoço e empurrava um carrinho. Um septuagenário com cabelos cheios e grisalhos estava sentado comendo Pringles distraidamente e vendo o telejornal noturno francês na tela grande da televisão. Ele provavelmente ia até ali toda tarde, pensou Victor. Uma enfermeira particular lia uma revista de fofocas e levantava os olhos quando o homem mastigava alto demais. Que bom seria sentir saudade de um lugar, pensou Victor, se sentir ligado à França apenas porque, por acaso, nascera francês. Ele raramente, se é que algum dia isso chegara a acontecer, ansiava pelos subúrbios de Boston e não se sentia nada melancólico quando sentia o cheiro de sopa de mariscos, ou passava por um café Dunkin'Donuts.

— Vocês têm uma biblioteca, aqui?

— Segundo andar. — Um segurança apontou para um mapa de localização pregado à parede.

— Fantástico! — Victor deu um tapa entusiasmado no balcão onde estava o segurança.

O homem ergueu uma sobrancelha. Nas últimas 48 horas, Victor desenvolvera a postura orgulhosa de quem não tinha ideia do que estava fazendo, mas que tinha assumido o compromisso de fazer assim mesmo.

Victor saiu do elevador. E imaginou que era possível chamar aquilo de biblioteca. O lugar todo, todos os cômodos visíveis de onde ele estava, eram mobiliados com mesas claras e um carpete de um azul suave que ainda guardava as marcas do aspirador de pó. Parecia uma sala da pré-escola antes de as crianças chegarem. Três senhoras chiques de meia-idade, usando acessórios de crocodilo, compartilhavam um exemplar da *Paris Match*. Na capa da revista estavam estrelas do futebol europeu e suas namoradas de seios grandes.

Sob uma placa onde se lia CENTRE DE RESOURCES, estava um bibliotecário com uma massa de cabelos ruivos, parecendo profundamente entediado.

— *Excusez-moi, mais est-ce que vous...*

— *Est-ce que tu, est-ce que tu* — corrigiu-o o homem.

Victor arregalou os olhos. Escute, Conan, pensou ele, você tem sorte de eu ter conseguido dizer ao menos isso. Qualquer conhecimento de francês adquirido na sétima série fora recolhido do Daft Punk.

— Certo. *Oui* — disse Victor. — Estava me perguntando... *avez vouz les livres,* ahn... *dans...*

Ele não sabia nem como dizer joias em francês.

— Ahn... *avez-tu une livre avec les mots du* bugigangas?

— Bugigangas?

Victor apontou para as senhoras com a *Paris Match* e traçou uma linha ao redor do próprio pescoço. O mesmo gesto usado para *Vou matar você depois.*

– Ah, *les bijoux*! Está certo – falou o bibliotecário em um inglês perfeito, olhando Victor de cima a baixo. – O que está procurando exatamente?

O homem tinha um forte sotaque sulista. Do Mississippi, talvez. Victor tentou se ajustar à nova informação.

– Não estou procurando por um título específico. Você tem uma seção de joalheria?

O bibliotecário levou a mão ao quadril.

– Não tenho certeza do que temos, querido, mas está ali.

Ele saiu de trás da mesa, e fez sinal para que Victor o seguisse.

– Tudo sobre moda e design deve estar nessas duas prateleiras de cima. Há uma escada no canto, mas acho que você consegue alcançá-las, não é mesmo? Qual é a sua *altura*?

– Tenho um metro e 93. – Victor abaixou os olhos. – Não estou procurando exatamente por livros sobre moda francesa. Meu interesse é mais em textos históricos.

– Ah, *texts* – disse o bibliotecário, como se aquilo fosse a coisa mais fora do comum que já tivesse ouvido –, não vai encontrá-los aqui. Não somos uma biblioteca de pesquisa. Temos tudo o que há de atual em imprensa e literatura. Você sabe, basicamente só um monte de bobagens aleatórias em francês.

Victor se perguntou como qualquer pessoa era contratada por qualquer lugar.

– Vou dar uma olhada. Já que estou aqui.

– Meu nome é Holler, se precisar de alguma coisa. – O bibliotecário piscou para ele.

Victor puxou uma cadeira, perturbando as marcas do aspirador. Ele se sentou entre bastidores de pendurar jornais, as dobras do *Le Monde* e do *Le Figaro* passadas ao redor de traves de madeira, caindo como roupa lavada. Conan estava certo sobre a ausência de textos históricos. Havia apenas uma estante para *littérature*, que guardava quatro exemplares de *Madame Bovary*, um de *Les Misérables*, e um volume ilustrado também de *Les Misérables*. A seção de aluguel de DVDs era mais extensa. Victor se levantou, viu o antigo computador Dell no canto e começou a digitar nas teclas pegajosas. Havia computadores como aquele na recepção da *mostofit*. Modelo III. APPle II. Comodore 64. Fósseis encapsulados em vidro, por medo de que seus piolhos obsoletos contaminassem o ar.

Victor limitou a busca usando as teclas de direção.

- *Bijouterie* (2 títulos)
- *Joyaux* (2 títulos)
- *Manifestations Culturelles* (2 títulos)

E eram todos os mesmos dois títulos. Dois livros grandes de fotos, um sobre Cartier e outro sobre uma empresa chamada Lalique. Os pais de Victor tinham um vaso Lalique. Ele havia quebrado o vaso ao meio, sem querer, quando era criança – estava na sala de jantar, praticando movimentos de caratê que aprendera de forma autodidata. Suas pernas haviam crescido muito mais rápido do que o cérebro.

Os livros estavam encapados em plástico, com os números do Sistema Decimal de Dewey nas lombadas. De acordo com o primeiro, Cartier fora fundada em 1847, mas não começara a fazer nada semelhante ao colar de Johanna até 1920, bem depois da data no desenho. O livro listava grandes joalheiros da época: Lemonnier, Baugrand e Mellerio. Nenhum deles havia assinado o desenho de Victor. Mas os desenhos em si, feitos *avec crayon*, pareciam demais com o de Johanna – o mesmo papel marrom amarelado, as mesmas descrições anotadas em um ângulo elegante.

O FECHO

As senhoras da *Paris Match* devolveram o material de leitura, decidindo silenciosamente ir embora. Victor olhou para o celular. O estômago dele roncava como um caminhão de cimento vazio, mas ele ainda não queria voltar para casa. Se ficasse longe por tempo o bastante, poderia se enganar pensando que estava voltando para o apartamento depois de um dia duro de trabalho.

Ele voltou a examinar os desenhos nos livros. Por que o colar de Johanna não podia ser um desses? Bum: mistério resolvido, a vida seguia. Victor estava perdido em uma imagem de brincos de água-marinha, lembrando vagamente dos olhos de Kezia, sentindo-se tolo por fazer a ligação, quando algo lhe chamou a atenção no fim da página. Era um endereço em Moscou, de uma loja, ou de uma casa, perto da Praça Vermelha. Victor aproximou mais a cadeira da mesa. Então começou a folhear febrilmente o livro. Os números no fim de cada desenho não indicavam um peso, ou um preço, ou algum código de catálogo. Eram endereços. Todos eles.

Depois de examinar detalhadamente uma enorme quantidade dos desenhos, Victor começou a preencher as lacunas do próprio desenho. O arco de um zero e as partes de cima dos cincos eram bem fáceis, mas agora ele podia contextualizar toda a fileira de números: 76550. O restante permanecia indecifrável, ou cortado, ou rabiscado demais. No celular, Victor procurou por "76550", "colar", "endereço".

Nada.

Acrescentou "França" e "século XIX". Nada ainda.

"76550 colar endereço França século XIX joia" também não o levaram a nada.

"76550 colar endereço França século XIX joia brilho brilho cacete cacete" o levaram a uma lista impressionante de brinquedos sexuais vitorianos.

O colar, com sua única lágrima, estava zombando dele, zombando de seu pretenso talento para investigação de dados. Victor balançou a cabeça. As circunstâncias o haviam deixado sem escolha...

Victor se aproximou de Conan, o Bibliotecário.

– Ei. Acho que você poderia me ajudar.

– *Château*. – O homem revirou os olhos enquanto examinava o desenho de Johanna. – Obviamente está escrito *château*, castelo em francês.

– É mesmo? – Victor pegou o desenho de volta com cuidado.

– Há *mais* alguma coisa que eu possa fazer por você? – Conan se apoiou nos cotovelos e abaixou os olhos para os ombros de Victor.

– Não, eu só... – Victor balançou a cabeça e apontou na direção do computador.

Ele entrou no navegador da biblioteca. Ao trocar os "brilhos" e "cacetes" por "château" conseguiu a indicação de um artigo de uma versão francesa da revista *Town & Country*, uma história sobre castelos franceses particulares, de propriedade de uma única família.

Havia uma apresentação de slides de castelos de cinco regiões diferentes da França: Borgonha, Bretanha, Rhône, Alta Normandia e algum lugar nos arredores de Nice com um rio que corria direto sob o próprio castelo. Os proprietários daquele castelo estavam sentados em um barco a remo, os remos recolhidos, os rostos virados para encarar o fotógrafo. Victor clicou na foto do castelo na Alta Normandia. O casal, de pé contra um muro de tijolos sombreado por uma pereira, tinha sorrisos forçados no rosto, que pouco disfarçava o verdadeiro sentimento deles sobre serem fotografados para uma revista: eram a versão francesa do quadro *American Gothic*. Em vez de um ancinho, o homem estava segurando um punhado de rabanetes, a lama ainda fresca nas extremidades.

O FECHO

A mulher parecia soturna. Tinha olhos muito separados, um nariz comprido e um corte de cabelo que Victor reconheceu das reprises das novelas dos anos 1970. O marido era careca, e tinha um dos rostos mais perfeitamente redondos que Victor já vira. Atrás do muro havia uma construção de tijolos vermelhos, com dezenas de janelas, algumas entreabertas. Victor buscou a legenda.

> *Cela pourrait sembler être le mode de vie idéal, mais l'entretien n'est pas une tâche facile pour ces familles. Étant donné le grand nombre de demeures classées au Patrimoine historique dans les campagnes françaises, même des familles telles que les Ardurat (voir photo cidessus de la famille dans le jardin du château de Miromesnil, ville natale de Guy de Maupassant) doivent s'en remettre à l'État, qui prend en charge 20 pourcents des coûts d'entretien. Toutefois, afin de recevoir ces 20 pourcents, les Ardurat doivent garder une partie de leur maison ouverte au grand public pour des visites de groupe.*

Era uma quantidade de texto em francês maior do que Victor conseguiria absorver. Ele reuniu as partes importantes. Dinheiro do governo... desde que os turistas ocasionais pudessem fazer o passeio. Victor bufou. Não era de admirar que as famílias parecessem tão irritadas – os dias deles eram ocupados com americanos de pochete se espremendo por corredores feitos para receber Marie Antoinette. Victor limpou os óculos na camisa e voltou a olhar para os rostos do casal. Os Ardurats. Esse era o nome deles. As duas pessoas de aparência menos convidativa do planeta. Na imagem seguinte, o marido estava inclinado sobre um busto de mármore de Guy de Maupassant, *auteur de nombreux livres*.

Sim, mas de um *livre* em particular, pensou Victor, lembrando-se da vez em que ele e Nathaniel haviam testemunhado o esgotamento nervoso da professora deles quando discutiam "O colar". Isso parecia ter acontecido séculos antes.

Na última imagem, os Ardurats se afastavam da câmera – apareciam de costas, voltando para a casa enorme deles, seguidos por uma última legenda.

Crédit photo: Chloé du Page
M. et Mme Ardurat portent leurs propres vêtements.
Seánce photo au château de Miromesnil, 76550 Tourville-sur-Arques.

Victor aproximou o rosto da dela e colocou o desenho de Johanna lado a lado com o monitor do computador, e depois na frente do monitor, pressionando-o à tela como uma raio-X. 76550 Tourville-sur-Arques. Guy de Maupassant. O colar de Johanna não era apenas um colar. Era *o* colar.

– Cacete. – Victor agarrou a mesa. – Cacete!

Conan se inclinou para a frente na mesa e pediu silêncio.

– Não há ninguém aqui. – Victor gesticulou ao redor do salão.

– Ainda assim. Shh!

– Ei. – Victor anotou o nome completo de Guy e colocou-o sobre a mesa do bibliotecário. – Essa biblioteca empresta livros?

– O que está procurando agora, querido?

– Qualquer coisa desse escritor, ou sobre ele. – Victor empurrou o pedaço de papel através da mesa, e não disse o nome em voz alta porque sabia que não podia confiar na própria pronúncia.

– Está em *littérature*. Temos alguns exemplares dos contos.

Victor se lembrava claramente de "O colar" agora: a triste história de uma mulher que pegava um colar emprestado e o perdia.

O FECHO

Ele podia ver a professora, histérica, passional, apaixonadamente histérica. Podia praticamente sentir o cheiro da sala de aula. Victor abriu um dos exemplares. De acordo com a introdução, Maupassant escrevera centenas de histórias, fora um dos escritores de ficção mais prolíficos do mundo, mas "O colar" fora a obra mais popular dele. *Publicado pela primeira vez em 1884...*

O desenho na mão de Victor fora feito um ano antes, quando Maupassant provavelmente estava escrevendo o conto. Victor virou a primeira página da história:

> Sofria com a pobreza de seus aposentos, com a miséria das paredes, com a deterioração de cadeiras, com a fealdade das decorações.

Você e eu, meu bem. Victor virou para a página seguinte.

> Não tinha toaletes, joias, nada. E não amava senão isso; sentia-se feita para isso. E tanto desejaria agradar, ser invejada, ser sedutora e procurada! Tinha uma amiga rica, uma companheira de colégio que não queria mais ir ver, tanto sofria ao regressar. E chorava durante dias inteiros, de pesar, de dor, de desespero e de angústia.

Victor engoliu em seco, lembrando-se do rosto contorcido da professora, sentindo-se cair entre as palavras.

> De repente, ela descobriu, em uma caixa de cetim negro, um soberbo colar de diamantes; e o coração se lhe pôs a bater num imoderado desejo. Perguntou, então, hesitante, cheia de angústia: "Pode emprestar-me este, somente este?"

Ele teve a intuição de que aquilo era mais do que uma coincidência. Pegou o livro emprestado, então, junto com uma grossa biografia de Maupassant.

— Você tem duas semanas. — Conan carimbou um cartão na primeira página do livro.

Victor assentiu, algo semelhante a um plano tomando forma em sua mente. Certamente duas semanas seriam o suficiente para raspar as economias da vida dele, voar para um castelo distante, encontrar o colar de Johanna e decidir o que fazer com ele.

Victor voltou para a rua caminhando com uma expressão sonhadora, animado com o mesmo ar de Manhattan que o fizera se sentir sufocando ainda na véspera. O que faria com o colar se o encontrasse? Se o colar de Johanna e *o* colar fossem o mesmo objeto, isso seria um acontecimento importante. Guardar para si mesmo estava fora de cogitação, assim como vender a peça. Ele poderia fazer uma pesquisa genealógica, mas não parecia haver gerações de Maupassants morando na França. Felix não sabia nada a respeito e, além do mais, entregar o colar a Caroline, fazer qualquer coisa por Caroline, lhe dava ânsias de vômito. Victor tinha a minúscula fantasia de entregar a peça a um museu. Já podia até ver: EX-FUNCIONÁRIO DE MECANISMO DE BUSCA VIRA INVESTIGADOR LITERÁRIO, TORNA-SE UM HERÓI, DESCOBRE UM PROPÓSITO.

Não importava o que ele escolhesse fazer, estava mais perto de resolver o mistério do colar do que Johanna e a tia dela jamais haviam estado. Porque agora ele sabia o que Johanna não soubera: o colar não estava apenas em algum lugar da França. Estava em 76550 Tourville-sur-Arques.

TRINTA

Kezia

—O pior – confessou Grey – é que realmente acho que estou ficando burra. Eu me sinto exausta quando penso. Porque quando tenho oportunidade de falar, falo em inglês, mas uso intrinsecamente...

– Instintivamente – corrigiu Nathaniel.

– *Instranstintualmente* uso as mesmas palavras em inglês que compreendo em francês. Penso, o que eu entenderia se fosse eu? Olá. Como vai você? Vou ao banco. Sabe onde fica o banheiro? Seu filho é fofo.

– Sobrou alguma coisa aqui? – Kezia apontou para a garrafa de vinho, o vidro escuro escondendo essa informação valiosa.

Eles haviam comido sobre uma toalha de mesa de renda branca. Velas cinza em vários estágios de uso. Com a exceção de alto-falantes Bang & Olufsen sobre o console da lareira, era como se estivessem jantando em um apartamento do pré-guerra em Paris.

Nathaniel ergueu a garrafa e sacudiu-a no ar.

– Nada. Ei, Paul?

– Você não está ficando burra, meu amor. Só se recusa a conjugar os verbos.

– Gostaria de uma caneta. Não preciso de um guarda-chuva. Quanto custa isso?

Nathaniel esfregou os olhos com o polegar e o indicador.

— Paul, tem mais vinho?

— Grey — disse Paul, pousando a mão na lateral da cabeça da esposa —, o que você vê como uma atrofia de seu vocabulário é só seu cérebro abrindo espaço para a França. Confie em mim, vai melhorar.

Satisfeito com diagnóstico que acabara de fazer, Paul recolheu a mão e pegou o resto do remoulade do prato de Grey, girando a mandíbula alegremente.

Kezia não confiaria no marido em relação ao assunto, se fosse Grey. Eles haviam chegado a Paris no mesmo segundo, na mesma hora, do mesmo dia. Paul não tinha autoridade para dizer que as coisas "iam melhorar". A esposa dele, nesse meio-tempo, estava vivendo sua própria versão do filme *Encontros e desencontros*, frequentando a Shakespeare & Company, ao mesmo tempo que torcia para que os clientes da livraria presumissem que era francesa, enquanto se deliciava com o som do inglês que ouvia ali. Grey confidenciara a Kezia que, nos dias mais sombrios, ela se pegava cheirando desinfetante sanitário importado e se esgueirando para dentro do Burger King na estação Saint-Lazare.

— A colher não está aqui. — Grey jogou a colher para o outro extremo da mesa. — Porque a colher está lá. Tenho sífilis.

— Você sabe dizer "sífilis" em francês? — Paul sorriu.

— Acho que não é isso o que ela está tentando lhe dizer — Nathaniel arrotou contra o punho.

— Eles chamam de doença francesa, *mon amour*. — Grey quebrou seu próprio encanto. — Estou dando um palpite.

— Está vendo? Eu lhe disse que você não estava ficando burra.

Nathaniel inclinou a cabeça em um ângulo até conseguir sussurrar no ouvido de Kezia.

— Lembra daquela cena em *Minha vida é um desastre*, com as batatas *froncesas* e o molho *froncês*?
— Shhh. — Ela levou o dedo à boca.
— É a linguagem internacional do amor, Ricky.
— Eles devem ter mais bebida na cozinha.
— Droga, garota. Desde quando você *bebe* bebida de verdade?
— Desde que descobri que precisarei dividir uma cama com você.
— Eu lhe disse que dormiria na espreguiçadeira. Sou capaz de dormir em pé agora mesmo.

Kezia o encarou. A espreguiçadeira não era uma espreguiçadeira, e sim uma poltrona dura coberta por seda Luís XVI e almofadas triangulares intencionalmente hostis. Paul a comprara em sua barraca favorita no mercado das pulgas de Clignancourt, junto com algumas fotos em ferrótipo de parisienses mortos desconhecidos.

— Como um cavalo — disse Nathaniel. — *Riinch!* Ou posso dormir virado para seus pés, se você preferir. Sei que prefere enfiar um ferro quente no olho do que estar na mesma cama com meu ferro quente.
— Por que mesmo você está aqui?
— Precisava de férias.
— Não estava em Miami uns cinco segundos atrás?
— Aquilo lhe pareceu com algo semelhante a férias?
— Argumentação aceita.
— E talvez você não seja a única com um emprego estressante. Los Angeles tem pressões que você não pode nem sequer imaginar. Eu me vejo puxado em várias direções ao mesmo tempo. Precisava de um descanso.
— Estou impressionada por você ter conseguido partir.

– Não acredita em mim? Tudo bem. Não preciso que acredite.

– Não mesmo? – Ela levou o copo aos lábios, esquecendo momentaneamente que não havia nada ali.

– Talvez eu só goste de passar algum tempo com você em cidades em que nenhum de nós dois vivemos.

Aquilo foi o mais perto que Nathaniel chegara de mencionar a desastrosa última viagem dela para Los Angeles, quando ele estragara a impressão que Kezia guardava dele por tanto tempo. E ela, por sua vez, deixara que ele a levasse para casa, bêbado. Havia desculpas a serem trocadas? Não naquele momento, ao que parecia.

– Você está irritadinha demais para quem trepou no fim de semana passado.

– Ei, do que está falando?

– Não banque a recatada comigo, mocinha. Estou falando de Judson, o amigo de Felix.

Nathaniel sabia o nome dele. Provavelmente desviara os olhos do celular e dos roteiros que levara apenas tempo o bastante para ver Judson dando em cima de Kezia e perguntar: quem é esse cara?

– Ahn. Não está acendendo nada em minha mente.

– Então talvez precise consertar seu termostato, meu bem.

– Judson já consertou.

– A-há! – Nathaniel recostou a cadeira demais para trás e teve que agarrar a mesa para não cair.

Kezia caiu na gargalhada, mas Paul e Grey não perceberam nada.

– ... e deixe eu lhe contar sobre meu escritório. – Paul ergueu a voz, presumindo que Kezia e Nathaniel ainda queriam ouvir. – Todos devem chegar para trabalhar por volta das dez da manhã, mas como todos sabem que essa é a hora-base, acabam chegando por volta das dez e vinte. Então, bem, já está perto da hora do almoço e temos que tirar duas horas para almoçar. Se não, as pessoas vão presumir que você não está aproveitando a vida ao máximo, que não está aproveitando ao máximo seja com que for que você estiver trabalhando, ou aproveitando ao máximo quem estiver comendo.

– Sempre soube que havia nascido para viver aqui. – Nathaniel fechou os olhos e inspirou fundo.

Era por isso que não sobrara vinho. Porque Paul estava bebendo por dois e agora as fissuras em sua fachada de agência de turismo de um homem só estavam começando a aparecer.

– Como que por mágica – continuou ele –, os franceses conseguem fazer o trabalho. Não são preguiçosos. Não são como os espanhóis.

– Jesus, Paul. – Grey enfiou o dedo em um monte de cera quente derretida.

Kezia e Nathaniel começaram a bocejar em turnos. Então, limparam os pratos e os levaram até a cozinha.

– Não precisam fazer isso – murmurou Grey, sem se mexer.

Nathaniel pousou a mão sobre o ombro dela.

– Grey, estamos indo para a cama.

– Ah. – Ela recuperou a animação. – Há toalhas na mesinha de cabeceira. E cobertores extra no alto do armário.

Paul acenou.

– Boa noite, crianças.

Kezia sabia que Paul não falara com segundas intenções, mas na semana anterior mesmo, ela e Victor haviam ficado horrorizados, com pena de Paul e Grey, ao imaginá-los enfiados no assento traseiro de um carro, atrás de Caroline e Felix, rebaixados à posição de crianças. Mas agora eram ela e Nathaniel os esquisitos, que estavam temporariamente ali, enquanto os amigos casados e grávidos dormiam profunda e presunçosamente no outro quarto. Agora eram eles os errados, os que teriam que fazer uma barreira de travesseiros entre seus corpos. O jetlag de Nathaniel era maior do que o de Kezia, portanto deve ter sido ele que jogou todos os travesseiros no chão por volta das três da manhã, e voltou a dormir com a panturrilha em cima da dela.

TRINTA E UM

Victor

Victor jogou a bolsa de viagem, ainda suja de areia embaixo, por cima do ombro e bateu na porta de metal. Podia ouvir o som de uma televisão, alto demais, seguido da batida do martelo em um reality show passado em um tribunal. Ele bateu de novo, com força, e ouviu o barulho mais imediato, agora, de pés se arrastando, aproximando-se, seguido por um "*¡Anda el diablo!*" Victor se afastou do olho mágico e ficou parado, sem expressão, como se estivesse tirando foto para a carteira de identidade.

Matejo abriu a porta. Estava usando uma camiseta Brooklyn Nets e segurando uma faca de descascar.

– Estou fazendo salada de ovos.

– Preciso lhe pedir um favor.

Matejo ficou tenso, pronto para fechar a porta. Atrás dele o apartamento estava escuro, todas as persianas abaixadas.

– Não se preocupe, não é nada importante. Vou ficar fora da cidade por um tempo. Provavelmente por uma semana. Você se importaria de dar uma olhada no meu apartamento, de vez em quando? Ah, e de recolher minha correspondência, também? Essa chave menor é a do meu escaninho.

Victor estendeu um molho de chaves. Matejo parecia surpreso e cético.

— Por que eu? Você tem algum animal de estimação no apartamento que precisa ser alimentado? Esse prédio não permite animais.

Victor estendeu um pouco mais as chaves e deixou-as cair sobre a ponta da faca.

As chaves deslizaram por alguns centímetros e pararam.

— Matejo, por favor. — Victor ligou o celular para checar a hora. — Preciso ir. Mas me sinto mais seguro sabendo que você vai estar tomando conta do meu apartamento. É só dar uma olhada.

Matejo virou a ponta da faca para baixo e segurou as chaves na mão.

— Sei que você conhece esse prédio melhor do que ninguém.

O outro homem amoleceu.

— É verdade.

— E sei também que você é um cara responsável.

— Também é verdade. — Matejo assentiu diante dessas palavras inegáveis.

— E que sabe, melhor do que ninguém, que não tenho praticamente nada em casa. Mas gostaria de manter o pouco que tenho. Seria terrível descobrir que alguém andou mexendo nas minhas coisas enquanto eu estive fora.

— O que está insinuando?

— Chegou a ter alguma notícia da polícia, Matejo?

— Está dizendo que andou falando com a polícia?

Ele recuou ligeiramente para dentro do apartamento.

— Estou dizendo que não fui à polícia, mas achei que você poderia ter mudado de ideia. Talvez algum investigador tenha deixado um cartão ou coisa parecida? Mesmo sabendo que os policiais vivem ocupados tentando resolver assassinatos, é meio fora do comum que eles não tenham conversado com pessoas que foram roubadas no mesmo prédio.

– Eu... escute, escute, *pana*... aquele garoto levou meu cofre. Juro para você que levou.
– Eu sei. – Victor tamborilou no batente da porta. – Por isso agradeço por você se certificar de que nada aconteça no meu apartamento.
Victor abraçou Matejo e lhe deu batidinhas nas costas. O vizinho enrijeceu o corpo e abriu os braços, segurando a faca no ar.
– Ei. – Ele saiu do apartamento, falando com Victor, que já descia a escada. – Você está bem, cara?
– Não pareço bem?
– Está diferente. Parece animado, mas de um jeito bem maluco.
– Acho que estou bem, então.
Matejo acenou, se despedindo, e voltou para o programa de tribunais.
Já do lado de fora do prédio, o cheiro do lixo quente atingiu em cheio o nariz de Victor. Ele parou para pensar em sua iminente jornada. Tinha "O colar" (o livro) e o outro colar (em uma folha de papel). Tinha o endereço dos Ardurats. Tinha uma pasta de dente em miniatura que ganhara em uma ida ao dentista. E também um aparador de pelos de seus tempos de ladrão de lojas. Estava levando ainda descongestionante, desodorante e o passaporte. Sabia exatamente quanto havia em sua conta bancária. Mas o mais importante era que tinha algo que havia muito tempo não se lembrava de ter: um plano.
Victor comprara uma passagem de ida e volta. O voo de ida sairia de Nova Jersey e ele faria duas conexões – uma na Filadélfia e outra na Cidade do Porto, em Portugal –, antes de chegar a Paris. Depois de descontar o dinheiro que pagaria ao táxi para o aeroporto, sobrariam cerca de dois mil dólares em sua conta. Depois, ele entraria na perigosa zona do euro, onde uma baguete poderia levá-

-lo à falência. Não alugaria um carro. Não passaria a noite em Paris. Iria direto para o castelo e não diria a ninguém onde estava.

Victor inspirou profundamente o cheiro do lixo. A ideia da viagem não começou como um segredo. Ele teria contado a qualquer um que perguntasse. Se os textos e ligações de Kezia tivessem mostrado ao menos o mínimo benefício da dúvida, se ela tivesse no mínimo aventado a possibilidade de Victor não ter se enforcado no varão da cortina do banheiro e, ao contrário, tivesse imaginado que ele poderia estar no mundo, vivendo, até teria contado a ela. Mas Victor não precisava colocar lenha na fogueira da piedade de Kezia. Era melhor ignorá-la, privá-la de oxigênio, até que se apagasse sozinha.

⊷⇌◦⇋⊶

Ele não dormira no avião (adrenalina combinada com o recente despojamento de seus fones de ouvido que isolavam o barulho), mas agora eram sete e meia da manhã e Victor não queria começar o dia desmaiado entre as áreas de desembarque e embarque na Cidade do Porto. Ele comprou um café (2 euros), um sanduíche de frango (4,25 euros), um refrigerante com o desenho de um torpedo na lata (0,80 euros), e se acomodou em uma cadeira de plástico fixa no chão. Leu a biografia de Guy de Maupassant, junto com um livro de cartas do autor que comprara na livraria Strand, antes de sair de Nova York. Gostava de Maupassant. Gostaria de ter passado mais tempo aprendendo sobre ele durante a faculdade.

Todo homem feliz, que deseja preservar sua integridade de pensamento e independência de julgamento, escreveu Guy, *ver a vida, a humanidade e o mundo como um observador livre, acima de qualquer preconceito, de qualquer crença preconcebida e de qualquer religião, deve com certeza se manter afastado do que é chamado de Sociedade; porque a estupidez universal é tão contagiosa que esse homem não pode conviver com seus iguais sem, apesar de seus melhores esforços, ser afetado pelas convicções deles, por suas ideias e por sua moralidade imbecil.*

Victor não pôde evitar uma sensação de afinidade com o homem.

E Maupassant também estava basicamente desempregado.

Acordo às oito da manhã. Dou uma caminhada pelo jardim, faço uma visita ao peixe dourado, tomo banho, fumo, escrevo até as onze horas, tomo outro banho, almoço, pego minha pistola e atiro quarenta balas a trinta, vinte e dez passos, até estar satisfeito com minha habilidade no tiro. Então saio de barco.

Infelizmente, fumar e comer era onde terminavam os pontos em comum entre eles. Guy era um sedutor (Victor não era), o escritor era atlético (o que Victor também não era), teve sucesso ao longo da vida (o que não havia acontecido com Victor até então), tinha um papagaio chamado Jacquot (Victor não tinha papagaios), e costumava dizer com frequência que era capaz de invocar uma ereção plena com a mente (o que Victor não podia, apesar de que, para dizer a verdade, nunca havia tentado de fato). Guy era um herói de guerra que remava cerca de oitenta quilômetros por dia no Sena e saía com Alexandre Dumas, Émile Zola e com o romancista russo Ivan Turgueniev que, ao que parecia, era como um ursinho de pelúcia. Aos quinze anos, Guy salvou um homem que estava se afogando. Aos quinze anos, Victor estava sendo chutado em um vestiário no subúrbio. Aos 21 anos, Guy resgatou o bebê de um vizinho de um incêndio na cozinha. Aos 21 anos, Victor roubara seu primeiro pendrive.

Depois que os pais de Guy se separaram, ele encontrou uma figura paterna no melhor amigo de infância da mãe que, por acaso, era Gustave Flaubert – que era totalmente a favor de "você deve abandonar seu emprego diário, sem alma, e devotar seu tempo a escrever, comer e beber". Que mentor! Victor imaginou o que teria acontecido a ele se seus pais tivessem se separado. A mãe, uma criatura metódica, teria se casado novamente com algum fanático celta chamado Stan.

Mas eram as intermináveis conquistas do sedutor Guy que Victor não conseguiria superar. Sobre o patrão, o valete de Guy escreveu em seu diário: *Ele sabe como agradar, é um camarada bonito, com esplêndidos cabelos negros, um bigode escuro perfeitamente definido, a boca vermelha como a de uma moça, um queixo levemente pronunciado, sempre muito bem barbeado. Tem grande sucesso com as damas. Os olhos delas nunca o deixam. As mulheres o cercam, aglomerando-se ao redor dele, emboscando-o.*

Emboscando-o. Talvez aquela fosse a rotina de Nathaniel, mas não era a de Victor. Até mesmo a biografia oficial destacava que "Guy de Maupassant era um viciado em sexo. O apetite dele pela cópula era imenso".

É claro, o escritor havia contraído sífilis, fora internado em uma instituição para doentes mentais, e tentara se matar cortando a própria garganta. O valete, François, o encontrou.

Ah, bem, pensou Victor, não se pode ganhar todas.

TRINTA E DOIS

Kezia

As pálpebras dela eram mesmo tão mais finas do que as de Nathaniel? Um retângulo de luz escandaloso atingia diretamente o rosto deles. Mesmo assim, Nathaniel dormia profundamente no lado dele da cama, um braço e uma perna tocando o chão. A cabeça de Kezia doía. Ela se concentrou na dor, esperando que lhe desse mais informações, que lhe dissesse se vinha de uma das têmporas, ou de ambas. De ambas. Ótimo. Não era uma crise de enxaqueca. Nathaniel roubara o edredom. Kezia puxou lentamente a coberta de volta e prendeu-a sob a axila. Ela observou a curva suave do nariz de Nathaniel, desafiando educadamente a gravidade, a variedade de direções dos cabelos cor de trigo, a sombra avermelhada dos pelos do rosto, o queixo com a covinha – assimétrica, para evitar que se parecesse demais com uma bunda.

Nathaniel roncou e cobriu os olhos com o braço. Kezia tinha que estar no escritório de Claude, o fabricante de *cloisonné*, em uma hora. Ela escolheu as roupas que ia usar – e que felizmente não haviam sido atingidas pela explosão de loção facial –, e levou tudo para o banheiro. Não queria correr o risco de Nathaniel vê-la se trocando, com a toalha esticada por cima do corpo como o Corcunda de Notre-Dame.

Kezia tentou fazer o chuveiro de Grey e Paul funcionar, mas não conseguiu descobrir como fechar a água da ducha móvel e abrir o chuveiro fixo, no alto. Por isso, ficou passando a ducha móvel de uma mão para a outra.

– Tenho belos peitos – disse ela para o espelho, quando o vapor desapareceu. – *J'ai une bonne derrière. C'est totalement absurdo isso.*

Kezia levantou o braço e começou a bater rapidamente em uma porta invisível. Aquilo era o começo de uma flacidez sob os braços? Ela se inclinou mais para a frente e examinou os olhos. Estavam implorando por algum creme especial? Dentro do armário acima da pia, Kezia encontrou um creme para estrias e uma caixa de paracetamol. Ela tentou ler o que estava escrito na caixa, para confirmar que não eram comprimidos diuréticos. Pareceu seguro. Havia uma inscrição em braile na embalagem. Havia inscrições em braile em tudo na França. Nos salgadinhos que ela e Grey haviam comprado no posto de gasolina, nos lenços de papel, no chá. O que a levava à única conclusão lógica: norte-americanos detestam pessoas cegas.

– Panqueeeecas – murmurou Nathaniel ainda sob as cobertas, quando ouviu Kezia voltar ao quarto.

– Talvez Paul lhe faça alguns crepes.

Nathaniel levantou a cabeça, assustado com o som da voz de alguém que estava acordado havia horas.

– Você sabe que sua cabeça está sendo agarrada por uma casca de banana?

– Haha. – Kezia tocou o chapéu, um Jane Birkin de abas largas que Rachel lhe dera no último Natal.

Havia sido um belo presente, mas de uma cor que não a favorecia. Como era loura, Kezia conseguia usar amarelo-canário do pescoço para baixo, mas um chapéu daquela cor destacava demais a semelhança com a cor dos cabelos. Kezia se lembrava de ter pensado, ao ganhar o presente: teria que estar em Paris para usar isso impunemente.

— Aonde você vai com essa coisa?
— Tenho uma reunião.
— Bobagem.
— Estou aqui para trabalhar. Vim com um propósito. Não porque Hollywood é tão opressivamente reluzente que estou tendo uma crise atrasada de um quarto de vida.
— Passei longe de ter um tipo específico de crise quando fiz trinta anos. — Ele se virou na cama. — Agora estou apenas tendo uma crise geral.
— Você? — bufou ela. — Conta outra.
— Ei, posso lhe perguntar uma coisa? Você assistiria a um programa chamado *Surf's Down*?
— Hummm. — Ela tentou parecer que estava pensando a respeito. — Sim, gosto.
— Palhaçada.
— É o nome de um programa em que você está trabalhando?
— Não, é o nome de um programa em que um babaca está trabalhando.
— Então, eu detesto. Parece nome de sabão em pó. Bem, se Grey perguntar, estarei de volta antes do jantar.
— Ora, e o que eu vou fazer o dia todo? — Nathaniel se sentou na cama e se apoiou nos cotovelos.
— Estamos em Paris. Ande por aí. Deixe Paul levá-lo para um tour gastronômico pela cidade. Você sabe que ele está louco para fazer isso. Vá a um museu. Leia um livro nos Jardins de Luxemburgo. Seja um *flâneur*.
— *C'est quoi, ça?*
— Um dândi indolente.
Nathaniel passou a mão pelos cabelos, desarrumando-os, e a coberta deslizou até a base do seu torso. Eles nunca haviam dividido uma cama antes. Estar parada ali, agora, com a cabeça inclinada

para um lado, prendendo os brincos, era íntimo de um modo bizarro. Nathaniel estendeu a mão para o celular.

– Ah, Deus.

– O que foi?

– *Deus*. – Ele deslizou o dedo pela tela.

– Deus o quê?

– Acabo de receber um e-mail do Victor.

– Finalmente! – Kezia parou o que estava fazendo. – O que ele diz?

– Bem, pode parar de se preocupar, porque ele está vivo...

– Ele lhe contou que perdeu o emprego? – Kezia fez um gesto para o telefone, como se o puxasse em sua direção. – Deixa eu ver.

– Estou lendo.

– Ele lhe contou que teve uma briga com Caroline?

– Tome. – Nathaniel entregou o celular.

– – – – – Mensagem Original – – – – –

Assunto: Oi
De: Victor Wexler vbwex@gmail.com
Data: Sábado, 9 de maio de 2015, 10:16
Para: nathaniel@nathanielhealy.com

Oi, cara...

Bom ver você no casamento. Estou com uma dúvida e achei que você talvez soubesse a resposta. Lembra-se daquela nossa professora – não lembro o nome dela – que teve uma crise nervosa falando do conto "O colar" e começou a falar em outras línguas? (em mais uma língua,

eu acho). Lembra-se do motivo? Outra coisa,
você sabe se Guy de Maupassant teve filhos?

Que isso fique entre nós.

— Que diabos? — Kezia se sentou e deixou o celular cair no colo.
— Que *merda* é essa?
— Não me pergunte. Ele está sob a sua tutela, não a minha.
— Esse e-mail é de dois dias atrás.
— Oops.
— Ele me ignora e escreve para você?
— E que história é essa de manter só entre nós? Manter o que só entre nós? Detesto quando as pessoas fazem perguntas que nos obrigam a perguntar por que estão perguntando. Quanto tempo demora para uma prostituta morta se decompor? Não há motivo.
— Quem é esse francês?
— Esse francês — respondeu Nathaniel, abafando o riso —, é como um O. Henry francês.
— Bem, não me ajudou em nada.
— Guy de Maupassant. Ele escreveu *Bel Ami* e alguns contos famosos. Um sobre uma prostituta gorda, francesa, e é claro "O colar".
— Não conheço.
— Conhece, sim. Provavelmente leu em alguma antologia que também tinha "A loteria".
— Também não conheço "A loteria".
— Sempre foi uma iletrada funcional?
— Não seja babaca.
— É sério, eu poderia jurar que estudamos na mesma faculdade. E você nunca leu "A loteria"? Jura? É como *Jogos vorazes*, só que mais curto e melhor. A cidade que junta nomes em um chapéu,

sorteia algum, e você acaba descobrindo que o objetivo é escolher quem vão apedrejar até a morte.

– Obrigada por me contar o final.

– É "A loteria"! Sabe o que acontece no final de *Titanic*? Tente adivinhar.

– Sei muitas coisas que você não sabe, sr. *Segundo Lugar da Turma*.

– "O colar" é sobre uma mulher que está à margem da sociedade francesa e o marido recebe um convite para uma festa. Ela vira uma megera por conta disso, já que não tem nenhuma joia para usar. Então, pega emprestado um colar de valor inestimável de uma amiga rica. Mas, quando vai tirar o colar no fim da noite, puf! Ele se foi.

Kezia deixa escapar um arquejo.

– Está vendo? História famosa. É, tipo, o conto mais perfeito do mundo. Enfim, a mulher diz à amiga que o fecho do colar quebrou e precisa ser consertado.

– Tenho uma profunda empatia com essa pessoa.

– Mas o que ela faz, na verdade... – Nathaniel parece quase eufórico – ... é comprar outro colar para substituir o que perdeu. E isso arruína a vida dela que, para pagar a nova joia, precisa começar a varrer chaminés ou uma merda dessas qualquer.

– Por que ela simplesmente não disse à amiga que perdeu o colar?

– Não sei.

– Porque qualquer mulher que possuísse um colar como esse teria seguro para as joias.

– Não tenho ideia. Não entendo de joias.

– É mesmo? Isso é estranho, porque eu poderia jurar que nós frequentamos a mesma universidade.

– *Enfim*. Não fui eu que escrevi o conto e ele tem um milhão de anos. É famoso pela virada no final. A última linha é a dama rica revelando que o colar era falso.

— Nossa... Isso foi a coisa mais triste que eu já ouvi...

— Provavelmente não. Cachorrinhos mortos é um assunto mais triste. Cachorrinhos mortos, todos eles presos em uma corda. Victor também conhece essa história. Foi naquela aula que você abandonou. Ah! E Henry James publicou um conto em tributo ao original, mas que é sobre um colar que, no fim, era verdadeiro. Tudo muito confuso. Por que está tão pálida?

Kezia levou a mão ao pescoço, brincou um pouco com a corrente que acabara de colocar e levou-a à boca, sentindo o sabor metálico na língua. O que exatamente Victor dissera a ela? Algo sobre um colar de diamantes com uma enorme safira que ele pensou ser uma esmeralda?

— Por causa do colar.

— Hein?

— Ele quer saber se o verdadeiro colar é real.

— O verdadeiro colar é falso. A menos que você esteja falando sobre a história de Henry James, nesse caso, o colar falso é real. Na verdade, todos os colares são falsos o tempo todo, porque todos fazem parte de histórias de ficção.

— Foi por isso que Caroline quis almoçar com Victor. Porque eu disse a ela o que ele me dissera, sobre o que a mãe de Felix mostrara a ele. Não me dei conta. Era por isso que Victor precisava de um passaporte novo. É por isso, ah, *merda*...

— O que houve?

— Nada. É uma história longa demais, mas talvez seja melhor ainda não responder a ele. Ou responda. Ou não, não responda. Podemos conversar sobre isso quando eu voltar.

— Está certo, mamãe.

Kezia saiu do apartamento, amarfanhando a passadeira do hall de entrada, e manteve a cabeça baixa ao descer os degraus estreitos. Não prestara muita atenção à tagarelice de Victor na praia. Do que ele estivera falando? Johanna tinha espólios de crimes de guerra guardados embaixo da cama? *Há um colar, só que ele não existe mais.* Ela parou em um dos andares. O universo das charadas era preto e branco: portanto, como um colar existe, mas não existe? Como é falso e real ao mesmo tempo?

Se alguém deveria tomar conta de Victor, era ela. E não estava fazendo um bom trabalho. Embora uma coisa sempre tenha sido verdade sobre Victor: ele não era muito determinado. A ideia de Victor se sentir curioso e permanecer curioso era praticamente impossível. Ele provavelmente estava em Sunset Park naquele momento, assistindo a algum documentário de má qualidade, ou ao que quer que fosse que Victor assistisse, comendo macarrão, sem lembrar do colar, sem lembrar dela.

TRINTA E TRÊS

Victor

O voo da Cidade do Porto para Paris levou apenas duas horas, mas, apesar do estofamento fino dos assentos, ele adormeceu. Sonhou que havia chegado ao castelo de Miromesnil no meio da noite, em uma carruagem que tinha um motor de propulsão a jato e uma câmera de combustão decorada. Victor nunca sonhara no estilo steampunk antes. O castelo era cercado por uma floresta densa. O manto escuro da noite dava a sensação de que a propriedade era interminável e cheia de fantasmas. Os únicos sons que se ouvia era dos cavalos exalando e das rodas da carruagem passando pelo cascalho.

– Estamos aqui – disse Kezia, com um sorriso perplexo no rosto.

Ela estava dirigindo a carruagem.

– É melhor levar isso com você. – Ela jogou a bolsa de viagem para ele. – Só não espalhe areia por toda parte. Parece que alguém quebrou uma ampulheta em cima dela.

Victor assentiu e, quando chegou à porta da frente, viu que estava trancada. Ele sacudiu-a. Ouviu, então, o barulho de uma batida do lado de dentro e, quando levantou os olhos, viu Matejo, usando uma boina.

– Onde está sua chave?

– Não tenho chave.

– Ah, Vic-tour. – Matejo puxou uma corrente de ouro de trás da camisa.

Era o molho de chaves extra do apartamento de Victor. A não ser pelo fato de que havia algo levemente estranho naquelas chaves, no som abafado que faziam contra o vidro. Matejo explicou que havia ido direto ao chaveiro, depois que Victor partira, e fizera milhares de cópias. Todas feitas de argila.

– Mas por que são todas feitas de argila?

– *Porque estas chaves são falsas e nunca foram reais, meu irmão. Porque o que você está procurando não pode ser encontrado em casa. Porque...* – Manejo, que estava falando até então em bom português, se interrompeu.

– Continue.

– Você é o único que está aqui fora. Todos os outros já estão lá dentro.

Por cima do ombro de Matejo, Victor vislumbrou as sombras de todos que ele já conhecera na vida. Estavam todos ali se preparando para uma festa, indo e vindo através do saguão com um passo determinado, mas sem pressa, como ajudantes de palco atravessando o cenário de uma peça, movendo a mobília entre os atos.

E então ele estava em Paris.

Victor abriu o passaporte e examinou o carimbo com admiração.

Ele precisou perguntar a cinco pessoas diferentes onde poderia comprar uma passagem de trem. Não para o Eurostar, um nome que lhe era familiar, porque Victor se lembrava dos colegas de turma que estudavam no exterior receberem passes para dez países dos pais – mas para um trem comum, indo na direção norte. Essa busca infrutífera fez Victor se sentir inquieto, pois era uma clara indicação de que seus planos não eram usuais. Afinal de contas, se um estrangeiro o abordasse no aeroporto JFK e perguntasse como chegar ao metrô, ele não teria sabido responder.

O guichê para comprar passagens de trem ficava enfiado no fim de um corredor caiado. Victor esperou na fila, atrás de um casal jovem com um bebê. O bebê parecia crescido demais para ficar andando em um carrinho de plástico que parecia feito para uma boneca grande. O assento quase tocava o chão. A mãe se abaixou e sussurrou para ele nos sons agudos e cortantes de algum idioma do Leste Europeu que Victor não conseguiu identificar.

– *Une pour Dieppe, s'il vous plaît.* – Victor falou pelo buraco no guichê, quando foi sua vez.

– Dieppe, não – disse a mulher uniformizada, sem levantar os olhos.

– *Pour Dia*-ip?

Dieppe era o terminal francês mais próximo do castelo, perto o bastante para que Victor fosse até lá de bicicleta, ou caso as coisas não dessem certo de nenhuma outra maneira, caminhando. A única informação que ele sabia sobre Dieppe era que estava localizada no topo daquele país em forma de espartilho e que era a última parada que poderia fazer, usando transporte público saindo de Paris.

– Não há trens para Dieppe hoje, monsieur.

Havia trens a 31,50 euros para Dieppe. Victor sabia disso. Eles partiam de hora em hora, o que ele achou bastante frequente para os padrões rodoviários norte-americanos.

– Mas... eu chequei os horários.

– O senhor tem reserva?

Victor tentara fazer uma reserva antes de viajar, mas isso acabou se provando uma tarefa impossível – péssima estrutura, uma lista de opções confusas no menu do site na internet e passagens rodoviárias apenas para um mês, além de "não foi encontrado nenhum trem para o trecho selecionado", até que a única viagem para a qual o site permitiria que ele comprasse passagem, era para Hamburgo, só de ida.

— Se eu tivesse reserva, haveria trens?

— *Non*. — Ela balançou a cabeça, afastando os olhos da tela. — Não há trens para Dieppe.

— Partindo de qualquer lugar, ou só daqui?

— Não compreendo.

Outros possíveis passageiros haviam formado uma fila atrás dele, o que deixou a mulher no guichê inquieta.

— Tem algum outro destino?

— Esse é meu destino. Há algum outro lugar aonde eu possa ir *dans cet* aeroporto?

Victor costumava ter paciência para esse tipo de coisa. Mas as manobras através do aeroporto, sob a luz das lâmpadas halógenas, tendo que colocar a bolsa em uma posição dorsal, enquanto se juntava a multidão apressada, as vozes ao redor relembrando-o de que ali também era uma porta de entrada e saída para a África e a Ásia, tudo isso fora exaustivo. Com certeza, até grandes homens como Guy e seus companheiros artistas do século 19 haviam encarado algum caos logístico – os fatos apenas não foram documentados. As biografias nunca lidas deles: "Em 1883, Claude Monet se mudou para Giverny, mas chegou um dia mais tarde do que o planejado e teve uma enorme discussão com o paisagista responsável pelo lugar.

— E se eu morasse em Dieppe?

— *Vouz habitez Dieppe?*

A moça no guichê não tinha como saber como era importante que Victor deixasse para trás a cidade-luz e fosse para Dieppe – a Buffalo da França. Ele sabia que os franceses tinham a reputação de fazer exatamente aquilo, segurar as respostas até que quem perguntava já houvesse sido suficientemente torturado, ou que houvesse passado exatos três minutos. O que viesse primeiro.

– Há um problema com o sinal nos trilhos hoje. Você precisa ir primeiro para Rouen e então pegar outro trem. Siga as placas do RER... está vendo?

Ela apontou para um círculo azul, a distância, atrás dele, a unha batendo no plástico transparente de um guichê, de um modo que lembrou a Victor o sonho que tivera.

– Pegue o RER até a Gare du Nord, de lá vá até a Gare Saint-Lazare de metrô, pegue o trem para Rouen e então outro pra Dieppe, *d'accord*?

Victor assentiu. Ótimo. Precisava entrar em Paris, para conseguir sair de lá.

⋄≡⊃⋄

Ele não esperara se sentir tão instantaneamente apaixonado por Paris, quase que literalmente desde o primeiro instante. Sabia que o metrô não inspirava entusiasmo nas pessoas que o utilizavam diariamente, mas ele conseguiu sentir a atração que a cidade exercia cada vez que o trem parava para admitir novos passageiros: senhoras francesas de cabelos azuis, com os malares paralelos às têmporas, homens gays elegantemente vestidos, de óculos, homens negros carecas com moletons onde estavam escritas coisas que Victor não conseguia ler, homens de terno e turbantes, donas de casa e executivos, alunos de escolas particulares, senhoras idosas algerianas, garotas inacreditavelmente lindas usando blusinhas de alça, senhoras de meia-idade usando preto como se fosse vermelho cintilante. Uma das garotas inacreditavelmente lindas sorriu para ele. Victor quase olhou por sobre o ombro, perplexo que o olhar dela parasse no rosto dele. A garota desceu na estação seguinte, mas ainda virou a cabeça para trás, enquanto caminhava pela plataforma.

Em um piscar de olhos, pensou Victor, ele poderia desistir de tudo, esquecer a missão que o levara ali, seguir as placas de *sortie*, alcançar a garota, mandar o desenho do colar para Felix pelo correio e esquecer tudo sobre Guy de Maupassant. Mas estava determinado a manter o foco. Quase conseguia imaginar a reação de Guy. Não era necessário seguir a primeira garota que via no metrô. "Mulheres são como pombos", escrevera Guy. "Nunca é apenas um que vem bicando."

Assim, Victor embarcou no trem em Saint-Lazare.

Ele não percebeu que estava sentado de costas até o trem começar a se mover. Viu pessoas fumando nos espaços abertos entre os carros. Até ali, a França estava se saindo bem em sua promessa de fumo em espaços públicos. Victor pegou a bolsa de viagem do bagageiro alto e enfiou o passaporte e o desenho de Johanna no bolso de trás da calça.

Ele apertou com força o botão verde grande, e a porta para o espaço entre os trens se abriu. A maioria dos fumantes ali era de homens, e apenas uma mulher. A mulher resmungou alguma coisa no momento em que Victor saiu, encarou-o irritada e voltou o assento.

– Ela acha que aqui já está cheio demais – explicou o companheiro da mulher que saíra, enquanto acendia um novo cigarro na guimba do antigo.

FUMER TUE, ou Fumar Mata, gritava o maço de cigarro dele. Era preciso gritar mesmo, ali, na França, onde Victor havia claramente aterrissado entre seus compatriotas de vício.

– Como soube que era inglês?

– Você é norte-americano, certo?

– Quis dizer, como soube que eu falava inglês?

– Você não fala? – disse o homem, sem deixar de ser gentil.

– Mora em Rouen? – Victor perguntou no momento em que o homem tragava.

– *Ouais*. – Ele virou a cabeça para assoprar a fumaça no ar agitado. – Na Place des Carmes, a oeste da République. Conhece?

– Não, lamento.

– Nosso apartamento tem vista para uma pequena clínica de depilação. É maravilhoso. Vejo todas as pernas e não escuto nenhum grito.

Ele deu um tapa amigável no braço de Victor, inclinando-se por cima das placas de metal ondulantes aos pés deles.

– Ela não gosta quando eu olho. – O homem acenou com a cabeça na direção da namorada.

Victor olhou para fora, para o conjunto indistinto de fileiras de casas de teto plano, rodovias com carros pequenos e barreiras à prova de som que cediam lugar à retângulos de fazendas cercadas, as fronteiras limitadas por fileiras de árvores altas e finas. Ocasionalmente a legítima área rural se estendia apenas por ondas de verde que continuavam por segundos.

– Na verdade, nunca estive em Rouen.

Ele ainda não dissera o nome da cidade em voz alta, mas sabia que estava colocando um músculo muito gutural no "R". Soou como se ele fosse uma baguete falante de desenho animado.

– Ah! Você precisa ver a coisa toda. Há uma igreja que Monet pintou trezentas vezes.

– São muitas vezes! Mas estou indo para Dieppe.

– Dieppe é uma bosta. Você não consegue ir para Dieppe, de Rouen.

– Estou certo de que será um anticlímax, mas talvez... – Victor se iluminou ao perceber que a sugestão era possível – ...posso visitar Rouen no caminho de volta.

Os dois outros fumantes que estavam ali, entre os vagões, dois homens usando ternos risca-de-giz, jogaram as guimbas para fora do trem e voltaram para dentro. Ao abrir a porta deslizante receberam o impacto do ar parado de dentro do trem.

– Não, quero dizer que você não pode ir para Dieppe. Hoje é quinta-feira. Não saem trens para Dieppe às quintas, acho. Não vou lá há anos. Porque é uma bosta.

– Não, não. – Victor conseguia sentir a cintilação do pânico. – Os horários...

Ele bateu nos bolsos em busca da tabela com os horários de trem que pegara na Saint-Lazare, mas deixara-a no assento do trem. Sabia que deveria estar preparado para problemas logísticos, mas achava que já havia tido a sua cota. Até mesmo em sua primeira tentativa de se sentar no trem, um adolescente raivoso fizera um belo trabalho empanando o brilho da caça ao tesouro de Victor e emasculando-o ao chutá-lo para fora do assento.

– O papel é laranja?

– O quê?

– O papel que você consultou é laranja?

– Talvez.

– Esses são os horários do feriado. Você vai pegar um ônibus. Mas ficarei surpreso se houver mais algum ônibus partindo hoje. *Compris?*

Foi necessário apenas um cara, soando como se soubesse do que estava falando, para reduzir a zero todo o serviço rodoviário francês.

– Você sabe onde fica a estação rodoviária?

– Talvez seja melhor perguntar ao condutor – vocês também falam assim, *conducteur?* – quando descer.

– Obrigado. Muito obrigado.

O homem se despediu, e apontou por um momento para Victor, para perguntar se ele tinha um isqueiro, mas logo percebeu o volume do próprio isqueiro no bolso da camisa.

– Não se preocupe. – O francês sorriu com simpatia. – Vai dar tudo certo.

Victor balançou o próprio maço de cigarros para ver quantos restavam. Ele imaginou que não precisava mais manter um controle tão rígido a respeito. Onde havia terminais de ônibus, havia vendedores de álcool e nicotina. Victor segurou a porta, enquanto observava as longas faixas de relva passarem rápido sob o trem. Estivera mesmo em Portugal ainda naquela manhã? Mal dormira desde a véspera e não dormira particularmente bem na década antes disso. Ele inalou profundamente, visualizando o oxigênio atingindo as células vermelhas do seu sangue. *Vai dar tudo certo.* A ideia de passar a noite em Rouen, pagando por um hotel que não se encaixava em seu orçamento, quando poderia muito bem ter ficado em Paris, em um hotel que também não se encaixava em seu orçamento, fez a cabeça dele girar. O que Guy faria?, pensou. Provavelmente encontraria uma prostituta para levar para a cama em Rouen e não se preocuparia mais.

Victor observou a zona rural passar, preocupado com a possibilidade de deixar o desenho do colar cair sem querer nos trilhos. Era a mesma sensação que costumava ter quando ficava parado perto demais da beira da plataforma do metrô, quando o trem já se aproximava. Não porque fosse suicida, não mesmo, mas por causa do claro potencial para a fatalidade.

TRINTA E QUATRO

Kezia

A fábrica de Claude Bouissou estava localizada no topo de um prédio de dois andares no sexto *arrondissement*. O acesso era pela rua, através de uma porta pintada em um azul de Yves Klein, com aldravas de cabeça de leão. Ela entrou no prédio no momento em que outro inquilino saía, imaginando que Claude – ou alguém que trabalhava para ele – estaria esperando por ela. A entrada para o escritório da fábrica era por um corredor úmido. As outras portas pelas quais ela passou, embora não pertencessem a Claude, eram equipadas com câmeras de segurança modernas e letreiros recém-pintados. Ficava claro que novos ocupantes do prédio se comparavam a Bouissou.

Ela bateu várias vezes na porta, e acabou empurrando-a, descobrindo que estava aberta. A recepcionista, ou não existia, ou não aparecera para trabalhar naquele dia. Ao que parecia, Paul tinha razão no que se referia à pontualidade parisiense.

Kezia andou ao redor da recepção entulhada. Saul estaria morto em um minuto se Rachel o soltasse da guia ali. Havia mostradores de relógios em sacolas transparentes, desenhos com pontos de mofo em molduras sem brilho, alicates de joalheiro empilhados como bicos de tucanos, moldes rachados que só um acumulador guardaria. As tábuas largas do piso deixavam entrar a luz da fábrica no andar de baixo.

O FECHO

O chão estava cheio de aparas de metal, embalagens de polidor de prata e panos de limpeza cobertos por faixas escuras, onde os elos escuros haviam sido apertados e arrancados. Também havia uma planta alta perto da porta. Parecia saudável. Kezia imaginou que a planta talvez houvesse começado sua estada ali mais para dentro do cômodo, mas acabara aos poucos se aproximando da porta, em uma tentativa de escapar.

Ela se sentou em um sofá que deixou escapar um cheiro de cachorro molhado. Deixando o cheiro de lado, ter um sofá estampado, com profundas fendas entre as almofadas, quando se trabalhava com joias pequenas era... bem, uma estupidez. Kezia sentiu um sabor metálico súbito no fundo da garganta, que ela normalmente deduziria ser um "tumor cerebral", mas na mesa ao lado havia folhas recém-polidas de prata e bronze, envolvidas frouxamente em plástico, com as extremidades abertas.

Kezia secou um filete de suor sob o chapéu que usava. Ela bocejou e piscou, instruindo os olhos a se manterem bem abertos. Quando ouviu passos na escada, Kezia considerou a possibilidade de descer para o andar de baixo e perguntar se eles sabiam a que horas o chefe deveria chegar, mas mesmo se soubessem... como isso afetaria as ações seguintes dela? Não afetaria.

Às 11:42 da manhã, a porta foi aberta e Claude passou por ela, andando pesadamente. Ele tinha um físico único: praticamente corcunda, com o torso atarracado e pernas longas, que pareciam ainda mais longas por causa da cintura estranhamente alta, para a qual ele chamava a atenção enfiando a camisa para dentro da calça. Como uma abóbora usando pernas de pau. Os olhos eram protuberantes de um modo quase glandular, com sobrancelhas semelhantes a centopeias muito peludas acima. Claude só notou a presença de Kezia quando saiu da própria sala para pegar um pote de porcelana com cubos de açúcar, na mesa da recepcionista. Ele se desculpou sem muito empenho, o que fez Kezia desconfiar que o homem pedia desculpas com frequência.

O escritório de Claude fora projetado com as mesmas táticas da área de recepção, apenas mais organizado por uma questão de sanidade. As prateleiras estavam empoeiradas, havia desenhos sem marcas de mofo emoldurados na parede e o chão estava limpo. Kezia se sentou em uma das duas cadeiras forradas de vermelho escuro. Um bonsai em um vaso de *cloisonné* bloqueava a vista dela de Claude, por isso ele chegou para o lado. Claude cruzou os dedos, como se fosse ele que houvesse ficado esperando.

Kezia explicou o problema, exatamente como fizera por e-mail. Ele ouviu em silêncio. Ela tirou da bolsa dois colares Starlight Express quebrados, cada um deles com pedaços de estrelas ou luas faltando. Kezia pousou os colares, frouxos, feridos, sobre a superfície aveludada. Sophie ficaria encantada, pensou – Kezia levara as pobres coisinhas para o hospital de bonecas como uma boa mamãe colar.

Claude abriu a lente de sua lupa como se fosse um canivete.

– Agora vamos ver o que temos.

Ele se inclinou sobre os colares.

– Não compreendi seu e-mail e não estou compreendendo agora. – Ele falou sem levantar a cabeça. – Para o que eu deveria estar olhando?

Ele abriu e fechou o fecho do colar de uma forma mais rude do que Kezia jamais havia feito. Ela podia ouvir o barulho da lingueta quebrada dentro do fecho. Kezia se irritou, mas também sabia que o homem estava lhe fazendo um favor. Era melhor que o colar quebrasse enquanto ela estava sentada ali com Claude, Médico do Diminutivo.

– Ora, estou certa de que consegue ver que a lingueta não está fechando corretamente.

O FECHO

– *Non.* – Ele franziu o cenho, parecendo perplexo. – Não estou vendo isso.

– Não é visível, mas pode sentir.

– Eu sei. Estou dizendo a mesma coisa. Inglês não é a minha primeira língua.

– Certo.

– Nem a sua, parece.

– Hum. – Kezia engoliu a ofensa e começou de novo. – Se levantá-los, o peso do colar força o fecho. Os elos de metal da parte de cima e os ímãs não se conectam. Ficam presos. Então, o que está acontecendo é que aos poucos ele se abre.

– De forma alguma é responsabilidade minha se madame Simone quer pegar meus fechos e prender rochas a eles.

– É claro – retrucou Kezia, sem ter certeza de que aquilo era mesmo verdade –, mas se todos eles têm o mesmo problema...

Ela teve a sensação de que o olhar dele, como uma broca metafórica, abria um buraco na testa dela. Podia sentir a espiral do desprezo de Claude penetrando sua massa cinzenta.

– Rachel só queria que eu desse uma olhada no processo correto. – Kezia gesticulou para o andar abaixo. – Assim poderíamos....

– Desvendar os que estiverem ruins.

Para alguém cuja primeira língua não era o inglês, "desvendar" era uma palavra bem impressionante.

Claude estava castigando Rachel através de Kezia, tirando vantagem do fato de que a empresa da joalheira precisava dele. Kezia estava começando a passar de intimidada para irritada. Não era como se Rachel não houvesse *pagado* por aqueles fechos – por 150 deles, para ser exata. Ela simplesmente não voltara para o restante da ordem de produção. O que Kezia deveria fazer? Atravessar a Place Vendôme e pedir aos camaradas gentis da Boucheron, ou da Maubossin, para fazerem a gentileza de pararem de trabalhar naquela tiara para a rainha da Inglaterra, porque havia um colar norte-americano de médio alcance de vendas, batizado em homenagem a um musical sobre patins do anos 1980 que precisava da atenção de todos?

Claude deixou cair um cubo de açúcar no chá e lambeu os dedos, que estavam bem escuros sob as unhas. A vaga desconfiança de Kezia de que ele havia "queimado" Rachel no mercado por ela tê-lo ludibriado se tornava cada vez menos vaga.

– Muito bem – disse Kezia –, e quanto ao problema com o esmaltado?

– Que proble...

– Ah, não, francamente! Olhe. – Ela pegou o colar pelo meio, como um gato levantando um filhote. – Nesse aqui falta todo um segmento. Ele não deveria parecer com um daqueles desenhos numerados para pintar.

Claude se inclinou para a frente. Kezia podia ver os pontos pretos no nariz dele. Ela e o Starlight Express estavam na merda juntos e não iria abandoná-lo agora.

– Me parece que você já conhece os aspectos técnicos da questão porque aparentemente é uma joalheira disfarçada de menina de recados, por isso me perdoe se ofendo seu conhecimento como você ofendeu o meu...

Kezia começou a falar, mas ele interrompeu a tentativa com um aceno distraído.

– É necessário que o fecho esteja plano no topo, para que o pigmento possa se acomodar. Entende? Quando madame Simone encomendou as amostras, especificou que o *cloisonné* deveria ficar ao redor da beirada, assim. Entende? Eu a aconselhei pessoalmente contra essa decisão. Disse a ela que, dessa forma, o esmaltado lascaria facilmente.

– Disse isso a ela? – Kezia engoliu em seco.

– É claro que disse. E disse também que o fecho não tinha um bom formato por dentro, que os ímãs são muito complicados. E agora? Estou sentado no meu local de trabalho, que mantenho em funcionamento há 26 anos, e estou recebendo lições de moral de uma criança vestida como a garotinha Madeline.

Depois de estripar Kezia, Claude examinou o rosto dela em busca de lágrimas. Mas Kezia não atravessara o oceano para chorar.

Ela pousou as duas mãos sobre a mesa.

– Então, consegue consertar o problema?

– Espere. – Claude afastou a cadeira da mesa. – Fique aqui, por favor.

Ele se levantou rapidamente e saiu caminhando de um modo nada gracioso, o torso de abóbora, fixo. Kezia soltou o ar e olhou para frente. Ela tocou os colares, acalmando-os como Sophie teria feito.

– O homem mau vai beijar vocês e o dodói vai passar – sussurrou.

Depois de alguns minutos, Kezia ouviu vozes abafadas e sons chacoalhantes no andar de baixo. Ouviu Claude falando com os empregados, como se caçasse alguma coisa. Ela deu uma volta pelo escritório, atenta a qualquer som que avisasse da volta de Claude – o que, se aquela manhã servisse de indicação, seria dali a umas seis semanas.

Havia rolos de correntes pendendo de carretéis em um canto, como se fosse uma loja de artigos de tricô tocada por masoquistas. E também caixas de entrada de papéis cheias até em cima com cópias em carbono de pedidos. Kezia tocou as lentes de um espectroscópio. Então foi até onde Claude se sentara. A escrivaninha estava cheia de manchas circulares de chá. Os únicos objetos supérfluos eram dois porta-retratos de madeira, pesados. A primeira foto, em preto e branco, mostrava Claude e outro homem jogando *pétanque* – uma irmã caçula, mais feminina, da bocha –, na Île de la Cité, as bolas prateadas cintilando no cenário cinzento, no momento em que o parceiro de Claude preparava-se para arremessar. Algo no modo como Claude estava parado, examinando a ação do segundo homem, com uma combinação de afeto e crítica, fez Kezia deduzir: aqueles dois eram amantes.

A segunda foto tinha um Borzoi, uma espécie de cão de caça russo. Um jovem Claude, de cabelos castanhos, estava agachado na rua, com as patas magricelas do cão pousadas nos joelhos e um pôster da Paris Open de 1982 preso em um poste. Kezia pegou o porta-retratos, limpou a poeira dos cantos, mas logo colocou-o de volta no lugar quando viu os desenhos emoldurados na parede de Claude.

Havia seis deles, cada um representando uma peça diferente de joalheria, cada um feito em papel pardo e visto de um ângulo levemente inclinado – a parte de baixo dos anéis e os engastes mal visíveis – de modo que parecia que começariam a girar a qualquer momento. Um conjunto de anéis, uma cruz, dois camafeus, um colar, outro colar e um broche. Kezia já vira aquele estilo de documentação antes.

No passado, a maior parte das boas joias era feita por encomenda, desenhada para um comprador individual nos mínimos detalhes (ao contrário dos desenhos de Rachel, que mais pareciam rascunhos em guardanapos de coquetel). Eles também tinham todas as informações sobre a peça bem ali, na mesma página – peso das pedras, origem e nome do joalheiro, o ano de fabricação. Mas havia alguma coisa estranha naqueles ali. Em primeiro lugar, todos pareciam ter sido feitos pelo mesmo artista. Ainda assim, a joalheria em si era muito diferente. Uma impossibilidade confirmada pelas datas registradas: 1814, 1843, 1856, 1883, 1890. Que septuagenário tem a mão firme desde o nascimento? E em lugares tão diferentes como Calcutá, Dublin e um lugar chamado Warwickshire, que Kezia imaginou que não ficava na parte continental dos Estados Unidos.

Os anéis eram de ouro escovado com rubis engastados, quase como anéis de campeonatos, e feitos para mãos masculinas. Na margem, junto com a data e as dimensões, alguém desenhara uma caveira e ossos cruzados.

O broche era espalhafatoso, um aglomerado de diamantes no formato de um galgo trotando. Não havia interrupção nas forma ou na claridade das pedras a não ser pelo fato de que os diamantes ficavam menores no focinho e na cauda... e o diamante em formato de estrela que ficava na barriga do galgo tinha 15,37 quilates. Era feito para alguém que queria que os outros soubessem que a dona podia pagar por ele.

Os camafeus eram simples e tinham o que Kezia esperaria de camafeus – cornalina, com perfis neoclássicos de pessoas brancas.

Até mesmo os colares eram diferentes. Eram ambos enormes, mas o primeiro tinha uma estrutura formal, com cada diamante servindo como um tipo de seta, apontando para uma safira avantajada em formato de lágrima. O segundo era como a ideia que um marajá teria de uma malha medieval, de correntes, com jacintos, opalas e safiras padparadscha penduradas unidas por filigranas de ouro, descendo do queixo ao esterno.

– Esses são engraçados, *non*?

Kezia sabia que Claude estava parado ali. A respiração dele era meio asmática. Talvez porque os pulmões estivessem localizados nas axilas.

– São lindos. Mas o que são essas peças? Quem as desenhou?

– Eu, é claro. Fazemos todas elas. Aparentemente, não sei como fazer um fecho para Rachel Simone, mas esses – ele apontou –, esses fazemos bem.

Kezia ficou boquiaberta. Com um talento variado daquele jeito, falando apenas dos detalhes técnicos, Claude deveria estar desenhando para Van Cleef. Ela não conseguia acreditar.

Então se recompôs.

– Espere um instante. Por que as datas tão distantes?

Claude riu alto, segurando o torso.

– Porque, sim, Madeline. *Il ne faut pas se fier aux apparences.* É claro que não fiz esses. Acha que se eu estivesse fazendo esses aí, estaria aceitando encomendas da sua chefe? Esses desenhos pertencem a um livro antigo. *Créations imaginaires* baseadas em *créations imaginaires*.

Ele acenou para os desenhos com o pano de polir, como se estivesse benzendo-os.

– Essas são joias de literatura famosa. Essa aqui – falou, apontando para a malha em correntes – é de Becky Sharp, de *Vanity Fair*. Não me refiro à revista norte-americana e sim ao livro, *Feira das Vaidades*. E o autor, monsieur Thackeray, nasceu em Calcutá, nesse endereço. Aqui. Está vendo? Então, esses são os camafeus de *Middlemarch*. Ao menos foi o que me disseram. Não li, me parece algo relacionado a questões femininas. Esse aqui é o broche de Emma Bovary, inspirado no cão dela, eu acho. Totalmente impraticável. Esse outro é a cruz de âmbar de Fanny Price, de *Mansfield Park*, de Jane Austen. E esses aqui são meus favoritos. Consegue adivinhar a quem pertencem?

Ele apontou para os anéis e Kezia se aproximou para ver melhor. Anéis de ouro masculinos de catorze quilates, tamanho 10. Duas pedras vermelho-sangue com poucas inclusões, um ligeiramente mais moderno do que o outro. Kezia se lembrava vagamente de que, alguns anos antes, fora moda entre os joalheiros derreter pedaços de folhas metálicas na parte de trás dos diamantes deles para fazê-los parecerem mais brilhantes. Abaixo dos anéis, bem na base da moldura, lia-se: 21 Westland Row, Dublin, Irlanda. O endereço não significava nada para ela. Mas bem no fundo das duas peças, Kezia conseguiu perceber um lampejo de duas formas. Eram dois rostos: um homem jovem no anel moderno e um homem mais velho no antigo. Então ela soube, o fantasma das duas semanas que fizera literatura europeia, quando caloura, na faculdade, rendendo frutos:

– É Oscar Wilde. São os anéis de Dorian Gray!

Kezia desejou que Nathaniel estivesse ali para ver como ela acertara.

– Muito bem – elogiou Claude, a irritabilidade do homem evaporando como névoa. – Os franceses amam Oscar Wilde. Por isso nós o enterramos aqui.

– Ahã. – Kezia se esforçou para disfarçar um sorriso.

Oscar Wilde não tivera poder de decisão naquilo. Os franceses gostavam dele, assim o pegaram.

– Esses desenhos são de um livro. Edição limitada. Para *les fanatiques* da joalheria. Não há muitos clientes para esse tipo de piadas secretas.

– Imagino que não.

– De qualquer modo, dê uma olhada nisso.

Claude puxou uma peça de metal do pano de polir que estava em sua mão. Era um esqueleto do fecho do Starlight Express, um protótipo. Havia o contorno em arame de uma estrela, mas não estava disparando para lugar nenhum naquele momento. Claude modificara o fecho, transformando-o de um retângulo plano em um triângulo com borda suaves. Kezia soube que aquilo resolveria imediatamente o problema mecânico, mas continuou na dúvida sobre o esmaltado. A gravidade não faria com que desgastasse na lateral? Claude teria que usar o maçarico em um por um, à mão? E quanto tempo isso levaria? E Rachel mataria Kezia enquanto esperavam?

– Nós os giramos no forno lentamente. Como um porco com uma maçã na boca.

– Isso me parece um bom plano. – Kezia segurou o pequeno protótipo, aliviada. – E mais uma coisa, rapidinho...

– O quê?

Ela ouviu o toque de exasperação na voz de Claude. O francês não era muito diferente do esmaltado com o qual trabalhava – em certos momentos mais maleável, em outros mais rígido, depois mais maleável de novo. Kezia precisava que ele permanecesse maleável em relação à próxima pergunta que iria fazer, quando as palavras de Rachel sairiam de sua boca: "Pode aprontá-los em dois dias?" Ela se acovardou. Em vez de fazer a pergunta, apontou para o desenho do último colar.

– Qual é esse?

– Esse? É o mais simples.

A cidade francesa na parte de baixo na folha não era familiar a Kezia. Os diamantes eram perfeitos e a safira enorme. O engate era perfeitamente plano, cheio até as bordas por uma pedra de 114 quilates. Não estava claro como aquele colar funcionaria na vida real. Não era uma peça prática. Então Kezia viu uma forma minúscula no centro da safira. Uma lágrima. Ela recuou.

– Guy de Maupassant. Esse é "O colar". Jesus.

– *Trés bien*, Madeline! – Claude aplaudiu com as mãos calosas.

– Uma pedra como essa deveria estar em um museu.

– Os americanos adoram isso, não é? Pensar em joias como uma coisa morta. É por isso que vocês guardam o diamante Hope perto dos seus ossos de dinossauro.

Kezia o encarou, muda de choque. Então voltou a olhar para a pedra em forma de lágrima, tendo que se controlar para não estender a mão e tocar o desenho. Pobre, pobre Victor.

– Muito bem, então. – Claude passou a mão por uma costeleta insubordinada. – O plano é o seguinte: uma encomenda completa de fechos com a nova forma, sim? Parece melhor assim. Mais como o espaço sideral verdadeiro. Posso fazê-los, mas não ficarão prontos antes de segunda-feira pela manhã. Isso é com certeza o melhor que posso fazer.

– É perfeito. – Kezia estava estática. – Obrigada, obrigada.

Ela realmente conseguira resolver o problema! Mal podia esperar para ligar para Rachel e contar a ela. No entanto, com a diferença de fuso-horário em relação a Tóquio, teria que esperar. Rachel naquele momento estaria dormindo ou se embebedando em algum bar minúsculo localizado sob um bueiro.

– Sabe, quando foi publicado, os jornais francesas o odiaram.

– Odiaram o quê?

– A história. "O colar". Rasgaram os jornais. Naquela época, publicavam contos nas capas dos jornais. Pode imaginar isso? Resenhas sobre balés e contos. Primeira página. *Autres temps, autres temps.* Mas quando "O colar" apareceu, algumas pessoas queimaram seus jornais. Uma ótima publicidade para Maupassant, mas não de propósito.

– Por quê?

– Porque toda publicidade é boa publicidade, certo?

– Quero dizer, por que alguém iria querer queimar "O colar"? Achei que supostamente era a o conto mais perfeito do mundo.

– Você o leu?

Ela balançou a cabeça, negando.

– Ah, é insuportavelmente triste.

TRINTA E CINCO

Nathaniel

Paul estava ocupado no trabalho, saqueando os mercados financeiros aflitos de pequenos países, ou fosse o que fosse que ele fazia para sobreviver. Grey tinha consulta com a ginecologista. Nathaniel gostava da ideia de atacar Paris sozinho. Ele esticou o edredom sobre a cama e selecionou uma cápsula para colocar na cafeteira. Então ficou parado diante da bancada, ouvindo os sinos da igreja badalarem a distância. Até mesmo as nuvens pareciam francesas – traços exuberantes contra o céu claro, não como os cúmulos-nimbo leitosos da Califórnia.

Na rua, as lojas no Marais estavam começando a abrir, as luzes habilidosamente dispostas acendendo-se, todas cheias de itens que ficariam ótimos em Bean. Nathaniel se sentiu um pouco como Hemingway, entrando nas ruas parisienses e saindo delas. Ali, ele não se importava por estar só. De qualquer modo, nos últimos tempos o universo social dele mais parecia uma armadilha chinesa do que qualquer outra coisa. Paris lhe faria bem. Nathaniel se sentou em uma cadeira de vime do lado de fora de um café, e já estava jogando cubos de açúcar em seu segundo expresso. Sentia-se muito satisfeito consigo mesmo até ouvir um par de turistas americanos atrás dele, sorrindo com orgulho gastronômico, se vangloriando de terem "acabado com aquela cesta de pão".

Ele evitou as grandes catedrais, Sacré-Coeur e Notre-Dame. Não pareceu que estava perdendo muita coisa. As filas eram longas demais para que Nathaniel acreditasse que poderia ter alguma experiência espiritual ali dentro. Não que estivesse procurando por alguma. Ele subiu e desceu a margem do Sena. Inclinou-se sobre a Pont des Arts para observar os barcos deslizando mais abaixo. Tudo – a festa de aniversário dele, Lauren, Luke e Bean – parecia tão distante. Nathaniel assegurou a si mesmo que aquilo estava certo, que as pessoas se afastavam de casa exatamente para olhar a própria vida com um pouco de perspectiva. Mas faltava alguma coisa. A vida dele parecia tola depois de apenas um dia longe dela. Era saudável desprezar tão rápido toda uma existência? Ele achava que não. Nathaniel balançou a cabeça e seguiu na direção sul.

Ele parou em uma banca de livros em inglês no Quai Voltaire. Seu olhar foi imediatamente atraído para um exemplar em brochura de contos de Maupassant, com uma foto do rosto de Guy na capa – os olhos profundos e o bigode cheio. A foto estava tão borrada que a capa parecia um teste de Rorschach.

– Falando do *diable*.

Nathaniel pegou o livro e se lembrou da conversa que ele e Victor haviam tido um dia, na sala de aula. Nathaniel tocou a cabeça. Ainda conseguia sentir a cicatriz que ganhara quando o namorado francês de Streeter o empurrara em cima do bracelete com tachas de uma garota qualquer, conseguia ver Victor esperando para levá-lo de volta ao campus depois de terem costurado a cabeça dele. O que Victor queria com Guy de Maupassant agora? Nathaniel sentiu uma ligeira fresta se abrir, a de uma realidade alternativa na qual Victor era a mesma pessoa razoavelmente normal que ele, Nathaniel, conhecera no primeiro ano de faculdade. Se *aquele* Victor achava que o colar do conto de Maupassant era real, talvez fosse. A remota possibilidade disso ser verdade fez uma semente de empolgação nascer dentro de Nathaniel.

Nas costas do livro, além da informação padrão sobre uma história famosa, estava ainda a dica de que Guy estava enterrado em Montparnasse, onde se lia em seu epitáfio: "Tive desejo de tudo, mas não tive prazer com nada." Como aquele sentimento combinava com o velho amigo Victor. Embora Nathaniel se perguntasse se também não descrevia a ele mesmo. Pensou em comprar o livro para Kezia, mas achou melhor não. Em vez disso, comprou um thriller de um aspirante a Graham Greene – a história de um homem que desaparece de uma embaixada na África subsaariana e encena o próprio sequestro por questões de finanças pessoais, apenas para se ver realmente sequestrado, capturado por uma organização terrorista internacional. Era terrível. Nathaniel sentou-se no Jardins de Luxemburgo e checou a contracapa. LOGO EM VERSÃO CINEMATOGRÁFICA. A data de publicação era "2003".

– *Au contraire* – disse Nathaniel para o livro.

Os jardins estavam cheios de pombos e de arbustos bem podados. A distância, ele viu uma dupla de garotas novas demais, usando sutiã de biquíni e jogando moedas na Fonte de Médicis. *Façam um pedido, petites filles*. Nathaniel levantou o celular. Primeiro, ele postou uma foto da viagem (além do cartão de embarque, usado para informar a todos de sua partida).

Naquela noite, daria um jeito de sair com Kezia. Pedira recomendações a Percy, já que este, em maior proximidade do que Nathaniel com o que havia de mais exclusivo no mundo, sempre parecia saber qual era o novo hotel butique ou o bar underground da moda. Havia um, longe, no décimo sétimo *arrondissement*, que aparentemente era decorado como uma sala de estar e tinha um irônico globo de discoteca pendurado – fora lá que Chloë Sevigny torcera o pé, dançando, no mês anterior. E David Lynch recentemente abrira um clube-fetiche no fim da rua. Por ora, Nathaniel pegou um caminho alternativo ao que viera, observando as placas que diziam onde Victor Hugo dormira, ou Voltaire pedira um bife. Depois, foi a uma loja de taxidermia, Deyrolle. Havia uma sala cheia de insetos, as asas encrespadas presas em caixas de exibição. Quanto ao restante das coisas, era como se o Museu de História Natural estivesse no meio de uma limpeza de armários – uma festa fortuita de linces, pinguins e girafas. Se Los Angeles, com sua obsessão pela juventude, fazia a vida parecer com a morte, então Paris fazia a morte parecer com a vida.

Ele girou nos calcanhares e atravessou o sexto *arrondissement*. Parou para olhar pela vitrine do Café de Flore, tentando imaginar James Baldwin olhando de volta. Não conseguiu. Estava olhando para as garotas passeando por Saint-Germain-des-Prés, quando uma figura pequenina, com um halo amarelo muito vistoso ao redor da cabeça, esbarrou nele. Nathaniel seguiu o halo a um passo determinado, como um personagem de um filme de terror.

– *Belle derrière* – disse, e se escondeu no batente de uma porta.

Kezia se virou, procurando o culpado. Estava prestes a voltar a andar quando Nathaniel saiu novamente para a rua, as mãos nos bolsos, assoviando.

Ela levou a mão ao peito.

– Você *precisa* parar de se esgueirar ao meu redor.

– De onde está vindo?

– Daquela fábrica de joias sobre a qual lhe falei. – Kezia levantou o chapéu e esfregou a marca vermelha que ele deixara na testa. – De Claude Bouissou.

– Claude. *Claude*. Ele se parece com Gerard Depardieu?

– Muito, na verdade. Só que gay.

– Só quê? – Nathaniel ergueu uma sobrancelha.

— Gerard Depardieu não é gay. — Ela passou o braço pelo de Nathaniel. — Ele é apenas francês e odeia o governo. De qualquer modo, tenho boas e más notícias. Venha, vamos por aqui.

Kezia pegou a mão de Nathaniel e levou-o até uma praça cercada por casas, todas da cor de ovos orgânicos. Eles pararam sob a sombra de um carvalho cheio de nós.

— Então, quais são as suas novidades? Embora você não tenha *me* perguntado sobre o *meu* dia, que foi incrível. Quase comprei um orangotango empalhado. Em vez disso, pensei em ser uma pessoa que debate a possibilidade de comprar um orangotango empalhado.

— Claude descobriu um modo de consertar os fechos do colar de Rachel e posso pegá-los a caminho do aeroporto, na segunda-feira.

— Ótimo...

— Você deveria estar feliz por mim, mesmo se o que me faz feliz não está diretamente relacionado a você. Isso se chama amizade.

— Você está empolgada, eu estou empolgado, estamos todos empolgados. Especialmente — Nathaniel girou Kezia contra a vontade —, porque podemos comemorar essa noite e ir a um restaurante sobre o qual Percy me falou, que tem um clube particular incrível no fundo. Por que não está animada? Você é a única pessoa no mundo que descobre que vai ter que passar o fim de semana em Paris e parece não gostar da ideia.

— Isso me traz às más notícias... Victor.

— Se não está se referindo a Victor Hugo — ele fechou bem os olhos —, juro que vou gritar como uma garotinha.

Nathaniel tinha dias ruins o tempo todo, dias em que ninguém se preocupava com ele, em que ele tinha a sensação de não ter raízes. Mas era preciso engolir isso e se tornar parte da sociedade.

– Não grite – disse ela. – Use apenas sua voz interna.

– Estamos em uma área externa, irmã.

Kezia explicou a Nathaniel o que vira no escritório de Claude e, antes disso, o que Victor dissera a ela na praia, depois do casamento de Caroline. Ela passara de levemente desconfiada para formalmente desconfiada. E agora formulara uma teoria: Victor perdera o emprego e a maior parte de suas posses, vira alguma coisa no quarto da mãe morta de Felix, confundira uma página de um livro de mesa com um documento histórico e estava perdido em algum lugar da França.

Nathaniel inclinou a cabeça na direção dela.

– Ele tem direito de sair de férias – disse, sem saber se estava defendendo Victor ou a si mesmo –, é um homem adulto. Na verdade, é quase um gigante.

– Sim, mas pense naquele e-mail que ele lhe mandou. E Victor andou me perguntando sobre como tirar passaporte e estou lhe dizendo: acho que ele está procurando pelo colar.

– Ora. Talvez seja real.

– Não é. Veja.

Kezia mostrou a ele fotos dos desenhos emoldurados na parede de Claude e aumentou as imagens na tela do celular. Nathaniel teve que admitir que aquelas fotos pintavam uma imagem infeliz de Victor. Mas ele ainda não estava convencido.

– Muito bem... vamos pensar a respeito de forma lógica. Apenas como uma experiência mental divertida. Victor não vem respondendo aos seus esforços de comunicação. Por isso, em vez de deduzir que ele a está ignorando por um sem-número de razões, *você* escolhe pensar que Victor fugiu. Mas então, oh!, ele me envia um e-mail.

– E almoça com Caroline.

— Você está apenas provando meu ponto de vista. Em face dessa prova de vida, você se sente confortada? Não, por que se sentiria? Evidências empíricas de Victor sendo Victor na verdade lhe causam *mais* preocupação. O cara interrompe uma longa década de afeto não correspondido por dois segundos... dois segundos... e você perde a cabeça. Se está tão preocupada, por que não chama a polícia? *Policial, por favor, já se passaram mais de 24 horas desde que o meu amigo parou de prestar atenção em mim.*

— Já acabou?

— Fui a um parque hoje. Victor não estava lá. Isso estreita nossas opções.

Kezia gemeu, deu as costas a ele e ficou andando ao redor da árvore, um pé na frente do outro, como uma dançarina. O vestido ondulava ao redor de suas pernas. Por um momento, Nathaniel achou que ela simplesmente iria embora, deixando-o ali. Ele provavelmente a seguiria. Kezia sabia o caminho de volta ao apartamento melhor do que ele.

— Você já roubou alguma coisa?

— Roubei um cinzeiro da Soho House na semana passada.

— Isso estava na ponta da sua língua, hein?

— Ora, não me sinto orgulhoso, mas também não estou com vergonha. Simplesmente aconteceu. E você?

— Entrei ilegalmente nos Estados Unidos com uma mala cheia de ossos de alce fossilizados.

— No estilo daquele filme "A viagem", com a Claire Danes.

Ela bufou.

— Acho que o que estou querendo dizer é que nunca se sabe até perguntar, mesmo com pessoas que você conhece a vida inteira. Acho realmente que Victor pensa que o colar naquela história é verdadeiro e ele está aqui para resgatá-lo.

O FECHO

Kezia entregou o celular novamente a Nathaniel. Ele protegeu a tela com a mão para conseguir enxergar melhor a foto. Viu um castelo de tijolos cor-de-rosa, com um milhão de janelas, vinhas caindo pelos cantos do telhado, e uns portões de ferro bem pontiagudos.

– Discreto. – Ele devolveu o celular para ela.

– Esse é o endereço que está no desenho. Fica só a três horas de carro daqui.

– Não.

– Vai ser lindo.

– Não. Absolutamente, não.

– As pessoas fazem passeios a castelos o tempo todo!

– Sim, pessoas velhas. Entediadas. Não olhe assim para mim. Pare.

– Já mandei uma mensagem de texto para Grey e ela disse que podemos pegar o carro emprestado. Eu mal consigo dirigir, mas você sabe. Dirige o tempo todo. Adora.

– E daí? Não sou motorista.

Nathaniel fora a Paris para se divertir. Para se perder em um país que não unia o currículo profissional dele com seu currículo social. Estava ansioso para comer bifes na La Perle, ou no Café Charlot, para ficar acordado a noite toda com uma modelo, sob o teto do Hotel Amour. Claro, também tinha ido para organizar as ideias, mas acabara de passar o dia debruçado sobre pontes e sentado em bancos. Não tinha mais pensamentos restantes para organizar.

– Vai achar que sou um amigo ruim se eu lhe disser uma coisa?

– Conheço você há dez anos... vou achar que é um amigo ruim de qualquer modo.

– E daí se Victor estiver na França. Estou fazendo exatamente a mesma coisa e não vejo meia Los Angeles correndo por aí, denunciando o meu desaparecimento. Deixe o homem beber o vinho dele, ter seus casos amorosos com leiteiras gordas.

– Acha mesmo que você ir embora de casa e Victor ir embora de casa é a mesma coisa?

Nathaniel fez um rápida projeção mental de imagens de sua existência com Victor. Victor, bebendo sozinho no quarto do dormitório, no último ano de faculdade. Victor, enfiado em casa em um domingo, comendo cereal direto da embalagem. Victor se recolhendo ao quarto de um modo que sugeria derrota, não deferência, quando Nathaniel levava uma garota para o apartamento. Victor, apenas uma semana antes, sentado na beira da tenda de casamento, parecendo totalmente abatido.

Não, não era a mesma coisa.

✥

Quando eles voltaram para o apartamento, Paul estava sentado em uma poltrona de couro, no canto da sala, tentando forçar Grey a experimentar caviar do restaurante Kaspia.

– Você vai adorar. – Paul falava como um pai frustrado, enquanto Grey mantinha os lábios cerrados e balançava a cabeça, negando-se a comer. – É bom para o bebê.

– Não!

Ele abaixou a colher, irritado.

– Ora, você cheira a cheeseburger, então não é de admirar que não queira.

Quando eles ouviram a porta se fechar, Grey veio trotando na direção de Kezia e Nathaniel, disparando instruções sobre o carro – uma dica em relação à caixa de marchas, como usar o GPS, já que usar o celular ficaria caro demais. Nathaniel olhou irritado para Kezia por ela ter prometido os serviços dele antes que ele mesmo os oferecesse. Grey estava com aquele brilho malicioso no olhar que sempre aparecia quando qualquer de seus amigos homens estava prestes a passar algum tempo em um espaço confinado com qualquer de suas amigas mulheres.

Paul levou o caviar para a cozinha e agora compartilhava seus planos para a "agenda da noite", que incluía um jantar tranquilo com alguns de seus amigos expatriados – um executivo de marketing de Denver, um gerente de fundos de investimento de Boston, uma dona de bufê de Colorado Springs, o marido dela, um professor de matemática e o bebê deles... um bebê de verdade, de cinco meses. Nathaniel sugeriu que, talvez, em vez de ter aquela experiência pecaminosamente entediante, ele talvez preferisse andar pelos becos de Pigalle, ou ao longo das águas turvas do Canal Saint-Martin onde iam os moderninhos, ou descobrir o lugar com o irônico globo de discoteca. Paul parou e pensou a respeito. Nathaniel esperou pelas palavras mágicas *Você está por sua conta, camarada*. Em vez disso, ele se virou para a esposa e disse:

– Acha que Tritt, Becca e os outros topariam?

– Ou talvez possamos sair amanhã de manhã – sussurrou Nathaniel para Kezia, o pânico se insinuando em sua voz –, pegar o caminho mais bonito.

– Mesmo? – Ela se animou.

Nathaniel vira seu futuro imediato e ficara preso pela falta de controle que teria sobre ele. Não conseguia encontrar o que dizer para lutar contra o itinerário do anfitrião, que se estendia daquele momento até a partida de Nathaniel, no domingo à noite. Deveria ser capaz de explicar, sem ofender ninguém, que a invocação do nome de ninguém conseguiria fazer com que oito americanos e um bebê tivessem permissão para entrar em um clube underground parisiense. Infelizmente, a impureza de suas próprias motivações obscurecia sua confiança.

– Mesmo. – Nathaniel assentiu com determinação.

Grey agora estava dando uma dica sobre a mala do carro e Nathaniel se pegou prestando atenção.

Paul pareceu preocupado.

– Meu bem, esse é o GPS antigo.

– Ah, merda. – Grey virou a tela sobre a mão, segurando-a pelo suporte que o prendia por sucção no painel do carro. – Você está certo. Ignore tudo o que eu acabei de dizer.

– Não consigo acreditar que voei por dez mil quilômetros para ver vacas.

– Não terá que olhar nem sequer para uma única vaca. – Kezia lhe deu um tapinha no ombro. – Prometo cobrir seus olhos se vir uma delas se aproximando.

– Ótimo, assim sairei da estrada com o carro.

TRINTA E SEIS

Victor

Dieppe ficava logo depois de Rouen. As duas cidades dividiam uma linha no mapa. Infelizmente, o fumante no trem estivera certo. Não havia ônibus saindo de Dieppe até a manhã seguinte, graças a obras, ao dia da Ascensão, ou a semana nacional francesa de esquisitices. Victor andou pelas ruas estreitas, de olho em albergues de preço acessível, mas não encontrou boas opções. O ar estava úmido, um lembrete de que estava se aproximando do Canal Inglês. Ele passou por uma área de piquenique no meio da cidade, cheia, com várias famílias comendo sanduíches. Quando se aproximou mais, Victor leu uma placa presa ao chão informando que aquele também era o lugar onde Joana D'Arc fora queimada. Havia papéis de bala por toda parte.

No fim, Victor se acomodou em uma praça. Ele deixou o ar escapar e pressionou os nós de tensão nos ombros. Pelo que lera, parecia que Guy normalmente gostava de viajar sozinho, de estar "afastado do que era chamado de Sociedade". Mas até mesmo Guy tinha seus momentos. "De fato, a solidão é perigosa para as inteligências que trabalham", alertara ele. "Necessitamos, à nossa volta, de pessoas que pensem e que falem. Quando permanecemos muito tempo sozinhos, povoamos o vazio de fantasmas." A população da praça era mais escassa, mas Victor ainda podia ouvir copos tilintando, o som de pés e de mobília sendo arrastada contra os paralelepípedos das ruas vizinhas. Um homem fantasmagórico, usando macacão, surgiu de repente, recolhendo o lixo.

Victor passou pelo Euro Café, pelo café Carpe Diem e por um pub de três andares cheio de estudantes recapitulando o dia. Ele se manteve longe das praças e das frentes das lojas com telhados que o fizeram lembrar do cenário um anúncio de biscoitos com um elfo chamado Keebler, as fachadas creme pintadas com faixas alegres. Victor hesitou diante do preço dos alimentos. Um crepe de queijo e presunto por 8,25 euros? Era o mesmo valor que ele pagaria pela passagem para Dieppe. Victor entrou em uma mercearia e comprou um salame e um saco plástico com bolas de muçarela, por 4,80 euros. Ele comeu o salame como se fosse uma baguete, arrancando nacos com os dentes enquanto descia com dificuldade os degraus gastos entre os prédios, até se ver em uma área residencial, as casas feitas de tijolos e concreto. O som dos sinos de uma catedral ressoou no ar, badalos descoordenados balançando do alto até embaixo.

Ele sorriu para um par de gatos pretos que atravessaram a faixa de pedestres trotando, um atrás do outro. Com certeza, pensou Victor, *dois* gatos pretos atravessando o caminho da pessoa era boa sorte. Estava um passo mais próximo do castelo. Mas, por enquanto, queria algum lugar para se sentar, beber e comer suas bolotas de muçarela em paz. As ruas estavam quietas, carros compactos estacionados um na frente do outro, dos dois lados da rua. As pessoas que passavam por ele moravam na vizinhança, pois procuravam as chaves e desapareciam nos batentes das portas sem prestar atenção em Victor. Ele chegou a um estacionamento cercado por latas de lixo da Cidade de Rouen, em mau estado. Foi quando viu um prédio quadrado com uma placa da cerveja Stella Artois na vitrine.

A regra básica para bares em Nova York era que os mais desconhecidos eram os melhores. E o bom era quando não tinham placa nenhuma, ou apenas uma em que se lia "BAR", em neon. Sempre haveria clubes exclusivos, lounges e bares para beber e apreciar belas mulheres, para pessoas como Nathaniel. Victor gostava dos mais obscuros, dos cantos escuros. Infelizmente, como ele nunca estivera na Europa, não compreendeu a inabilidade de uma cidade de mil anos de idade para se adaptar a esses "sinais".

⋯≡◉⋐⋯

No canto da choça úmida e cheirando a podre, estava sentado um grupo de homens. Dois deles pareciam ter o nariz quebrado. Um usava um crucifixo e tinha uma tatuagem no rosto, sob os olhos, que, depois de uma observação furtiva, Victor percebeu que na verdade era um jato de veias varicosas. Todos usavam agasalhos de ginástica com faixas laterais. A maior parte dos homens tinha a cabeça raspada e uma papada que se dobrava sobre a gola do agasalho quando riam.

Victor se aproximou do balcão de madeira, sentindo que era casualmente observado. Já havia perdido a oportunidade de fingir que estava procurando por alguém. Ir embora seria pior. Ele tentou puxar um banco, mas os bancos eram fixos no chão. Victor se sentou com os joelhos abertos, pressionados contra a madeira. E desejou desesperadamente estar carregando uma bolsa de viagem menos extravagante, que não deixasse tão claro que ali estavam todos os bens que ele possuía no mundo. Também desejou saber falar um francês razoável, mas se quisesse beber – e ele queria beber – iria ter que abrir a boca. Pediu um copo de uísque com gelo.

O barman ligou a TV que ficava perto da caixa registradora. Comentaristas de esporte tagarelavam sobre algo que tinha a ver com a Federação Francesa de Futebol, em vez de falarem sobre o jogo. O barman parou por um instante diante da TV e levou uma bandeja de copos para os fundos. Victor já sentia falta dele.

O espelho atrás das garrafas de bebida estava em tão mau estado que ele só conseguia ver a ponta acesa do cigarro quando inalava. Isso o fez se sentir um vampiro. Victor comeu duas bolotas de muçarela e voltou ao que estava lendo, que consistia inteiramente nas façanhas invejáveis de Guy. As damas do século 19 ficavam impotentes diante dos encantos do bigode pesado e do conjunto de aros de *croquet*. Depois de se perfumar com "litros de colônia", Guy "entretinha uma procissão interminável de mulheres, começando com jogos e, no fim, se recolhendo ao quarto". Disse François, o valete fiel: "Certa noite, ele levou para casa uma jovem ruiva, nada bonita, mas bastante agradável. Depois do café, ela se foi, mas não por muito tempo; a jovem voltou às quatro da tarde e esperou pelo patrão. No dia seguinte, voltou a aparecer às nove da manhã. Isso durou quatro dias, depois dos quais o patrão me disse, 'Faça o que quiser com ela, não a quero mais'."

Victor engoliu inteira uma das bolas de muçarela. Talvez depois que descobrisse o colar, absorvesse mais da magia de Guy. Mas também poderia acabar tendo resultados completamente diferentes. Na época em que Guy escreveu "O colar", sua sífilis havia avançado. Ele estava perdendo a visão e começando a ter alucinações. Guy escrevia longas cartas ao seu médico, explicando como "Tudo me devasta. No espelho, vejo as imagens mais loucas, monstros, cadáveres terríveis, toda sorte de bestas apavorantes, espectros lúgubres e todas as visões fantasiosas que assombram a mente dos loucos".

Victor estava olhando para o espelho atrás do bar, fumando seu cigarro, quando ouviu o farfalhar de calças de náilon. O homem com veias no rosto estava ao lado dele, debruçado sobre o bar, tateando na parte de dentro. Victor tentou se concentrar na página do livro. O homem pegou um objeto do tamanho do estojo de óculos de Victor, embrulhado em papel pardo e preso com elásticos: (a)maconha, (b)dinheiro, (c)em um mundo melhor e ideal, cards de beisebol.

– *Quoi, connard? Tu peux pas trouver une autre bibliothèque?*

Pelo modo como o homem falou, por entre os dentes, enquanto tirava os elásticos de seu tesouro, Victor não teve certeza se era com ele que estava falando.

– *Bonsoir.* – Victor levantou os olhos, um sorriso nervoso no lugar do aceno firme de cabeça que seria mais recomendável.

O homem deu uma risada. Victor conseguiu sentir o cheiro do jantar no hálito dele. O francês balançou a cabeça e voltou para onde estava seu grupo, movendo-se com uma lentidão assustadora para alguém que acabara de pegar o que quer que ele houvesse pegado.

O barman voltou. Grama de neon cintilava na TV. Victor tirou os óculos, que estavam tão sujos que ele conseguiria ler melhor sem eles. Ele terminou o drinque, pediu outro e comeu a última bolota de muçarela de aparência triste – como um peixinho dourado nadando em uma poça. Os homens no fundo conversavam em um tom sussurrado. O barman se apoiou na extremidade oposta do balcão, e ficou lendo um jornal, levantando a cabeça de vez em quando para dar uma olhada na TV, apenas para se irritar.

Então, os homens se prepararam para ir embora, levantaram-se e saíram direto pela porta.

A TV pareceu mais alta, assim como o som do barman virando a página do jornal. Victor sentiu-se aliviado. Desde que descobrira o que era realmente o colar de Johanna, sentia a mente se dividindo lentamente. Metade dele vivia no mundo de Guy de Maupassant, um mundo de livros, de papagaios de estimação e do som de risadas femininas. E outra metade vivia no das praticidades imediatas, como, por exemplo, o que fazer para que o dinheiro que trouxera rendesse e como chegar ao castelo. Preferia o mundo de Guy. Talvez tenha sido por causa desse afastamento da realidade que Victor viu os eventos que se seguiram como uma espécie de dança muito rápida, com um pé seguindo o outro, como se os passos houvessem sido coreografados.

Ele percebeu que algo estava errado quando a porta do bar foi aberta com força e permaneceu aberta, para que os cinco homens que haviam acabado de sair entrassem de volta. Três permaneceram perto da porta, enquanto dois entravam apressados no bar, incluindo o Cara de Veias. Esse, se debruçou sobre o bar e pegou o perplexo barman pelo colarinho. Victor quase se levantou, mas teve medo que isso fosse visto como um ato hostil.

Os outros homens seguraram o braço do barman para trás enquanto Cara de Veias berrava com ele em francês. Cara de Veias, então, esbofeteou o barman e, quando o homem tentou se defender, levou um soco na cara. Victor examinou as possíveis saídas. Quem sabia como era o banheiro, ou o cômodo atrás do bar? Os três homens, todos muito mais corpulentos do que Victor, ainda bloqueavam a porta. Cara de Veias balançou o pacote embrulhado em papel pardo na frente da cara do barman, sacudindo-o de um modo que confirmava que havia dinheiro lá dentro. Ao que parecia, não o bastante. Cara de Veias jogou o barman contra uma prateleira de garrafas, fazendo com que algumas caíssem no chão. Os olhos dos homens na porta disseram a ele para ficar quieto. Cara de Veias voltou a socar o barman. Dessa vez, um anel de ouro cortou a têmpora do homem, espirrando sangue por cima do balcão, no jornal e no drinque de Victor, onde uma gota vermelha caiu e logo se dissolveu. Quando Victor voltou a levantar os olhos, viu o corte e o sangue caindo nos olhos do barman. Então se levantou.

Com alguns tapas e um traficante soturno dando um ataque ele podia lidar. Mas havia sangue na bebida dele, e no livro que estava lendo.

O FECHO

Ouviu-se o bipe rápido de uma sirene do lado de fora, mais provavelmente um carro de polícia passando, mas aquilo não foi o bastante para alarmar os bandidos. Um dos homens na porta gritou alguma coisa para os outros dois que estavam atrás do bar. Estava na hora de ir. O barman dobrou o corpo para a frente, tentando conter o sangue com a manga da camisa.

Cara de Veias se virou, parecendo surpreso por Victor estar parado ali, por ele ter testemunhado toda a cena.

– *Toi, me, donne-moi ton portefeuille e ton mobile.*

– *Pardon?* – O coração de Victor estava em disparada, ameaçando sair pela boca.

Cara de Veias deu um passo lento para a frente, como uma cobra, o hálito do jantar, quente, atingindo o rosto de Victor.

– *Pauvre con.* – Ele cuspiu no chão. – *Si tu me donnes pas ce que, je vais sauter ta mère et puis je vais chier dans ta bouche!*

Ao que parecia, a primeira vez fora a versão educada do pedido do cara.

– Está certo, está certo.

Victor passou a mão nos bolsos e, então, se lembrou de que a carteira estava guardada na bolsa de viagem. Ele se viu abrindo o zíper da bolsa, percebeu a lentidão em que se movia, sentiu-se impotente para voltar para o presente, apesar da razoável possibilidade de estar prestes a tomar uma surra.

Os outros homens no bar agora gritavam com Cara de Veias. O carro de polícia diminuiu a velocidade no fim da rua. Cansado de esperar, Cara de Veias puxou a bolsa de viagem de Victor, que guardava todas as roupas dele, dinheiro, livros, e o passaporte, claro, mas também o desenho do colar. Victor puxou a bolsa de volta pelo outro extremo da alça.

Ele sentiu uma onda de adrenalina dominá-lo e atingiu o homem no lado do rosto que não tinha veias.

Foi um soco rápido, dado com o impulso de quem não tinha muito talento, mas tinha um alcance decente. Victor ficou surpreso com o impacto, com a pouca carne que havia entre a pele e os ossos do rosto. Ele entrara em brigas quando adolescente, mas eram mais como breves jogos de combate sem supervisão. O nariz do homem começou a inchar imediatamente, como se o sangue estivesse estocado nas laterais, esperando para saltar. Agora o homem estava gritando de verdade. Victor visualizara cenários de lutas antes e, em sua imaginação, o oponente se abaixava e o punho de Victor atingia apenas o ar, desperdiçando energia. Até mesmo em seus sonhos, Victor era Victor.

Cara de Veias segurou o nariz. Victor fixou o olhar em sua bolsa de viagem e nos dedos daquele estranho ainda segurando a alça. Ele puxou de novo. Infelizmente, havia gastado toda a sua sorte com aquele soco. Cara de Veias girou o corpo, furioso, e atingiu Victor na orelha. Então agarrou a cabeça dele e lhe deu uma joelhada no olho. Cada terminação nervosa do corpo de Victor havia migrado para o seu rosto. Ele caiu para trás, desabando contra o banco do bar e atingindo o chão com força. Victor segurou as costas, perto dos rins. Ao que parecia, o corpo dele tinha uma tropa especial de nervos que estava querendo despachar para os rins. Ele se sentiu grato por não estar usando óculos. Cara de Veias cuspiu nele (não havia fim para o reservatório de saliva do homem?) e agarrou a bolsa de viagem de Victor.

Victor tossiu, sentindo o gosto de sangue na língua. Os ouvidos dele zumbiam e o lábio latejava. Dar uma joelhada no rosto de alguém ganhava de socar alguém no rosto.

— Ei! — gritou Victor, o melhor que conseguiu.

Cara de Veias se encaminhou para a porta, levando todo o propósito da vida de Victor com ele.

O barman se recompôs o bastante para conseguir falar. Ele gesticulou para o corpo prostrado de Victor. Estava, gentil e tolamente, tentando argumentar com um homem que acabara de fazer seu rosto sangrar.

Cara de Veias fez uma carranca, abriu o zíper da bolsa de Victor e pegou a carteira. Então jogou o resto em cima do bar. E saiu correndo pela rua.

Victor usou o banco para se apoiar e se levantar. Conseguia ouvir novamente a TV. Nenhum time fizera gol ainda. Ele sentiu um súbito desdém pelo futebol europeu.

– Você está bem? – O barman estendeu a mão por cima do balcão, uma corda jogada por cima de uma encosta escarpada.

Victor assentiu, mesmo que doesse assentir. O olho esquerdo dele parecia possuir seu próprio sistema solar. Victor passou a língua pelos dentes da frente, fazendo um reconhecimento de terreno. O barman havia exaurido seu conhecimento de inglês e agora estava explicando, com uma série de gestos com a mão, como havia tentado argumentar com o homem, dizendo que os policiais obviamente seriam envolvidos se eles roubassem o passaporte de um turista norte-americano e se o turista desse queixa. Ou se matassem o turista norte-americano.

– *Merci.*

Ele entregou um bolo de guardanapos de papel para Victor e ofereceu gelo de trás do bar. Não parava de apontar para o nariz de Victor, sugerindo que ele contivesse o inchaço ali, primeiro. Victor não sabia como dizer "meu nariz é assim mesmo" em francês.

O barman perguntou se Victor tinha um lugar para passar a noite e fez isso juntando as palmas das mãos e inclinando o rosto contra elas. Ele mostrou o quarto dos fundos a Victor, um espaço para estoque com um sofá de aparência decente e caixas de bebidas empilhadas até o teto. Talvez o maior choque de todos tenha sido o fato de o barman não estar nem um pouco chocado com o curso dos acontecimentos. Ele entregou a Victor uma manta bolorenta de crochê e vinte euros, que enfiou na mão de Victor apesar dos protestos. Então foi para a própria cama, em uma casa atrás do bar. Victor adormeceu de costas, a bolsa de viagem sob a cabeça, guardanapos de papel amassados e manchados de sangue jogados no chão. Podia ouvir dois gatos caçando ratos ao longo da sarjeta do lado de fora.

———

Victor teve um sono pesado e sem sonhos, seguido por um momento de pânico pela manhã ao ver o teto que não reconheceu. Ao virar a cabeça, um espasmo de dor no pescoço o acordou de vez. Ele se sentou. A dor na parte de baixo das costas debochava da dor no pescoço. Doeu posicionar os óculos sobre o nariz. O relógio analógico na parede lhe disse que eram nove da manhã. Ainda tinha tempo para pegar o ônibus para Dieppe. Victor lembrou deprimido da carteira, que não tinha muito dentro, além do crachá da *mostofit* e de uma promessa que ele não teria que ir tão cedo ao departamento de trânsito. Mesmo assim...

 O bar tinha um cheiro horrível e uma aparência ainda pior, uma afronta ao novo dia. Havia garrafas quebradas e sangue espirrado nos cinzeiros. Mas não havia tanto sangue quanto ele imaginara. Era preciso saber onde procurar. A caixa registradora estava aberta, com uma série de espaços negros vazios lá dentro. O barman provavelmente recolhera todo o dinheiro depois de colocar Victor na cama, na noite da véspera.

 Victor arrancou a última página da biografia de Maupassant, um índice que se estendia da Argélia a Zola, e escreveu na margem.

 Merci beaucoup por le sofa. Au revoir, L'Americain.

Sob a luz turva do dia, o bairro não pareceu tão simples. Pelo que ele pôde notar, chovera nas primeiras horas da manhã e a chuva parecia prestes a recomeçar a qualquer momento. "A Normandia é o penico da França", escrevera Guy. Falava como uma pessoa que nunca havia morado em um estúdio do tamanho de um armário – o penico de um é o pote de ouro do outro. Victor virou lentamente o pescoço. Era como se estivesse brincando com o Jogo da Operação, em que o operado era ele mesmo, recebendo choques elétricos através dos nervos.

Victor atravessou a cidade, avaliando a reação dos pedestres ao seu rosto. Não era boa. Os homens olhavam para ele com uma simpatia perplexa, felizes por não ter sido com eles, enquanto as mulheres mudavam a bolsa para o outro lado do corpo. Ele chegou ao Sena, que era tratado ali com muito menos fanfarra do que Victor acreditava que seria em Paris. Ali, o rio era mais um teste do que estava por vir, com passarelas sem adornos e engarrafamentos em ambas as margens. Depois de errar o caminho algumas vezes, Victor chegou à rodoviária, do outro lado do rio. Ele se sentou com a cabeça baixa até o veículo pesado chegar, projetando uma longa sombra aos seus pés.

Do assento que ocupou, Victor conseguia ver a Catedral de Rouen. Ele estreitou os olhos para a massa de pedra e espirais. Mesmo dali, conseguia perceber como era imponente, e por que alguém a pintaria trezentas vezes. Por mais aliviado que estivesse por se ver a caminho do castelo, desejou ter ido até a Catedral. Na véspera, vira um mostruário de cartões-postais, todos incluindo o quadro de Monet *O Portal da Catedral de Rouen na Luz da Manhã*. Olhando para fora, através da janela enevoada do ônibus, com o único olho bom, Victor viu que a pintura poderia muito bem ter sido uma fotografia.

TRINTA E SETE

Kezia

O banco do carona, onde estava sentada, fora colocado em uma posição que atendia a pessoas altas. Kezia desistiu de tentar apalpar para encontrar barras e botões, frustrada com a futilidade de batalhar com objetos inanimados. Ela só teria que ficar sentada ligeiramente mais para trás de Nathaniel pelo resto da viagem, a versão veicular de uma gueixa. O estilo de direção de Nathaniel lhe causava algumas palpitações. Ele parecia estar sob a clássica ilusão masculina de que sabia para onde estava indo e que poderia chegar a qualquer lugar, desde que fosse rápido o bastante. Kezia já gritara duas vezes com ele. Então os dois perderam duas entradas e tiveram que dar a volta três vezes pelo Arco do Triunfo.

— Vejam, crianças — disse ele em uma voz debochada por cima do volante —, o Big Ben, o Parlamento...

Quando já estavam na estrada, rapidamente se deram conta de que o celular de nenhum dos dois conseguia captar qualquer sinal de Wi-Fi. Texto, sim, mas o mais perto do que chegariam da internet era um círculo girando sem parar, consumindo bateria. Eles tinham o mapa da estrada, mas teriam que encontrar um café com acesso à internet se quisessem mais informações do que isso.

— De jeito nenhum. — Nathaniel balançou cabeça. — Sem cafés com internet.

— O que você poderia ter contra cafés com acesso à internet?

– O que eu poderia... – Nathaniel estava irritado. – O que é isso, Seattle em 1994?

– Muito bem. Então como sugere que planejemos os próximos dias de viagem?

– Está se referindo à viagem que, de qualquer modo, não planejamos fazer? Vamos seguir nosso instinto, meu bem.

Kezia olhou pela janela. Uma noite, em seu primeiro ano na universidade, ela e Caroline ficaram acordadas especulando como seriam suas vidas com cada cara da turma delas. De Nathaniel, Caroline disse:

– Ah, bem, no caso daquele garoto só há duas opções: casar com ele ou furar o olho dele.

– Podemos seguir direto até o castelo – sugeriu ela.

Nathaniel ignorou a sugestão. O acordo para que ele concordasse em arruinar sua estada em Paris foi que tirassem mais dois dias (como Nathaniel argumentara, 48 horas não *matariam* ninguém), para seguir de carro ao longo da costa norte da França, parando em algumas praias de nudismo, antes de seguirem mais para o interior, para conferir se o tal castelo havia acolhido o amigo deles e seu rompimento com a realidade.

Algumas ruas mais tarde e a Paris que Kezia conhecia desapareceu completamente. As construções ficaram mais simples, as árvores nas calçadas menos vistosas e mais sofridas. A cada poucos minutos havia um salão de beleza, um *tabac* e uma autoescola. Eram tantas autoescolas que Kezia mal conseguia acreditar. Talvez os parisienses soubessem que eram maus motoristas. Talvez o problema estivesse sendo abordado em nível nacional.

Quando eles passaram pelos arredores ao norte de Paris, as ruas eram flanqueadas por casas baixas e sólidas, e abóbadas de fios de telefone. Kezia avisara a Rachel que talvez ficasse fora de alcance (estrategicamente, dera o aviso depois de dar as boas notícias sobre

Claude) e passara para a chefe o número do telefone celular de Sophie. A intenção era ensinar uma lição a Sophie. Mas Kezia não sabia a profundidade exata da devoção da garota. Seria sorte dela se Sophie apreciasse os telefonemas de Rachel, de Tóquio, às quatro da manhã, exigindo que ela, Sophie, abrisse todos os e-mails na caixa de entrada de Rachel e lesse o conteúdo de todos ao telefone, só para que Rachel não tivesse que forçar os olhos.

– Consegue ler aquela placa?

Nathaniel decidira prestar atenção ao caminho, que se estreitara até uma faixa muito fina de cascalho branco, sombreada por uma cobertura de árvores. Estavam na zona rural agora. Nathaniel passou rápido por uma seta estreita, com texto em itálico cheio de barras e acentos, que estava enterrada no canto da fazenda de alguém.

– Não consigo ler a não ser que você diminua a velocidade – disse ela, olhando para o mapa rodoviário. – Mas estamos procurando por Yvetot. Fonte grande.

Para culminar, o novo GPS de Paul e Grey não estava funcionando. Na verdade, funcionara perfeitamente até Nathaniel ficar irritado com o modo como a voz britânica lhe dissera "atravesse o cruzamento", marcando cada sílaba como uma bola quicando. Ele desligara o aparelho e agora nenhum dos dois sabia como ligá-lo de novo. No momento, o GPS estava na caverna do castigo que era o porta-luvas.

– Se eu for mais devagar do que isso, nunca vamos chegar à praia.

Kezia tinha a sensação de que Nathaniel iria se desapontar. As praias do norte da França provavelmente eram povoadas por aficionados pela Segunda Guerra Mundial, usando pochetes, vindos de Nebraska.

– O que há em Yvetot? – perguntou ele.

– Nada.

– Então por que estamos indo para lá?

Ele ligou o jato de água no para-brisa sem querer.

– Porque fica a meio caminho do oceano e é você quem quer ir à praia. Precisa parar de me tratar como se eu já houvesse estado na Normandia antes só porque tive a ideia da viagem. Podemos parar em qualquer lugar que você quiser.

– Mesmo?

– Sim, claro.

Nathaniel ligou a seta, seguindo as placas para um supermercado Super U. Não demorou muito e estavam no estacionamento de um enorme shopping center, na frente de um quiosque grande de plantas e objetos de decoração. Aquele espaço poderia ter sido transplantado de qualquer lugar nos Estados Unidos. A única pista de que estavam na França eram os carrinhos de compras menores enfileirados um atrás do outro.

– Aqui?

– O que foi? – Ele deu de ombros. – Estou com fome.

– Temos a zona rural mais fofa do mundo à nossa disposição e você não quer nem encontrar uma pousada ou coisa parecida? Ou ao menos algum lugar onde tenham retirado a comida do plástico e colocado em um prato para você?

– Não – retrucou Nathaniel, enquanto abriam as portas. – Não gasto dinheiro durante o dia. É um desperdício.

– Você é muito louco.

Kezia estava tentando comer de forma saudável, para manter uma vaga consciência de que suas coxas continuariam a existir depois daquela viagem. Infelizmente, os franceses não faziam "saudável para viagem". Se quisesse comer um alho-porró, deveria cozinhá-lo em casa, na rua comia-se um bombom. Ela pegou duas maçãs e uma embalagem com seis iogurtes. Não estava acostumada a ninguém mais ver o que levava para casa para comer. Kezia parou no corredor de biscoitos, perplexa com a quantidade de opções com sabor de laranja e mirtilo.

– Qual vai querer? – Nathaniel apareceu atrás dela.

Kezia ficou olhando para os biscoitos como se estivesse em um safári, observando-os de dentro de um jipe.

– Somos tão restritos com nossos biscoitos. Eles são apenas de chocolate e manteiga de amendoim, a não ser pelos recheados de figo. Um figo nós toleramos. Um figo tem dupla nacionalidade. Mas aqui eles têm biscoitos de hortelã. Hortelã! Esse país é doido.

– Você está parecendo Grey. Basta escolher um.

Nathaniel pousou a cesta no chão. Saíra-se melhor do que Kezia. A cesta dele estava cheia de Camembert, prosciutto, salame e um pote grande de Nutella. Kezia teve medo de ficar entediada no assento do passageiro e acabar comendo o pote inteiro.

– *I took her to a supermarket* – cantou ele. – *I don't know why, but I had to start it somewhere, so it started... there.* – A música do Pulp falava sobre um cara que levava uma garota ao supermercado, porque tinha que começar em algum lugar, por isso começou lá.

– Engraçadinho.

– *I said pretend you've got no money* – continuou, mais agudo agora. – *Oh, but she just laughed and said, Oh, you're so funny. I said, Yeah? Well, I can't sse anyone else smiling in here. Are you sure.* – A música seguia com o cara pedindo para a garota fingir que não tinha dinheiro, e ela ria e dizia que ele era engraçado.

Nathaniel ficou de joelhos e pegou a mão dela, sorrindo como um lobo.

– *You want to live like common people!* – Mais agudo. – *You want to see whatever common people see!* – E encerrava dizendo que ela queria viver como uma pessoa comum, que queria ver o que as pessoas comuns viam.

— As pessoas estão olhando.

Na verdade, ninguém estava olhando. Era meio da tarde de um dia de semana. Mas Kezia imaginou alguém descendo o corredor e achando que ele a estava pedindo em casamento. A ideia a deixou ruborizada. Ela pegou a cesta e foi para o caixa, sabendo que Nathaniel seguiria uma cesta de carne em algum lugar.

Kezia havia reservado um quarto em um albergue em Yvetot. Provavelmente havia reservado. Ela só tivera sinal no celular pelo tempo suficiente para falar com uma mulher cujas únicas palavras haviam sido "oui", ou "non", e que ficou irritada quando Kezia pressionou por mais. Entre a barreira do idioma e a péssima receptividade, era difícil dizer de quem era a culpa. Quando os dois chegaram ao albergue, em algum momento antes do pôr do sol, passaram por baixo de um pequeno arco de vinhas e bateram em uma porta de madeira. Um gnomo de jardim barbado sorria para os dois. Nathaniel espiou por uma janela.

— Parece que Frodo não está em casa.

— Esse é o lugar certo. Tem que ser. Caso contrário, vamos ter que dormir no carro.

Ela não conseguiria procurar novamente no mapa. Aquele lugar já era difícil de encontrar, exigindo vários trevos e debates com Nathaniel sobre pegar a estrada D5, ou a D55, terminando em um "só escolha uma maldita estrada". Por fim, uma senhora usando calça floral larga abriu a porta. Ela pareceu chocada ao vê-los, apesar do escaninho de chaves e uma pilha de folhetos sobre a mesa atrás. A mulher apertou o cardigã ao redor do peito.

— *Oui?* – perguntou, olhando para eles como se fossem Testemunhas de Jeová.

— *Bonsoir* — disse Kezia. — *Je suis la personne qui...*

— *Ah, oui, oui.* — Ela pegou um conjunto de chaves. — Por aqui, por favor.

— Estou me sentindo como se fôssemos José e Maria — sussurrou Nathaniel —, com exceção do sexo.

— Maria e José não faziam sexo. Esse é o ponto.

— Não, esse é o *meu* ponto.

— E *há* lugar na pousada, portanto a analogia de qualquer modo não funciona.

— Eu me pergunto qual de nós é Jesus.

— Por que meninos são tão bobos? — sussurrou Kezia.

— *Pardon?* — A francesa se virou.

— *Rien.* — Kezia acenou no escuro. — *Désolée.*

O quarto ficava no topo de uma escada estreita e mal-iluminada a qual se chegava por uma porta no chão. Foram recepcionados por um teto inclinado, com vigas aparentes. Uma janela no telhado ficava alta demais para ser aberta. O quarto estava perdendo a batalha em fingir que não era um sótão.

— Tenho a sensação de que deveria estar usando roupas com estampa de cashmere.

Kezia olhou para as paredes.

— Essa estampa é Toile du Jouy.

O quarto era coberto por cenas pastorais azuis e brancas. Se estivessem confinadas no papel de parede, seria uma coisa. Mas os mesmos fazendeiros e camponesas dançando que estavam na estampa no teto, também dançavam e cultivavam o campo nas cobertas das camas, nas fronhas e nas saias de babados que circulavam a base das camas gêmeas. Cobriam até mesmo o móvel onde ficava a televisão, transformando-o em um cupcake gigante.

— *Oui?* — A mulher acendeu uma luminária de toile du jouy, e a luz só fez o quarto parecer mais infantil.

As duas camas ficavam a apenas uns trinta centímetros de distância, mas ao menos eram separadas.

– Oui – respondeu Nathaniel –, *c'est bon. Merci beaucoup.*

– Oui. – A mulher assentiu. – E se não houverem comido, fiz as anchovas *avec* creme. A menos que não comam peixe?

Ela estava olhando para Kezia.

– Ah, que gentil. – Kezia tentou não visualizar o prato. – Mas já comemos.

A porta do sótão se fechou acima da cabeça da mulher, que desapareceu entre as tábuas que rangiam.

– Nós perguntamos onde era o banheiro? – quis saber Nathaniel.

Kezia levantou uma Bíblia também coberta pelo tecido dominante no quarto.

– Hummm, aguente um pouco?

Nathaniel cheirou uma garrafa de xerez e colocou-a no lugar na mesma hora. Vinha usando a mesma camisa Henley azul-marinho desde a véspera, mas Kezia acabara de perceber como caía bem nele. Nathaniel realmente trabalhara o corpo todo. Os braços estavam musculosos. Ela sentiu desprezo pelos dois. Por Nathaniel, por sua vaidade. E por ela mesma, por se sentir atraída por ele.

– Imagine que há uma fina linha entre úmido e desalentador. – Nathaniel deu de ombros.

– Talvez possamos encontrar algum clube underground de striptease na cidade.

– Sim. – Ele jogou a bolsa de viagem sobre uma das duas camas, e a bolsa quicou sobre o colchão. – Acho que seria mais fácil fazer você se despir para mim.

– Rá! Até parece!

– Qual é o seu problema?

Kezia adormeceu rapidamente, mas acordou algumas horas depois, tentando guardar os detalhes de um estranho pesadelo. Nathaniel respirava suavemente, de costas para ela. Kezia tentou se forçar a voltar a dormir. Normalmente era capaz de fazer isso fingindo que desmaiara com um soco, o que não era saudável, mas ao menos conseguia fazer com que seus olhos se fechassem. Mas Kezia não parava de imaginar onde estaria Victor naquele exato momento. Estaria em alguma catacumba, procurando por seu tesouro, com uma lamparina erguida acima da cabeça e chutando ratos no caminho? Estaria em algum lugar com melhor circulação de ar do que aquele quarto em que ela estava?

– E se você estiver errada? – falou Nathaniel em um volume normal, totalmente desperto.

Ele se virou para encará-la, a cabeça apoiada nas mãos.

– Serão apenas alguns poucos dias da sua vida, se eu estiver errada. – Kezia se virou na direção dele e copiou sua posição. – Você pode voltar a Paris e se divertir sem mim uma outra vez.

– Acredite se quiser, mas realmente não estou perguntando sobre mim. Quero dizer, e se Victor estiver em Nova York todo esse tempo, indo e voltando de um novo emprego? Ou se estiver apaixonado e, por isso, não estiver atendendo às suas ligações? Talvez ele precisasse renovar o passaporte porque vai sair de férias com a nova namorada.

Kezia não sabia o que dizer.

– Vamos contar a ele algum dia que fizemos isso? – continuou Nathaniel.

– Não sei.

– Sinto que isso não é sobre um colar. Quero dizer, para você. Pessoalmente, não me importo, mas acho que deveria ser honesta consigo mesma. Você quer ser a heroína porque vocês dois nunca

O FECHO

tiveram um relacionamento de igual para igual, e agora não é mais tão próxima dele e se sente mal a respeito.

— Rá. — Kezia bufou e afundou o rosto no travesseiro. — Você diz isso como uma revelação. *Nenhum* de nós continua próximo, Nathaniel.

— Isso não é verdade. Nós dois somos amigos. Olhe o quanto somos próximos.

Ele estendeu a mão para a cama dela, quase roçando seu nariz. Kezia não se mexeu e não riu.

— Sim, somos mesmo... Sei tão pouco sobre a sua vida.

— Você sabe muita coisa da minha vida.

— Fatos, sim. Posso acertar todo um questionário, mas não sei nada abaixo da superfície. Está feliz? Não sei. O que você quer? Não sei. Está saindo com alguém?

— Estava saindo com uma garota chamada Bean, estou feliz e queria estar dormindo em lençóis que não me dessem coceira.

— E você também não sabe as mesmas coisas a meu respeito.

— Quer que eu lhe pergunte se você é feliz?

Agora os dois estavam deitados de costas, olhando para a janela acima, imaginando quanto tempo demoraria até amanhecer.

— Sabe, acabei de ter o sonho mais esquisito.

Ela estava em dúvida sobre dividir o sonho com ele. Nathaniel era o tipo de pessoa a quem se fazia confissões? Subitamente, todo o relacionamento deles parecia irreal, como se ela o houvesse fabricado, até mesmo na faculdade. Só conhecera Nathaniel porque eles haviam sido espertos e idiotas na mesma medida e haviam aterrissado no mesmo campus.

— Ah. — Ele estalou os nós dos dedos. — A empolgação de saber os sonhos de outras pessoas.

— Foi mais como dois sonhos. No primeiro, o prédio onde moro está pegando fogo. Há labaredas no meu teto. Pego meu pas-

saporte, meu computador e todas as amostras de Rachel... por algum motivo tenho todas elas... mas quando chego no saguão do meu prédio, já não é mais o meu prédio.
— Você tem um saguão na vida real?
— Vestíbulo. O que for. De qualquer modo, meu prédio passa a ser em Versailhes. Estou no Salão dos Espelhos, olhando para os candelabros gigantes. E é quando você entra e o segundo sonho começa. Você me leva de volta para Manhattan, onde está o futuro.
— Michael J. Fox estava lá?
— Já haviam se passados dez anos e nós dois estávamos morando juntos.
— Isso é o seu sonho, ou o seu pesadelo?
— Pare de me interromper. Estou arrumando a mala para passar o fim de semana fora, colocando as joias do primeiro sonho em sacos. Só que tenho uma sensação de pânico porque, por algum motivo, sei que temos que sair rápido do apartamento. A próxima coisa que sei é que estamos no hospital Monte Sinai, na ala da maternidade.
— *Estou* vendo onde isso vai levar, e não vou pagar pensão para filho nenhum. Nem nos seus sonhos.
— Só escute. Não sou eu que estou grávida. Estou parada no canto do quarto do hospital, vendo você e outra mulher. Não a reconheço, mas ela é muito, muito bonita. E é aí que a situação fica esquisita. Mais esquisita. Depois de algum tempo, eu não sou mais eu. Sou parte das paredes. E a mulher, sua esposa, está em trabalho de parto, vai ter o filho de vocês. Você está ao lado dela. A mulher tem a nossa idade, mas você está mais velho. Seu rosto está mais definido do que agora. Você ganhou peso, mas de um modo que se espalha por todo o seu corpo, não está localizado em algum lugar em particular. Não se preocupe, você ainda tem a mesma quantidade de cabelo. Tem uma boa aparência, confiável. Sua esposa é

O FECHO

como um fio de linha que conseguiu passar pelo buraco da sua agulha de inacessibilidade e se tornou a coisa mais importante da sua vida. Você está muito apaixonado por ela, e eu estou sobrando ali, colada à parede.

— Kezia...

— O trabalho de parto está durando uma eternidade. Você está com um sorriso encorajador nos lábios e ela tem fios suados de cabelo colados no rosto. Você está segurando a mão dela. Então, de repente... você está com seu bebê e está muito feliz. Deus, nunca o vi tão feliz. É tanta felicidade se derramando de você que, mesmo eu estando de coração partido porque naquele momento eu não passo de uma maldita *parede*, não tenho outra escolha que não me sentir feliz por você. Você está chorando, o bebê está chorando. Você diz a sua esposa que ela é incrível. Então ela pergunta qual é o sexo do bebê. Não há médicos no quarto, só nós três. Mas estou ficando mais rígida. Não sou mais sua amiga... sou a parede. Você examina o bebê para descobrir qual é o sexo. Não consigo mais falar ou me mover. Você não sabe que estou ali, meus órgãos são parte do reboco. Quando o sonho termina, meus olhos e meus ouvidos estão esmagados. Não consigo ouvir você dizer se é um menino ou uma menina.

Kezia engoliu o mais silenciosamente que conseguiu. Podia ouvir os corvos grasnando, anunciando o nascer do dia. Um trator passou pela estrada de terra. Ela ouviu um rangido no colchão de Nathaniel, que afastou a coberta e cobriu a distância entre as duas camas. Kezia se enrijeceu em antecipação.

— Kezia. — Nathaniel se inclinou mais para perto. — *Somos* amigos — reassegurou ele, depois de um longo silêncio.

— Sei disso. — Kezia assentiu, satisfeita por ele não poder ver sua expressão.

TRINTA E OITO

Victor

Gaivotas gritavam no céu quando ele chegou a Dieppe. Victor sentiu-se confortado, observando as asas rígidas empregarem a força mínima necessária para que voassem mais alto, suas vozes, as menos atraentes do reino dos pássaros. Isso o fez se lembrar de casa. *Casa* mesmo. Verões em Cape Code, jogando migalhas de pão para as gaivotas, largando pães inteiros com facilidade quando elas chegavam perto demais. A arquitetura ali também o fazia se lembrar de casa: restaurantes de frutos do mar e fileiras de casa com janelas octogonais dando para o mar. Até mesmo o som dos barcos no porto de Dieppe, presos por cordas e correntes e estalando enquanto subiam e desciam com a maré, lhe era familiar. Ele demorou um pouco parado ali, onde o ônibus o deixara, encantado com a universalidade das cidades de frente para o mar.

Então sentiu o rosto e se lembrou que, na verdade, estava muito longe de casa. Mas deliciosamente próximo do colar de Johanna.

Dieppe, depois de uma observação mais atenta, usava sua deselegância com orgulho. Havia um sex shop com bonecas infláveis e um uniforme de empregada francesa que, considerando o contexto, Victor imaginou que fosse mesmo apenas um uniforme. Havia também uma loja de conveniência com portas automáticas, que exalava um cheiro de fruta podre toda vez que alguém passava pela porta. Algumas janelas octogonais estavam quebradas, expondo aos elementos as cortinas de renda que ficavam dentro da casa. Se Rouen – lar dos crepes de rua caríssimos – abrigava traficantes de drogas violentos, Victor não se sentia muito inclinado a ir muito longe ali em Dieppe. Mesmo assim, ele achou que era melhor estar explorando aquela imundície exótica do que ficar deprimido na imundície familiar de Sunset Park.

Victor se sentou sobre uma barra de proteção de metal, fincada no chão. A barra à frente dele estava coberto de adesivos em vários estados de deterioração. Havia adesivos anunciando chaveiros, bandas locais, e um em uma forma que Victor teria reconhecido mesmo se toda a cidade houvesse sido bombardeada: a logo da *mostofit.com*. Em Nova York, aqueles adesivos estavam desbotando, eram a sobra de uma ação promocional que fracassara. Ali, estavam em ótimo estado e diziam: #1 MOTEUR DE RECHERCHE DE LA FRANCE!

Típico.

Mas se Victor não estivesse olhando para o adesivo da *mostofit*, talvez não tivesse visto outro sob ele com a imagem de uma bicicleta e um endereço que ele reconheceu ser da rua em que estava. Victor consultou o número no poste e recuou para ter uma visão melhor. Não conseguia acreditar em sua sorte. O aluguel de bicicletas era de apenas quatro euros por dia, e para ele? Dois euros. Por quê? Porque a garota que tomava conta da loja lhe deu um desconto. E descartou a prancheta com a ficha de informações de contato, como se Victor estivesse acima de algo tão vulgar como uma *ficha*. Então ela piscou para ele. Victor deu o crédito por tudo isso ao seu rosto machucado.

De acordo com o mapa, havia uma trilha de bicicleta que seguia por todo o caminho de Paris a Londres (com uma travessia de balsa no caminho). Victor podia entrar e sair e estaria no castelo à tarde.

Ele levantou o selim e deu alguns golpes com os pés para acertar os pedais na posição certa. Victor sempre quis comprar uma bicicleta, mas todas as bicicletas da vizinhança pareciam encontrar o mesmo destino: presas ao redor de um poste como um cavalo. Victor colocou uma garrafa extra de água na bolsa e sorriu, o lábio inchado se esticando, seco. Estava mais perto agora. Ele começou a descer a trilha, parando em busca de placas que confirmassem que estava indo em direção ao interior. Um casal de ciclistas com equipamentos profissionais passou zunindo, parecendo dobradiças humanas. Eles gritaram um com o outro no que pareceu ser sueco.

Ocorreu a Victor que acabara – mesmo estando sem teto, arrebentado e falido – em uma atividade de lazer de ricos. Se os pais dele tivessem um pouco mais de dinheiro e um pouco menos de aversão a exercícios físicos, Victor conseguiria vê-los fazendo uma viagem de bicicleta de Londres a Paris, a mãe se premiando com doces e o pai com cerveja. Os dois adorariam aquilo. Havia melros e uma eventual borboleta. Victor também adorava. Sentia uma espécie de liberdade vertiginosa com o ar empurrando sua pele conforme ele pedalava. Não conseguia se lembrar da última vez que "vertiginoso" estivera em seu repertório emocional, e com certeza não fora como resultado de estar em contato com a natureza. Por um brevíssimo instante, o maior medo da vida de Victor foi que uma borboleta fosse pega entre os raios da bicicleta.

Vastos campos eram separados por fileiras de árvores e pontilhados por macieiras, rosadas e pesadas de frutas. As vacas piscavam para espantar as moscas das pálpebras. O vento soprava através das árvores e um aplauso gentil subia da relva.

Victor parou para bater com o maço de cigarro no guidão. Era enervante olhar para o campo aberto sabendo que ele nunca pararia ali e fumaria um cigarro se estivesse em 1941. Não se "mudaria para uma outra casa", como acontecera com os proprietários do castelo. Seria assassinado – ou levado para um campo de concentração e, então, assassinado. *Ora, não acho que ele tenha matado ninguém.* O nazista da tia de Johanna dava aulas para crianças. O trabalho mais inocente que alguém poderia ter, para a organização mais cruel da história. Isso absolvia o homem? Victor tinha certeza de que não. Havia uma razão para que Felix nunca tivesse sabido da vida amorosa da tia-avó. Os nazistas não eram um grupo que o mundo deixasse escapar impunemente. Ainda assim, se aquele nazista em particular nunca houvesse existido, àquela altura Victor ainda estaria em Nova York, suando sem rumo, ouvindo Matejo jogar carne congelada pela janela.

Hora de seguir em frente. A roda traseira da bicicleta estava balançando demais. Victor apertou o pneu. Ele desmontou, manteve o cigarro em um dos lados da boca, agachou-se e examinou o pneu, procurando buracos.

Uma senhora também de bicicleta passou por ele, usando um casaco com buracos de traça e um cachecol simples. Ela parou e se virou. Tinha uma cesta de vime cheia de coelhos mortos presa ao assento.

– *Je peux vous aider?*

Victor provavelmente poderia fazer bom uso de alguma *aide*, mas o pneu não parecia estar furado. A corrente estava firme. Talvez fosse algum problema com os raios. Fosse o que fosse, Victor não estava interessado em se aproximar mais dos corpos marrons e sem vida na cesta.

– Tourville-sur-Arques?

– *Ah, oui.* – Ela apontou para uma curva na trilha. – *Quatre quilometres à peu près.*

Victor agradeceu a informação e a mulher saiu pedalando, os coelhos vibrando na cesta de vime. Ele seguiu por alguns metros. Faltava à bicicleta algum tipo de absorção de impacto, mas as rodas obedeciam ao aperto do freio. Victor sentia cada pedra entre a virilha e, por isso, pedalou o resto da trilha com o corpo erguido sobre o selim, procurando se desviar das raízes das árvores. No fim, a trilha o levou direto a uma pequena placa de madeira com uma seta e algumas letras entalhadas. Era o número certo de letras e começava com um "T". Victor acelerou, empurrando os óculos mais para cima do nariz inchado, quase gostando da dor. TOURVILLE-SUR--ARQUES.

A cidade de Tourville-sur-Arques era praticamente uma rua. Se Victor ficasse parado no meio dela e gritasse, todos os moradores poderiam ouvi-lo. Provavelmente era um meio bastante eficaz de fazer o censo. A distância, antigas torres de guerra se erguiam como gigantescos moedores de pimenta. Casas com gramados idênticos se destacavam da rua principal. Havia uma *boulangerie* e uma autoescola.

Victor chegou a uma estátua de Guy de Maupassant, que se erguia ceticamente no único cruzamento da cidade. Tentou ver o nariz de Guy, mas suas narinas estavam bloqueadas com bronze. O escritor parecia confiante e inteligente com seu bigode bem penteado. Nenhum sinal do suicida arrasado.

"Está vendo, François?", dissera Guy ao valete, o sangue escorrendo do pescoço, enquanto François o segurava nos braços. "Está vendo o que eu fiz? Cortei minha garganta. Esse é um caso de absoluta loucura."

Victor não levara em consideração como poderia ser suspeito subir até um castelo a pé. Ninguém "calha de estar por perto" de um castelo. Por sorte, com a bicicleta ao lado, só havia uma camada de tecido de cor berrante, com elastano, separando-o dos corredores que vira na trilha. Uma manta de agulhas de pinheiro cobria o caminho, fazendo o som de um exército minúsculo marchando enquanto Victor passava por cima delas. A trilha desembocava em uma estrada de terra particular, com uma enorme quantidade de flores do campo no centro. Com certeza aquela era a entrada menos usada. Ele chegou a uma igreja de pedra, redonda, e ficou paralisado ao ver um cervo, a pouco mais de quatro metros de distância. As orelhas do animal tremeram. De repente, o som de vozes ao longe assustou os dois e o cervo fugiu.

Uma visita guiada. É claro, uma visita guiada! O terreno do castelo não estava apenas aberto ao público, passivamente, como um parque. Ele poderia fazer a visita guiada oficial. Poderia fazer um reconhecimento do lugar. Victor deixou a bicicleta entre a igreja e uma pilha de lenha. Então, correu por entre as árvores, diminuindo o passo para uma caminhada ligeira quando chegou à trilha. Ele esperou até a guia estar de costas antes de se aproximar do grupo que fazia a visita. Era um grupo de italianos, mas a guia estava falando inglês. Ela parecia ser só braços e pernas com um rabo de cavalo que balançava e roçava em suas costas quando caminhava.

— Vamos dobrar à direita nesses arbustos e o castelo estará à vista. — A guia falou para seu rebanho por cima do ombro. — A estrutura sobreviveu a quatro séculos de proprietários. Foi construído em 1590, sobre os restos de um castelo destruído durante a guerra entre Flandres e o reino da França.

— O que é Flandres? — perguntou um italiano, com idade próxima à do pai de Victor.

Os outros tiravam fotos com os celulares.

— Era um país. Agora é parte da Bélgica.

— Até quando foi um país? — perguntou novamente o italiano.

Dois membros de sua prole olharam irritados para ele, mas a guia estava acostumada.

— Até cerca de 1800. — Ela continuou a caminhar. — Agora, a coisa *le plus important* a examinar na fachada do castelo são as diferentes cores de tijolos. Isso porque...

— Mas por quanto tempo Flandres foi um país? Quando começou e por que deixou de ser?

A guia do passeio se virou, estranhou ao ver o rosto de Victor, mas continuou seu trabalho. A moça tinha os olhos bem separados, uma testa enorme e uma boca que combinaria melhor com brilho labial do que com batom. Ela não poderia ter mais de quinze anos, dezesseis no máximo. Victor sentiu uma onda de vergonha por ter ficado observando o corpo da garota com seu olho bom.

— Senhor, talvez depois da visita possamos passar um tempo na biblioteca do castelo e pesquisar mais sobre o assunto de Flandres. Ou talvez eu possa perguntar à minha mãe. Está certo?

O italiano assentiu, satisfeito por ter sido levado a sério. Victor se adiantou para a frente do grupo, para poder dar uma olhada melhor na garota.

Ou talvez eu possa perguntar à minha mãe.

Ele reconheceu o nariz longo, os olhos separados. Tinha visto fotos da mãe da garota em uma biblioteca distante, em outro hemisfério, no que agora lhe parecia um planeta inteiramente diferente.

O castelo, uma imensa construção de tijolos, apareceu assim que eles dobraram em um canto. A luz amarela se prendia ao enorme gramado, lutando para ainda não ir dormir, aquecendo os tijolos e o portão de ferro fundido. O sol cintilava, laranja, por entre as árvores. E lá, no canto superior esquerdo, estava a pequena torre redonda com uma visão das flores. Victor podia até ver as criancinhas alemãs em seus pequenos uniformes alemães, correndo um atrás do outro ao redor do gramado da frente.

A garota Ardurat chamava aquele lugar de lar. Um dia ela traria um rapaz para casa. Victor quase podia ouvir o som dos pneus freando.

Foi aqui *que você cresceu?*, perguntaria o rapaz.

Ouais. *Mas não é como parece. Ficamos isolados, aqui, e estranhos passam o dia vagando pela nossa casa, fazendo perguntas idiotas... E quem você acha que limpa os estábulos?*

O garoto, então, passaria o braço ao redor dela e diria, *Ahhh, pauvre petite*. Porque como ele poderia dar crédito às queixas dela? A não ser, é claro, que o rapaz também houvesse crescido em um lugar mágico. Nesse caso, malditos fossem os dois.

Quando o grupo atravessou um fosso cheio de grama, a guia parou diante de um busto de cimento.

Ela tocou o ombro da estátua.

– E esse é o escritor Guy de Maupassant, o mais famoso morador do castelo de Miromesnil.

O busto de Guy parecia em tão boa forma quanto o rosto de Victor. Metade do nariz estava faltando (provavelmente uma coincidência e não uma referência à sífilis), a órbita do olho direito estava arrebentada, e anos de infernos normandos haviam dado à estátua a compleição de um viciado em anfetaminas. Mas é claro que Victor ainda conseguia reconhecê-lo. O bigode, a testa quadrada, a cabeça redonda que Guy alegava ser resultado de o médico ter "esfregado vigorosamente seu crânio depois que emergira do útero". Guy teria seduzido a garota Ardurat, não havia dúvidas disso.

– *Monsieur?* – chamou a moça.

Perdido nas pupilas de cimento de Guy, Victor acabara ficando para trás.

– *Monsieur*, há nova visita guiada a cada duas horas, se o senhor quiser começar do princípio.

— Ah, não — disse Victor, apressando-se para emparelhar com o grupo —, estou satisfeito, obrigado.

Ele queria entrar dentro do castelo, não começar de novo. Victor olhou para as janelas abertas no primeiro andar. Elas também ficavam abertas à noite? Era possível instalar um sistema moderno de alarme em um lugar como aquele? Essas não pareciam perguntas apropriadas a se fazer.

— O castelo foi projetado para ser um palácio residencial, por isso foi decorado em estilo Luís XIII. Por favor, reparem nas janelas, que são remanescentes da Pont Neuf, em Paris. E alguém pode me dizer o que é isso?

Ela apontou para uma estaca afiada, de aparência perigosa, que saía do chão.

— *Un portaombrelli?* — arriscou uma das esposas. — Para guarda-chuvas?

— *Un vibratore?* — disse entre risadinhas um dos garotos, que logo levou um cascudo.

— Está preso no chão, por isso daria um péssimo vibrador — retrucou a garota Ardurat, sem se abalar. — Era usado para limpar fezes de cavalo dos sapatos.

Victor estava impressionado. Mal tinha noção do que era um vibrador quando tinha a idade da garota e com certeza não saberia pronunciar a palavra em outros idiomas.

A guia pousou a mão sobre a maçaneta de metal.

— Quando entrarmos, por favor, lembrem que é proibido tirar fotos dentro do castelo.

Ela olhou com firmeza para o homem de meia-idade até ele encontrar seu olhar. Se o italiano quisesse que a garota o presenteasse com a história de Flandres, teria que guardar a câmera fotográfica.

As paredes eram cobertas por quadros pintados a óleo, disputando espaço entre si. Um par de urnas seculares guardava a entrada. Mas o piso de mármore fazia tudo parecer fresco e leve. Acima de um piano no canto, havia fotos dos atuais moradores – fotos de casamento, de colheita de maçãs, do Natal.

– Sejam bem-vindos ao saguão de entrada – recitou a garota.
– Primeiro, vamos para a esquerda, para o salão...

Victor ficou um pouco para trás, espiando as áreas limitadas por cordas. Relógios com colunas de mármore verde descansando sobre consoles de lareiras. Poltronas gordas de veludo com pés delicados. Paredes forradas com painéis de madeira "que vieram de um convento que fora destruído no século 19".

– Essa antecâmara – disse a voz sem corpo da guia de turismo –, é em estilo inglês e guarda tigelas de sopa de porcelana Worcester.

Os garotos tiraram fotos das tigelas. Só porque sabiam que não podiam.

– E agora chegamos ao último cômodo. – A guia organizou o grupo em um círculo.

Era um cômodo perfeitamente redondo com algumas cadeiras delicadas, de estofamento desbotado, retratos de Guy de Maupassant, e cartas emolduradas escritas na letra desleixada do escritor. Havia uma escrivaninha Luís XV, uma mesa Luís XVI e uma cômoda Luís Bilionésimo, que a garota disse "conter várias gavetas para guardar luvas". Todos se juntaram, colados às paredes. O italiano levantou a mão no ar, praticamente uma saudação nazista.

– Monsieur, vou falar sobre esse cômodo e, se depois tiver alguma pergunta, poderá fazê-la.

– *Bene* – concordou o homem, mas perguntou de qualquer modo –, e quanto aos andares de cima?

Os filhos dele estavam constrangidos, mas Victor ficou feliz por poder aproveitar as perguntas do homem. Afinal, ele não deixava de ter razão. Obviamente havia outros andares. Uma coisa que não havia naquele mundo eram castelos em estilo rancho, com apenas um andar.

– O andar de cima é a residência particular da minha família. Mas esse quarto é uma reprodução de onde Guy de Maupassant nasceu. Ele na verdade nasceu em um quarto minúsculo no andar de cima, em uma parte do castelo que não é aberta ao público. Mas que tem essa mesma forma.

Victor olhou para o teto, para o gesso rachado. Precisava entrar naquele quarto. Era o único que se encaixava na descrição em terceira mão de Johanna de um "quarto em uma pequena torre com vista para as flores".

A guia passou pelo grupo e levou-os para o lado de fora, por um par de portas de vidro. Victor foi o último a sair.

O terreno nos fundos do castelo parecia, ainda mais do que o da frente, ter saído de um conto de fadas. A grama estava aparada em um padrão geométrico, como um tabuleiro de xadrez. E lá, sob a janela de Guy, havia um jardim murado com roseiras, pereiras e vinhas subindo pelas paredes, sombreando fileiras de alcachofras. Victor nunca vira alcachofras no caule antes. Não lhe ocorrera que era assim que elas nasciam. A não ser por uma enorme quadra de tênis, a vista era livre entre a casa e um muro de tijolos de uns seis metros de altura, que cercava a propriedade. O topo do muro era decorado com folhas de ferro fundido – e arame farpado, como um sorriso.

Victor observou atentamente enquanto a guia abria cada porta com uma chave e logo trancava a porta por onde acabara de passar. Cada giro do pulso dela era como parte da esperança dele se extinguindo. Ele tentou, sutilmente, abrir as portas. Elas até faziam um movimento bem sutil na parte de cima, mas a parte de baixo permanecia fixa, presa no lugar por travas que se cravavam no chão. Até mesmo a porta do celeiro tinha um cadeado de tamanho industrial. Mas os muros não permitiriam que Victor saísse e se esgueirasse de volta à propriedade a qualquer momento. Se ele fosse tomar alguma atitude, teria que permanecer ali e se esconder, até poder agir.

Uma rajada de vento agitou as árvores. Como se fosse a deixa que estivesse esperando, a guia anunciou que a visita guiada havia terminado. Ela acompanhou o cavalheiro italiano à biblioteca e sugeriu que os outros passeassem pela propriedade.

– Apenas fiquem atentos ao fato de que o castelo fechará às seis da tarde.

Victor ouviu algo muito parecido com judeus quando a garota falou "apenas". Ela avisou ainda que, se eles estivessem interessados, a loja de lembranças vendia agendas impressionistas, cartões-postais do castelo, e exemplares de contos, incluindo "O colar". Mas Victor já tinha um exemplar. Não precisava de outros. Mas precisava do colar verdadeiro.

TRINTA E NOVE

Nathaniel

—S eu celular está todo arrebentado.
— Sinal de uma vida sendo vivida. — Nathaniel tamborilou no volante. — Tenho certeza de que o seu está intacto. Exatamente como seu...

— Nojento, pare.

Como estava dirigindo, Nathaniel pedira a Kezia para ler em voz alta as mensagens de texto que ele recebera. E conseguira o serviço de secretária mais irritante do mundo.

— Essa aqui diz, "o que tá rolando". — Ela suspirou. — Declaração reveladora de Emily B.

— Apague.

— Essa outra diz, "oi, gostoso", e é de Emily S. Você está à frente de algum reality show de encontros?

— Não fui eu que decidi batizar todas as garotas de Los Angeles de Emily.

— Essa aqui não é uma mensagem de texto. Você tem um lembrete para ligar para a associação de roteiristas sobre seguro saúde. Mais uma vez, empolgante. Tenho que continuar?

— Se quiser que esse carro continue rodando.

O celular vibrou.

— Ah, essa acabou de entrar. Diz, "Como está a purtaria?", de Percy. Ahhh, Percy. Deve ser uma da manhã em Los Angeles. O que ele quer dizer com "purtaria"?

– Deixe eu ver. – Nathaniel pegou o telefone e deu uma olhada. – Ele quer dizer putaria. Está bêbado.

Como se para provar a tese de Nathaniel, chegou outra mensagem de texto. Kezia leu:

– Ouvre la putaria!

O que era seguido por um "d". Seguido por um "desce". Seguido por outro "desce". Seguido por um "desculpe. Iphone engraçado".

Nathaniel riu, enquanto Kezia lia cada mensagem sem inflexão na voz. Ele esperou outro "nojento" como comentário, mas ela começou a rir como uma louca, segurando o estômago por cima do cinto de segurança, terminando com um assovio e um:

– Ah, isso é fantástico.

– O que é fantástico?

– Nada, é só que... todos esses seus amigos elegantes estão convencidos de que você está na cidade de Paris, acordando perto de cinzeiros cheios de guimbas de cigarros e de damas nuas.

– Damas nuas não cabem em cinzeiros. E meus amigos não são elegantes, são roteiristas de comédias.

– Isso é pior! Eu sei, os conheci.

– Quem você conheceu?

– Percy. Aquele cara, Will. *Você*. Todos vocês fingem não ser elegantes. Pelo menos as atrizes não precisam fingir, é o trabalho delas. Mas vocês ficam agoniados, querendo tanto quanto qualquer outra pessoa, a não ser pelo fato de que ainda carregam o fardo de fingir que preferiam estar em casa do que na festa do Oscar da *Vanity Fair*.

– Errado. Eu adoraria ir à festa do Oscar da *Vanity Fair*. Isso não é segredo.

– Sim, você está dizendo isso para *mim*, mas para uma celebridade que fosse à festa de qualquer forma e o convidasse casualmente? Você diria, "Claro, cara" e agiria como se não estivesse louco de felicidade.

Eles ficaram em silêncio. Nathaniel torcia para que permanecessem daquele jeito. Kezia havia pulado com uma facilidade enervante de um punhado de mensagens de texto para o cerne do descontentamento de Nathaniel. TIVE DESEJO DE TUDO, MAS NÃO TIVE PRAZER COM NADA. Ele imaginou as letras saindo flutuando da lápide de Guy de Maupassant, girando no ar e aterrissando nos bíceps de Bean. Seu coração anormalmente pequeno bateu irritado.

– Tudo o que estou dizendo é que, se seus amigos que acham que você está vagabundeando por Paris pudessem vê-lo agora, iriam achar divertido.

Ela levantou a palma da mão e gesticulou na direção do para-brisa. Havia campos com vacas, as caudas balançando como cordas. Cada uma parecia ter engolido uma porta de vaivém. Kezia lhe prometera que não haveria vacas. Havia árvores com ocos cheios de musgo e fardos de feno cobertos por plásticos, como marshmallows gigantescos.

– Não tenho nada do que me envergonhar... Estou em uma viagem de carro rústica com uma garota gostosa.

Isso a calou. E era verdade. O corpinho curvilíneo, os olhos azuis amanteigados, aqueles cabelos loucos. De vez em quando, Nathaniel olhava para Kezia no assento do passageiro e a via como se os dois houvessem acabado de se conhecer. Ou a via como quando a conhecera, observando-a fazer anotações, muito aplicada, sentada na frente da sala de aula. Kezia revirou os olhos e abriu a janela. O vento agitou o topo dos cabelos dela, deixando-os em um frenesi.

Eles chegaram a uma placa grande na rodovia, com um rochedo e a silhueta de alguns pássaros. Nathaniel recuperou o entusiasmo. Rochedos significavam mar, que significava praias, que significava praias de nudismo. Algo do que se gabar quando voltasse.

Kezia apontou.

– Ali, isso deve ser bom. Entre aqui para Étretat.

Depois de lhes oferecer anchovas e creme para o café da manhã, a mulher que gerenciava o albergue os havia indicado Étretat, dizendo que ali havia praias e "uma bela vista". Ela não exagerara. Tudo na cidade ficava aglomerado ao longo das margens escarpadas, as construções disputando entre si para ver quem tinha uma melhor vista do oceano. Os telhados de palha eram cobertos por remendos prateados de líquen. A terra se erguia agudamente da margem, dando ao lugar como um todo a aparência de ter passado por um terremoto recente.

Eles estacionaram e subiram ao topo de um dos rochedos, os espinhos arranhando suas pernas. Kezia abaixou o chapéu enquanto Nathaniel se aproximava mais dela, usando a aba para rebater o vento.

– Olhe para essa vista! – Kezia respirou fundo. – Você não tem a sensação de que há rochedos gêmeos desses na Inglaterra?

– E há, mesmo. Os rochedos brancos de Dover.

– Não, gêmeos idênticos. Do tipo, se você empurrasse a Inglaterra e a França para que se encontrassem, se encaixariam como um quebra-cabeça.

Uma forte rajada de vento os atingiu por trás e fez voar o chapéu de Kezia, que não teve tempo de agarrá-lo. Os dois ficaram parados ali, sem nem tentar pegar o chapéu que flutuava sobre os rochedos.

– Ah... merda. – Kezia riu, os cabelos voando em todas as direções.

— Com certeza ainda podemos pegá-lo. — Nathaniel olhou para baixo, para o ponto amarelo voando.

O sol estava se pondo, espiando de onde o rochedo se estendia sobre si mesmo e invadia a água, como uma tromba de elefante. Ele agora tinha uma vista clara do pescoço de Kezia, aquele parêntese pálido de carne.

— Olhe. — Nathaniel fixou os olhos no horizonte.

— O que estou procurando?

— Um lampejo verde. É o que acontece em Malibu. No instante em que o sol afunda atrás do oceano, forma-se uma linha verde.

Nathaniel lembrou da vez que fora a Malibu com Bean, achando que eles poderiam ficar na praia, observando o pôr do sol juntos. Em vez disso, acabaram esbarrando com amigos dela, que lhes deram uns cogumelos com gosto de couve-flor estragada. Nathaniel observou a manta deles ondular, enquanto Bean desaparecia atrás de uma pedra por uma hora. E Nathaniel não sabia exatamente com quem ela sumira.

Ele observou Kezia examinando o horizonte. Lá de baixo vinha o som de famílias pisando em pedras brancas e cinza. Nathaniel podia ouvir cada passo distante, como se eles estivessem tentando sair de dentro de uma máquina de chicletes. Ondas rolavam na praia, as cristas brancas estourando contra as pedras, e se retraíam. Não havia banhistas nus. Não havia banhistas. Ele sabia, em algum lugar no fundo da mente, que o norte da França não faria jus à sua fantasia de corpos bronzeados sem limites. Mas deixara Paris mesmo assim.

Então eles ficaram ali, parados, esperando que o sol se fosse. Pequenos barcos estavam alinhados na margem, como vagens abertas. Nathaniel sentiu a ansiedade ir embora com o vento. Enquanto estivesse ali, parado sobre aquele rochedo, poderia voltar atrás, dez anos no tempo, e ser quem quisesse ser. Enquanto estivesse com os pés plantados ali, não teria que encarar nada além do mar azul-cobalto que se estendia à sua frente. Poderia fazer as refeições ali, urinar no oceano, dormir em pé.

– Ora, foi decepcionante. – Ela cutucou a costela dele com o cotovelo. – Sem lampejos verdes. Estou cega? Não vi.

Nathaniel também não vira. Mas ele também não estivera olhando na direção certa.

– Talvez nós dois sejamos daltônicos. – Ele se espreguiçou.

– Na verdade – disse ela –, acho que apenas homens podem ser daltônicos.

– Seja como for. – Ele abaixou os braços e bateu no estômago. – Podemos beber agora, sabe-tudo?

Kezia observou a vista, inclinando a cabeça para a frente e para trás, como as gaivotas.

– Sim. – Ela abaixou a cabeça e pegou a mão dele. – Podemos beber agora.

O celular vibrou no bolso dele. O "B" maiúsculo de Bean o atingiu direto no olho. O milagre daquilo – a diferença de horário, a recepção de sinal no topo de um rochedo, o fato de que ela estava ligando e não mandando mensagens de texto – significava que de alguma maneira aquela viagem à França estava funcionando de um modo indireto ao que ele havia esperado. Ele vencera o jogo. Tudo o que precisava fazer era pegar o celular e reivindicar o prêmio.

– *Allons-y*. – Kezia passou a mão pelo rosto. – Estou comendo meu cabelo.

Nathaniel olhou para a tela até o nome de Bean na tela mudar para as palavras "ligação perdida".

Então ele pegou a mão de Kezia e eles desceram o rochedo por uma trilha de conchas quebradas. A trilha levava a um pequeno calçadão onde vendedores de sorvete fechavam os guarda-sóis para a noite. Estava ficando frio. Nathaniel percebeu que os pelinhos louros do braço de Kezia estavam arrepiados.

– Pegue. – Ele tirou o casaco.

Kezia segurou o casaco no punho. Nathaniel ficou encarando a peça, voando ao redor do corpo dela enquanto Kezia falava, o zíper balançando entre eles.

– Não vai vesti-lo? É para isso que servem.

– Ah. – Ela sacudiu o casaco pela gola. – Achei que queria que eu o segurasse para você.

– Tonta. – Nathaniel segurou o casaco atrás de Kezia para que ela vestisse.

E ficou magoado com a reação dela – com o fato de Kezia não ter reconhecido o comportamento cavalheiresco dele mesmo estando bem na cara dela. Pior, ela não ficara nem remotamente aborrecida com a suposta ausência de cavalheirismo. De propósito, ele fizera com que as expectativas de Kezia a seu respeito fossem baixas. Porque não precisava se sentir com nenhuma responsabilidade com aquela pessoa do seu passado, que aparecia de meses em meses na cidade onde ele morava, com a determinação expressa de fazê-lo se sentir mal consigo mesmo. Mas o perigo de Kezia não querer nada dele o atingiu com mais violência do que o perigo de ela querer tudo.

QUARENTA

Victor

Ele podia ouvir o papel queimando no cigarro enquanto inalava. Estava absolutamente silencioso às onze e quinze da noite e ficava cada vez mais silencioso. O silêncio era como uma condição climática por si só, cobrindo o castelo de tranquilidade. Em uma carta para o médico, depois que realmente começara a perder o tino, Guy escrevera: "Somos meros brinquedos para esse órgão enganador e caprichoso, o ouvido. Movimentos fazem com que uma aba minúscula de pele em particular em nosso ouvido estremeça, o que imediatamente transforma em barulho o que na realidade é apenas vibração. A natureza em si é silenciosa."

Quase.

Havia alguns cães na propriedade, criaturas de tamanho médio de raça indeterminada, que os Ardurats mantinham em canis. Os cães haviam feito um barulho enorme no início da noite, latindo a cada atividade de fim de dia dentro do castelo. Eles latiram para os italianos que partiram, para o portão se fechando, para os carros se afastando. Latiram em antecipação para a garota Ardurat que atravessava o gramado com um saco de ração nos braços. E latiram como loucos para a mãe da garota – que era a encarnação da mulher no quadro *American Gothic* na vida real, como ele achara na foto –, quando ela bateu a porta da cozinha da família. Eles pararam de latir depois do jantar, tranquilizados pelo brilho da TV que saía de uma sala no terceiro andar. Quando aquele cômodo também ficou escuro, Victor mal conseguia divisar os blocos arfantes que eram os corpos dos cães – ele estava escondido dentro do galpão do jardim, espiando de trás de um fino painel de vidro.

Victor deu uma longa tragada, apenas para ouvir o papel estalando sob o nariz, e inalou o cheiro de terra das ervas secas. Então, sem razão nenhuma, uma estante inteira de equipamentos de jardinagem desabou, esmagando um vaso de argila pelo caminho.

Victor esperou que os cachorros começassem a latir.

– *Louise!* – O Sr. Ardurat enfiou a cabeça careca pela janela. – *Ta gueule!*

O cão latiu seu argumento.

– *Non! Non! Ta Gueule, Louise!*

Durante a visita guiada, Victor aprendera que o castelo era dividido em dezenas de cômodos (projetados originalmente para manter o calor durante o inverno). Até agora fora difícil determinar qual era o quarto principal e a parte residencial do lugar. Mas agora Victor viu onde ficava, felizmente longe da torre. Ele jogou o cigarro fora com cuidado, amassando a guimba com o sapato, pendurou a bolsa de viagem atravessada no peito e enfiou a cabeça pelo canto do galpão.

A princípio, Victor permaneceu abaixado, agachado sobre a relva, como se para evitar sensores a laser. Então simplesmente se levantou e seguiu caminhando a passo firme conforme se aproximava da casa. Ele lembrou da época da faculdade, em como costumava ter mentiras preparadas para o caso de ser pego roubando. O que diria ali, agora? Que o carro dele havia quebrado no portão da frente e ele precisava usar o telefone? Como chegara até aquela altura da propriedade? Como passara pelo fosso? Estava coberto de grama, mas ainda assim... era um fosso.

Victor correu os dedos pelo cimento. Então cerrou os olhos e olhou para cima. A menos que o soldado nazista houvesse movido

O FECHO

novamente o colar sem contar à tia de Johanna, a joia ainda estava atrás de um tijolo, em algum lugar naquela torre. O único modo de entrar era através da janela. Victor puxou com os dentes o cantinho das cutículas.

A mão dele tremeu quando ele pousou-a nas treliças. A insanidade do que estava prestes a fazer atravessou sua mente como uma barata correndo sob o forno, na cozinha do apartamento dele. E, como acontecia quando via uma barata, ele tinha duas escolhas: (a) admitir a presença dela e esmagá-la, ou (b) argumentar consigo mesmo que poderia facilmente não tê-la visto.

Quando Victor começou a subir, seu medo estava mais concentrado na possibilidade de os cachorros latirem, do que em quebrar a coluna. Ele ajeitava a bolsa de viagem a cada passo vertical, evitando que ela batesse contra a parede. Então veio um momento de medo puro, mortal, o instante que o fez ir de *Eu provavelmente vou quebrar meu tornozelo se cair,* para *Eu com certeza vou quebrar meu pescoço.* Finalmente, ele alcançou o topo protuberante de um longo parapeito de janela. As treliças terminavam pouco antes da janela do segundo andar. Victor tateou a janela com os dedos. Ele testou os galhos para ver se o sustentariam, mas não havia como completar o teste sem colocar todo o peso do corpo sobre os galhos. Em vez disso, Victor respirou fundo e ergueu uma perna até o parapeito, deixando a outra pendurada, grunhindo o mais baixo que pôde enquanto levantava o resto do corpo.

Ele prendeu a respiração. Nuvens passavam sobre uma lua cheia. Abaixo, Victor podia ver fileiras de bocas-de-dragão separando alcachofras e couves-flores umas das outras. Ele viu também a pequena casa de hóspedes onde os proprietários do castelo haviam se aglomerado durante a ocupação. O soldado nazista, a alma sensível que ele era, alguma vez subira até ali para ter aquela vista? E Guy, fizera isso? Provavelmente não. Os dois viviam ocupados demais tendo casos amorosos para subirem em parapeitos.

A janela estava aberta e Victor agradeceu a Deus por isso. Ela rangeu alto quando ele a empurrou. Victor rolou rapidamente para o chão, jogando a bolsa primeiro, esperando aterrissar no antigo quarto de Guy. Mas ele provavelmente subira em um ângulo ligeiramente diferente no escuro e acabara no corredor do lado de fora do quarto.

Meeeeerda, disse para si mesmo.

Victor secou as mãos suadas e olhou para baixo, para a escada espiralada. Podia ver o topo dos postes dourados e as cordas de veludo. Um relógio de piso tiquetaqueava no fim do corredor. Conforme os olhos de Victor se ajustavam à escuridão, ele viu a mesa do corredor coberta com o conteúdo habitual de uma mesa de corredor: correspondência, blocos de papel, material escolar, estojos de óculos. O ar ali em cima era diferente do mausoléu do primeiro piso. Pessoas moravam ali em cima.

Victor enfiou a cabeça para fora da janela de novo, esticando o pescoço para se orientar. A porta à sua direita era a porta para o antigo quarto de Guy, tinha que ser.

O coração dele estava disparado. Victor encostou o ouvido na porta e pousou a mão contra ela, como se para ver se havia um incêndio. *Quem arrombava e não entrava?* Era verdade. A maçaneta, que já recebera um milênio de amassados e arranhões, cedeu facilmente quando ele virou-a.

Não estava nem trancada.

QUARENTA E UM

Kezia

—O*uvre la porte.* – Kezia puxou a porta do passageiro. – Você está com as chaves?

– Ah, rá, rá. – Ela usou a mão para segurar os cabelos longe do rosto. – Hilaaariante.

– Estou falando sério. – Nathaniel virou os bolsos para fora.

Kezia sentiu o pânico apertar sua garganta. Muitos dos pequenos eventos desafortunados da vida poderiam ser encarados com uma aceitação imediata – como o chapéu que ganhara de Rachel sair voando –, mas dois em uma hora era pedir muito. Kezia tentou abrir a porta mais uma vez e espiou para dentro do vidro curvo para ver se podia vê-las... mas e se estivessem ali? Ela não vira nenhum cabide no estacionamento, e se tivesse visto Nathaniel teria feito uma piada inteiramente diferente sobre eles.

– Não estão comigo, juro.

Ela o fuzilou com o olhar, por cima do teto. O carro era o centro de controle daquela experiência. A base deles. Mais confiável do que o parceiro dela, com certeza. A mente de Kezia fazia rondas, inspecionando os outros órgãos: estômago, fundo. Bexiga, cheia. Batidas do coração, aceleradas.

– Que droga! – Ela chutou os pneus.

– Kezia.

— Não consigo acreditar que você perdeu as chaves. Agora vamos ter que andar por todo o caminho de volta. As chaves podem estar em qualquer lugar. Você tinha um trabalho a fazer e está ocupado demais trocando mensagens de texto com...

— Já procurou nos bolsos do meu casaco?

Kezia curvou os lábios de um modo mais presunçoso do que o usual. Ela enfiou as mãos nos dois bolsos, até sentir o chaveiro em forma de Torre Eiffel de Grey. Kezia entrou no carro e, sem dizer nada, se debruçou para abrir a porta para Nathaniel. Ele se acomodou no assento do motorista e pegou as chaves da mão aberta dela.

— Ah, obrigada, Nathaniel – provocou ele. – Obrigada por ser meu motorista. Me desculpe por tê-lo acusado de ser um imbecil, Nathaniel. Lamento se passo a vida esperando que os outros façam alguma besteira para depois transformar tudo em um assassinato de caráter, Nathaniel.

— Não lamento – disse ela para o espelho. – Tenho certeza de que você fez alguma coisa ao longo dos anos que justifica esse raciocínio. Considere retroativo.

Eles foram a três hotéis diferentes, incluindo um com uma silhueta em neon dos rochedos, acima da porta, mas não havia quartos disponíveis em nenhum deles. Era o começo do verão. O auge da temporada turística. Até mesmo os albergues estavam cheios. Era uma sensação particularmente aviltante passar por mochileiros na estrada, as mochilas mais altas do que suas cabeças, e sentir inveja por qualquer bola de algodão infestada de percevejos que eles chamassem de cama.

— Agora *realmente* não há quarto em nenhuma pousada – disse Nathaniel.

— Não sei o que fazer. – Kezia apoiou a cabeça contra o painel do carro. – Poderíamos seguir direto até Tours-of-David-Arquette.

De propósito, eles vinham intencionalmente pronunciando errado os nomes de cada cidade, mutilando-os por pura diversão. Tourville-sur-Arques foi a primeira a cair.

– Espere. – Ele consultou o celular, realmente clicando em alguma coisa.

– Está tentando colocar isso no Twitter?

– Pegue aqui. – Nathaniel estendeu a ela o mapa rodoviário. – Vamos voltar para a rodovia principal e dobrar à direita. Vamos para esse lugar. Você é a navegadora.

Kezia aceitou o mapa sem olhar para ele, encarando Nathaniel com uma expressão confusa. Que informação útil o celular poderia ter agora, que não oferecera nos últimos dois dias?

– Confia em mim?

– Não. – Ela riu enquanto ele dava ré com o carro.

Uma hora mais tarde, eles subiam uma entrada de carros íngreme e ladeada por árvores, que testava o talento de Nathaniel como motorista. No topo, havia uma mansão de pedra imaculada, com toldos se projetando da entrada. Era um dos hotéis mais elegantes que Kezia já vira. Havia moitas de morangos por toda parte, cheias de pequenas flores brancas. Além dos sinais mais visíveis de luxo (a insígnia de um leão na entrada e lilases perfumando o ar), havia também uma placa cintilante. Aquele lugar abrigava um restaurante que recebera três estrelas do Guia Michelin.

– Você deve estar brincando. – Ela se inclinou para a frente, no assento.

Uma corça passou por eles com um cervo de pelo manchado atrás.

– Não tenho como pagar por isso e não sei quanto está recebendo daquela SAG...

– A SAG é a sigla para Screen Actors Guild, uma associação de atores.

– E daí?

– Eu sou roteirista.

– Nossa, você deve ter ganhado uma fortuna com o piloto do seu programa.

Nathaniel deu de ombros, saiu do carro e abriu a porta para ela.

– Quem é você?

– Siga-me, madame.

Enquanto caminhava ao lado de Nathaniel, Kezia pensou, pela primeira vez a sério, em Caroline e Felix. Aquela semana ela tivera a sensação de estar no meio da lua de mel de alguém (com o triplo de implicâncias e sexo algum). Mas aquele lugar? Ali ela se sentia como se estivessem especificamente na lua de mel de Caroline e Felix.

– *Bonjour* – Nathaniel se dirigiu ao homem no balcão da recepção, um homem da idade deles, com os cabelos divididos ao meio.

– *Bonsoir, monsieur. Comment puis-je vous aider?*

– Desculpe por chegar de repente ao seu estabelecimento – disse Nathaniel.

– *Ce n'est pas grave, monsieur.*

– Detesto essa expressão – disse Nathaniel a Kezia, levantando a voz uma oitava. – *Ce n'est pas grave, ce n'est pas grave.* É claro que não é nada grave, ninguém esfaqueou ninguém.

– Você está nos envergonhando – murmurou ela.

– *Oui. Je m'appelle Nathaniel Healy et je voudrai une chambre pour le nuit.*

– Peço desculpas, senhor, mas o hotel está lotado para a noite.

– Está vendo? – disse Kezia. – É claro que está.

Agora Kezia ficara aborrecida. Ela mesma não tivera nenhuma ideia brilhante, mas aquele desvio do caminho não apenas fora uma perda de tempo, como também psicologicamente perturbador. Kezia conhecia bem aquela sensação. Já encomendara bastante refeições de quatrocentos dólares, sentara em primeiras fileiras e entrara por entradas VIP com Rachel, apenas para chegar em casa à noite e ver a chave ficar presa na fechadura, ou descobrir uma água marrom pingando do teto bem em cima da pilha de roupa lavada.

Nathaniel apoiou os cotovelos sobre o balcão.

– Pode, por favor, checar de novo. Isso deve lhe dar toda a informação de que precisa.

Ele pousou o celular sobre o balcão em um gesto de desafio, esbarrando no sino que havia perto antes de endireitar o corpo. Kezia silenciou o sino. O homem da recepção pegou o celular, com a expressão de um cético se vendo obrigado a olhar em uma bola de cristal. Então devolveu o aparelho a Nathaniel, pediu licença aos dois e desapareceu por uma porta de carvalho atrás do balcão. Nathaniel piscou para Kezia.

– Tem alguma coisa no seu olho?

– Tem alguma coisa na sua bunda?

O recepcionista voltou com um segundo homem atrás, usando o mesmo uniforme grafite com duas fileiras de botões de metal descendo pelo peito como doces.

– Peço desculpas por fazê-lo esperar, monsieur Healy. Bertrand vai pegar suas malas no carro e acompanhá-los à sua suíte. Por favor, nos avise se precisar de alguma coisa durante a sua estadia.

– *Merci* – disse Nathaniel, com um sorriso de quem estava muito satisfeito consigo mesmo se espalhando no rosto. – Kezia, quantos anos você acha que tem esse lugar? Olhe para aqueles entalhes no teto. Aposto que estamos parados nos aposentos dos criados.

– O que você fez? – Ela estava boquiaberta.

– Ah. – Ele pousou as mãos nos ombros dela. – Não fiz nada. Caroline fez. Estou oficializando meu presente de aniversário. Uma acomodação de luxo em qualquer hotel Markson no mundo. Todas as despesas pagas. Eles não possuem hotéis apenas nos Estados Unidos. Tem alguns hotéis alguma-coisa ao redor do mundo. Prêmio? Exclusivo?

– Butique.

– Sim, isso, hotéis-butique.

– Ah, meu Deus. – Kezia passou os braços ao redor dele. – E você usou seu bilhete premiado conosco?

– Medidas desesperadas. – Ele deu de ombros. – Estava pretendendo usá-lo pra levar uma garota de verdade para Singapura, ou coisa parecida. Mas acho que você vai servir.

Eles seguiram Bertrand até o quarto, ao qual se chegava por uma escada particular, bem diferente da escada semelhante à do Bates Motel, da noite da véspera. Bertrand abriu a porta. O quarto era enorme, mas discreto, com paredes texturizadas, pintadas em azul, e poltronas brancas, baixas, agrupadas em dois lugares – ao redor da lareira, e sob um quadro que parecia um Cézanne, e provavelmente era. A habilidade de arrumar mobília em círculos, de criar espaços de convivência era, para Kezia, um luxo maior do que uma lavadora de pratos. Cada centímetro de espaço nas paredes no apartamento dela em Nova York estava tomado pelas costas de sofás e poltronas. Todas as camas em que havia dormido desde que se formara tocavam duas paredes ao mesmo tempo, prendendo cada homem com quem ela dormira desde a formatura contra um cano sibilante do aquecedor. Em Nova York, era preciso ser milionário para conseguir expor as costas da sua mobília.

Nathaniel se jogou na cama.

– Tenho uma ideia. – Ele levantou pulando e tocou a testa contra a cabeceira.

– Normalmente eu diria que não quero ouvir suas ideias, mas depois disso... – ela girou no quarto – você pode dar a ideia que quiser.

– Vamos beber todas.

QUARENTA E DOIS

Victor

Como prometido, o quarto era igual ao que ficava abaixo. Havia uma pequena cama de aparência antiga em um canto, feita sob medida para se encaixar na curva da parede. Cortinas transparentes flutuavam para dentro e para fora da janela aberta. E, para sorte de Victor, toda a circunferência da parede estava coberta por tijolos aparentes.

Ele fechou a porta com cuidado, soltando a maçaneta em silêncio, e pousou a bolsa de viagem no chão.

– Então é aqui que a mágica acontece – disse, testando o som da própria voz.

Victor coçou a nuca. A menos que houvesse tropeçado em um alarme silencioso – e, por algum motivo, duvidava que essas pessoas que criavam cabras também instalassem alarmes silenciosos – havia conseguido entrar no castelo sem ser notado. Agora era a hora da caça ao tesouro. Ele correu os dedos pelas paredes, em busca de um movimento qualquer nos tijolos. Teria que tatear cada tijolo naquele quarto, e torcer para que o soldado nazista não fosse mais alto do que ele. Nenhum dos tijolos estava solto. Victor tentou manter algum controle sobre os que já havia checado, contando-os pelo toque, como um cego. Ele levantou os olhos para o teto, para a coroa de flores decorativa em gesso, que um dia já tivera um candelabro pendurado no meio. Onde estava o colar? A coroa de flores de gesso sabia, mas não estava dizendo nada. Victor fora criado por pessoas que escondiam seus bens valiosos em latas redondas de sabão em pó Ajax vazias (a certidão de nascimento dele tinha uma dobra permanente). Nada dessa bobagem de *gavetas falsas em cômodas* e *escolha um tijolo, qualquer tijolo.*

Por fim, ele chegou ao lado do quarto onde estava a cama. Victor ficou de quatro, inalando poeira. As pernas da cama prendiam a beira de um tapete contra a parede, bloqueando toda uma fileira de tijolos. Victor conseguiu levantar uma das pernas da cama e arrastou o corpo mais para a frente. Ele tateou a parede. Estavam acabando os tijolos. E então? Teria que checar todos de novo. Não chegara até ali para fazer uma busca meia-boca nos tijolos. Os dedos dele empurraram um canto da argamassa.

E Victor ouviu o som semelhante ao de um pilão roçando a argamassa.

Ele moveu o tijolo para a frente e para trás, como um dente mole. Agora estava deitado de bruços, a mão estendida para remover o tijolo. Victor pousou o tijolo no tapete e enfiou a mão no espaço aberto. Ele moveu a mão, com medo de acabar sendo mordido por alguma coisa. Nada.

Nada.

"Joias são tão vivas quanto o toque de qualquer pessoa." Victor podia ouvir a voz de Johanna dizendo isso, sentada no parapeito da janela, a brisa tropical ondulando os babados de sua blusa. Deveria ter perguntado a ela enquanto tivera oportunidade: *mas e se ninguém jamais chegar a tocar a joia? E aí?*

Ele retirou a mão do buraco para fazer uma pausa e reorganizar as ideias. Foi então que esbarrou em alguma coisa. Quando procurou, os olhos semicerrados, viu um objeto pequeno e chato. Victor voltou a enfiar a mão o mais longe que conseguiu e pegou o objeto entre os dedos, levando-o mais perto do rosto. A sensação era sedosa, como a de uma foto. Uma pista, talvez? Os olhos dele agora viam melhor. Victor não conseguia acreditar no que estava vendo: uma foto de escola de um garoto qualquer, usando uma camisa Lacoste, um corte de cabelo estilo cuia e aparelhos nos dentes, sorrindo como um bobo.

Então a porta do quarto foi aberta de repente, atingiu o traseiro dele e o jogou de corpo inteiro no chão.

Tanto Victor quanto a garota Ardurat demoraram um instante para processar o que estava acontecendo, para que a garota compreendesse que Victor era uma pessoa e não uma peça de mobília.

Ela estava usando calça de pijama e uma regata. Parecia ainda mais nova do que quando estava declamando História. A garota tinha uma faixa atoalhada ao redor do rosto, que estava brilhando. Provavelmente se levantara para ir ao banheiro e, ao voltar, encontrava um homem se arrastando embaixo de sua cama, com a bunda para cima.

Victor conseguiu se ver perfeitamente sob os olhos dela. Não apenas um intruso, mas um intruso assustadoramente desengonçado, com o rosto todo machucado, que se infiltrara no grupo de visitantes dela. A garota cobriu a boca com as duas mãos, então deixou-as cair no mesmo instante e acendeu a luz.

E começou a gritar.

Victor nunca tivera uma experiência de câmera lenta auditiva antes. Parecia que estava caindo. Ele levantou a mão, incomodado. Era como se estivesse bloqueando um projétil.

Finalmente, a garota deixou escapar um "Ah!", curto e agudo e bateu a porta, fechando Victor dentro do quarto. Agora, com as luzes acesas, certos elementos adolescentes se destacavam. As cortinas eram violeta. Havia fotos por toda a parte, grupos de amigos na praia, recordações unidimensionais, cartões com citações inspiradoras, rosas secas, tortas. Em uma corrente de ouro pendurada em um gancho lia-se: ALEXIA.

O FECHO

Victor afastou as cortinas e olhou para fora da janela. A treliça lhe servira como escada para subir até o saguão, mas mesmo se conseguisse alcançá-la dali, quebraria o pescoço tentando descer pelo lugar por onde subira.

Dois conjuntos de passos vieram pisando forte pelo corredor.

– *Allô?* – gritou o Sr. Ardurat. – *On appelle la police! Vous êtes armé? Vous m'entendez? Vous m'entendez!*

– Desculpe, desculpe! – gritou Victor.

Ele ouviu a Sra. Ardurat procurando alguma coisa na gaveta do corredor. Então viu a maçaneta girar e achou que estava prestes a tomar a segunda surra em 24 horas. Em vez disso, o trancaram.

A distância, os cães estavam fora de si.

– Não estou armado – falou Victor. – Eu... *je n'ais pas une* arma. Sem arma. *Pas de* arma.

Ninguém respondeu. Dois conjuntos de passos se afastaram, mas um permaneceu. O Sr. Ardurat ficara tomando conta da cela de Victor. Fora declarado que Victor não estava armado, mas e o Sr. Ardurat?

– Esperarei aqui – disse Victor.

O Sr. Ardurat bateu na porta uma vez, com força, o que Victor tomou como um aviso para que calasse a boca. Ele se sentou na cama de Alexia, segurando a foto de um garoto qualquer com um recém-adquirido pomo de adão. O parapeito da janela estava coberto de vidros de esmalte de cores vivas e globos de neve de plástico. Victor balançou a cabeça e quase riu. Todo aquele risco para conseguir apenas a foto da paixonite de uma adolescente. No entanto, olhando para a foto, para uma parte minúscula do aparelho nos dentes superiores do garoto, ele soube que não fora apenas pelo colar que arriscara tudo. Fora também pela paixonite *dele*, tão antiga que até parara de pensar se Kezia era realmente a mulher certa para ele. Estava apenas acostumado demais ao murmurar suave de seu amor por ela. A foto de Kezia ficara tanto tempo pendurada no coração dele, que ou já não conseguia mais vê-la ou não conseguia imaginar as paredes sem ela.

O eco da voz de Alexia veio do andar de baixo, deixando claro um toque de pânico. Por mais assustado que estivesse, Victor também se sentia constrangido. A garota provavelmente achava que ele estava vasculhando sua gaveta de roupas de baixo naquele exato momento. E, se ele achasse que havia uma chance de o colar estar escondido em tal gaveta, provavelmente era o que estaria fazendo. Victor colocou a cabeça entre os joelhos e exalou.

– Não sou ladrão – gritou Victor. – Nem estuprador. *Pas de violate votre femme.* Juro.

– *Ferme la bouche.* – O Sr. Ardurat bateu novamente na porta. – Não se mexa, babaca.

Soou como *boboca*.

– Está certo. Mas posso explicar...

Era mentira. Desde a Flórida, Victor sentira que estava em um caminho. Talvez não o caminho certo, mas, ao menos uma vez, um caminho. Uma única sucessão de eventos que fazia com que ter as chaves do seu apartamento copiadas por Matejo e ser espancado em Rouen parecessem a mesma coisa. Tudo era parte do colar, como se o fantasma de Guy de Maupassant e Johanna Castillo, e da tia de Johanna, e do amante nazista da tia de Johanna, estivessem todos esperando por ele em algum lugar, todos contando com Victor para repor o que eles haviam perdido, todos prometendo reconectá-lo com o mundo.

Victor não tinha uma explicação, mas isso era diferente de não ser capaz de explicar.

QUARENTA E TRÊS

Nathaniel

O cardápio do restaurante estava amarrado com tiras de couro, com um ramo de lavanda enfiado no nó central. Como não conseguia soltar o nó, Nathaniel pressionou o cardápio contra a barriga e tentou puxar as tiras para baixo, pela lateral. Kezia levou o punho ao rosto, os dedos sob as narinas, para abafar o riso.

– O que foi?

– Nada. – Ela balançou a cabeça.

– Onde está a carta de vinhos? – Ele procurou na mesa. – Deve ser a que está enfeitada com um cadeado...

Kezia puxou uma das tiras de seu próprio cardápio, que se soltou obedientemente. Então ela se inclinou sobre a mesa e fez o mesmo com o cardápio dele. Depois de dias comendo no carro, um cardápio de um restaurante com estrelas Michelin era quase tão extenso quanto absorvente. Salmão negro com brotos crocantes de vegetais. Coelho recheado com alcachofras e azeitonas. Foie gras com cubos de figos. Pé de porco com mostarda picante e mexilhões. Filé de pato assado com cenouras e nabos salteados. Camarões graúdos em uma mousse de chutney guarnecidos com purê de tamboril, e uma espécie de feijão branco, chamado Coco de Paimpol, com ostras fritas ao limão. Havia uma página separada com uma tábua de queijos. Nathaniel consumira mais laticínios em quatro dias na França do que em um ano em Los Angeles.

A última página apresentava apenas duas sobremesas: um suflê Grand Marnier e algo que tinha a audácia de se chamar "bola de ameixa azul".

Kezia olhava para o cardápio como se estivesse decidindo onde fazer a primeira incisão. Quando um garçom apareceu para ajudá-la, ela estava preparada com tantas perguntas que Nathaniel pensou que acabaria perguntando o que significava "salteado".

Ele se recostou na cadeira.

– Gosto do fato de você comer carne.

– Fico feliz por isso. – Kezia desdobrou o guardanapo em uma tenda grande e pesada.

Quando a comida chegou, eles já haviam tomado dois Martinis e estavam dando seguimento aos trabalhos com vinho, que era constantemente reposto, tornando, assim, impossível saber quanto haviam consumido. Os pratos vieram com o molho marcando o prato artisticamente, no formato de aspas.

– Sabe o que deveríamos fazer? – Nathaniel jogou uma concha de marisco em uma tigela vazia.

– Tenho medo de estar prestes a descobrir.

– Essa noite todas as minhas ideias são brilhantes.

– É verdade. – Ela levantou as mãos abertas. – Eu lhe concedo o direito.

– Brincar de "Transar, casar ou matar".

– Concedi demais. Estou des-concedendo.

– Vamos. Você adora charadas.

– Transar, casar ou matar não é uma charada. Isso é uma charada: um homem é encontrado morto em um quarto com 53 bicicletas. Quem é ele e como morreu?

– O homem é um apostador que foi pego trapaceando. Há 52 cartas em um baralho da marca Bycicle (bicicleta), assim o oponente dele descobriu que ele havia escondido uma carta na manga e o matou.

Kezia tirou um grampo dos cabelos e girou uma mecha entre os dedos.

– Muito bem. – Ela ficou meio vesga. – Você primeiro.

Nathaniel imaginou se também estaria ficando vesgo. Estava zonzo e tinha duas vezes o tamanho dela.

– Caroline, Paul e Victor.

– Detesto essa brincadeira. Vamos deixar registrado que detesto. Muito bem. Ora, não posso matar Caroline, caso contrário, quem vai pagar o jantar?

– A abordagem literal. – Ele encostou o copo no dela. – Gosto disso.

– Portanto, é óbvio que transaria com Caroline, casaria com Paul e mataria Victor.

– Você é mesmo muito má. A resposta *obviamente* é casar com Caroline, transar com Victor e matar Paul.

– Explique – disse ela, a voz abafada por um copo de vinho do tamanho de seu rosto.

– Caroline pelo dinheiro. Você estaria garantida para o resto da vida. Paul porque adoro Paul... todos adoramos Paul.

– Alguns meses atrás, você o chamou de diletante.

– O quê? Não fiz isso. Não acho que Paul seja um diletante. Só acho que você teria um casamento entediante com ele. E Victor é... Victor é alto demais. Se é que entende o que estou dizendo.

– Ah, pare com isso.

– Morei com o cara. Aquele vidro ondulado do chuveiro não cobre tanto assim.

– Pare, por favor.

– A gente só imagina que ele seria um cara mais confiante, só isso...

– Não, *você* imaginaria isso, porque os homens se preocupam mais com o tamanho do pênis de outros homens do que as mulheres.

— Sua vez.

— Muito bem. — Ela jogou uma cenourinha na boca. — Bean...

— Acabou. Não importa o que mais você diga, vou trepar com Bean.

Kezia bufou longamente. Nathaniel fez sinal para que o garçom servisse outra garrafa de vinho.

— Muito bem. — Ela estendeu a mão através da mesa, se preparando para ser coerente. — Está certo. Você, Emily Cooper, Percy.

— Você não pode me colocar na posição de transar comigo mesmo.

— Que ego! Como sabe que não o estou colocando na posição de se matar? Muito bem: Percy, Emily e eu.

Ela levantou uma sobrancelha e fez um gesto de quem mandava ele seguir em frente.

— Matar Emily. Isso é certo. Ela vai cair do alto de um rochedo. A questão é que já moro com Percy, portanto há uma vibração de união estável na nossa relação. Mas e então? Você não quer ser fodida por falta de opção, quer?

— Também não quero me casar por falta de opção.

Os lábios dela estavam manchados de vinho. Seus dentes pareciam enormes contra eles.

— Gostaria que tivéssemos tequila. — Kezia chutou longe os sapatos e um deles atingiu o possível Cézanne.

— País errado.

Ela afundou em uma das poltronas no extremo do quarto, levantou-se e logo voltou a afundar em outra. Testou para ver se as tiras de couro do apoio de bagagens sustentavam o peso do seu corpo. Nathaniel desabotoou os punhos da camisa, enquanto Kezia ia até o armário de bebidas, um baú de madeira com um medalhão de estrela incrustado.

– Deve haver tequila na França. – Ela se agachou e virou as garrafas para checar os rótulos. – Principalmente em um lugar como esse. Mas não vou comer o cavalo-marinho se encontrar a garrafa.

As solas sujas dos pés dela oscilavam para a frente e para trás, esforçando-se para mantê-la equilibrada.

– Isso é um código para alguma coisa?
– O cavalo-marinho. – Ela soluçou. – Na tequila.
– A larva?
– Foi o que eu disse, a larva marinha.

Kezia acabou desistindo de procurar. Ela abriu uma das janelas e se debruçou na direção da brisa marinha. Nathaniel atravessou o quarto tentando manter o corpo firme. Ele se debruçou ao lado dela, respirou fundo e esticou o braço para passar ao redor da cintura de Kezia. Ela olhou para a mão dele como se pertencesse a uma terceira pessoa.

– Deus – disse Kezia, batendo no peitoril para enfatizar seu ponto. – Deus!
– O que foi?
– Olhe onde estamos. Como chegamos aqui?
– Sinto vontade de responder "de carro".
– Está certo, mas vou lhe fazer uma pergunta a sério. Você acha... acha que estamos todos presos a um passado que não está preso a nós? Não quero ser dramática, mas, tipo, talvez nossas amizades de colégio devessem todas usar uma grande pulseira de NR. Não Ressuscitar.
– Sei o que significa NR. Mas não posso responder por você.

Na verdade, ele podia. Era a mesma sensação de distanciamento que ela tentara expressar na noite da véspera. Mas para que dar forma às percepções de Kezia sobre ele, falando a respeito? Ele era Dorian Gray e ela era a encarnação do quadro: se Kezia parasse de pensar nele como ele costumava ser, Nathaniel temia que aquela versão de si mesmo deixasse de existir.

– Hummm. – Kezia levantou os olhos para o céu.

Uma Kezia sóbria o teria atacado por não ter respondido. A Kezia bêbada deixava as perguntas de lado logo depois de fazê-las.

– Eu me pergunto que barulho fazem os cavalos-marinhos. – Ela pousou o queixo com força sobre a palma da mão.

– Kezia? – Nathaniel pressionou o nariz contra o dela.

– *Oui?* – perguntou ela em um soluço.

Ele pressionou-a com mais força. O hálito de Kezia tinha cheiro de molhos e vinho. Seus lábios estavam relaxados. Ela abriu os olhos. Perto daquele jeito, parecia um ciclope sexy. Nathaniel pressionou delicadamente a cartilagem do nariz dela. A boca de Kezia se abriu de um jeito que ele achou tão irresistível que pensou que cairia em cima dela.

– Oi – disse Nathaniel. E beijou-a. De verdade.

Ela pareceu surpresa, mas logo também o estava beijando, língua com gosto de vinho e tudo, agarrando-o pela nuca.

Eles se afastaram da janela e se desviaram do labirinto de mobília que os separava da cama. Kezia se afastou do rosto de Nathaniel e o olhou nos olhos – primeiro um olho, depois o outro –, como se estivesse tentando distinguir a cópia de uma fotografia do original. Nathaniel afastou as alças do vestido do ombro dela, mas o vestido continuou no lugar.

– Tsc. – Ele franziu o cenho.

Kezia abaixou um zíper escondido na lateral do vestido. O zíper fez o som de um minúsculo motor sendo ligado. Então a roupa de baixo também foi tirada, se enrolando em suas pernas.

Kezia parecia ao mesmo tempo orgulhosa e envergonhada de estar nua. Ela se desculpou pelo "estado dos seus pés", enquanto o empurrava gentilmente de costas na cama, parecendo determinada a que ele a possuísse em determinados ângulos. Mas Nathaniel queria todos os ângulos. Ele desligou um dos abajures, mas deixou o outro ligado propositalmente. Àquela altura, estavam os dois nus e Nathaniel podia sentir uma parte do seu cérebro se descolando dele. Essa parte não foi muito longe... estava sentada sobre um pufe excessivamente fofo, observando tudo aquilo acontecer.

Kezia era macia, até os pés eram, e os lábios de Nathaniel subiram, beijando o pescoço dela, antes de voltarem aos seios, até sua cabeça estar na pélvis dela.

– Ah – disse Kezia, cobrindo o rosto com o braço.

Nathaniel não queria que Kezia pensasse sobre o que estava acontecendo. Por isso, puxou as pernas dela com mais força contra os ombros dele, em uma tentativa de fazê-la esquecer. Ele subiu sobre toda a extensão do corpo dela, secando a boca contra seu ombro. Nathaniel pressionou o rosto no pescoço de Kezia e olhou para baixo, para confirmar que estava tudo alinhado. Ela o puxou mais para perto.

Eles se encaixavam perfeitamente. De certa forma, era melhor do que com Bean, embora Nathaniel não soubesse dizer como. Talvez fosse psicológico, a mistura intoxicante do familiar com o desconhecido. Toda aquela curiosidade casual respondida. Ou talvez Kezia tivesse uma vagina mágica, que o apertasse exatamente do jeito certo. Ela realmente parecia quente por dentro, no que se referia à temperatura. E ficara úmida no instante em que ele a tocara. Ou talvez fosse apenas o modo como os dois se olhavam... agradavelmente nebuloso.

Depois de tudo acabado, Kezia passou a perna por sobre a dele e ficou deitada ali, com os cabelos espalhados sobre o travesseiro. Normalmente, nesses momentos, Nathaniel se sentia pressionado a dizer alguma coisa. Não uma mentira, para ser exato, mas uma gentileza para aplacar os ressentimentos que invariavelmente surgiam quando desapontava a mulher ao seu lado. Mas como não sentiu pressão alguma, ele apenas viveu o silêncio até um espaço se abrir por conta própria. Nesse espaço flutuavam emoções desconhecidas, emoções que se comportavam como se estivessem esperando havia anos e apenas agora saísse a permissão para assentar. Nathaniel podia sentir o coração pulsando em suas têmporas. As palavras saíram com tamanha força, que ele praticamente gritou-as:

– Eu amo tudo em você.

Kezia o beijou e passou o braço ao redor dele. Nathaniel estava esperando por uma resposta, acariciando o braço dela com os dedos, em movimentos circulares, e vendo se afastar o momento em que ela poderia dizer alguma coisa em retorno. Ele começou a preparar suas defesas. Talvez fosse melhor para ela não retribuir o sentimento. Talvez não fosse real e ele só quisesse ouvir como soava ser tão apaixonado por alguma coisa. Talvez fosse como perder o último trem para um destino onde você não tem certeza de que realmente quer ir.

Kezia levantou o rosto para encará-lo.

– Ora, isso com certeza não é verdade – sussurrou ela, sorrindo contra o peito dele.

QUARENTA E QUATRO

Victor

Vista do lado de fora, a cadeia de Dieppe mais parecia uma locadora de automóveis. As palavras POLICE MUNICIPALE estavam pintadas na calçada e havia carros de polícia compactos estacionados em fila. Do lado de dentro, a área da recepção era coberta de fotos de policiais aposentados e placas de serviço. A sala em si era nua, a não ser por uma mesa, um cacto (estranha escolha de planta para uma cadeia) e um caixa automático de banco, o que Victor achou animador. O que acontecia ali exigia capitalismo temporário, não encarceramento permanente.

Dois policiais, uma mulher com um rabo de cavalo baixo e um homem de cavanhaque, conversavam perto de um bebedouro, enquanto Victor e seu pulso esquerdo eram algemados a um banco. Preso à parede atrás dele estava um pôster com a foto de conhecidos criminosos normandos, e Victor teve quase certeza de que um deles era Cara de Veias. Ao menos havia tomado uma joelhada na cara de um profissional.

Demorou cerca de uma hora entre o momento em que os Ardurats o trancaram no quarto da filha e a chegada da polícia. Mais alguns minutos se passaram enquanto Victor alegava sua inocência em um francês capenga e, de algum modo, em um inglês ainda mais capenga. Por fim, dois policiais invadiram o quarto, um deles empunhando um revólver. Victor estava com os braços para cima e a cabeça baixa, por isso não conseguiu ver bem a arma. Ele foi escoltado na semiescuridão pelas escadas de mármore. Alexia e a mãe àquela altura já estavam em outra ala da casa, a Sra. Ardurat provavelmente tentando minimizar qualquer dano psicológico permanente (medo de alguém entrar no próprio quarto, por exemplo).

Os policiais enfiaram Victor em um carro e gritaram em francês através da tela metálica. O Sr. Ardurat preenchera o boletim de ocorrência e, por isso, entrou no próprio carro e seguiu a viatura de polícia para fora da propriedade, através de alamedas de árvores retorcidas e arbustos, os galhos arranhando a janela. A bicicleta alugada de Victor estava em algum lugar naquele bosque. Ele virou o corpo no assento de couro sintético e observou o castelo se distanciar. Havia um certo sobe e desce na silhueta do telhado, como se tivesse sido desenhado por uma agulha de eletrocardiograma.

⇥≡◯≡⇤

A princípio, pareceu que os policiais iriam interrogá-lo, mas não prendê-lo. A história de Victor era bizarra demais para ser ameaçadora. Mas as coisas tomaram um novo rumo, pior, quando pediram a Victor que ele entregasse um segundo documento de identificação, além do passaporte. Ele não tinha outra forma de identificação. Os ladrões usando roupa esportiva em Rouen haviam roubado sua carteira. E estavam livres por aí, os verdadeiros criminosos, enquanto Victor estava sentado ali.

Havia três *chambres* nos fundos da cadeia. Em duas das celas cabia uma, talvez duas pessoas. Elas tinham cadeiras frágeis de plástico e urinóis baixos. A terceira era grande o bastante para acomodar toda uma gangue de ladrões e estupradores. Todas as celas estavam vazias, mas eram apenas duas da manhã, o equivalente a oito da noite no horário dos criminosos. Colocaram Victor na cela maior. Ele viu o Sr. Ardurat no fim do corredor, sendo interrogado por um policial, reencenando os eventos da noite com as mãos. A careca dele estava vermelha de raiva – uma emoção melhor do que medo, para os dois lados.

A linha de visão de Victor foi interrompida por uma policial corpulenta. Ela estendeu um pedaço de papel através das barras. Victor recuou um passo. Ele não sabia de muita coisa – o que era óbvio –, mas já vira filmes o bastante para saber que não deveria assinar nada. Ela sacudiu o papel e piscou para ele. *Piscou*. Exatamente como a mulher do metrô e a garota na loja de bicicletas. Ele se inclinou para a frente e, em vez de um depoimento, a mulher segurava um pedaço de papel em branco.

– *Le pianiste, ouais?*
– O quê?
– *J'ai adore* Minuit à Paris, *monsieur Brody*.
– Não, não... Não sou...
Ela sacudiu novamente o papel. *Como pombos*.
– Foda-se – disse ele, pegando a caneta da policial e assinando o nome de Adrien Brody. O policial que o colocara dentro do carro no castelo sussurrou irritado para a colega e mandou a mulher embora, mas não antes que ela tivesse a oportunidade de soprar um beijo para Victor.

O policial pegou uma cadeira de plástico e arrastou-a pelo chão de concreto. Ele tinha uma cabeça desproporcionalmente quadrada, como a cabeça de um daqueles porta-balas Pez com cabeça de bonecos. O rosto de Victor estava se curando e o olho dele começava a coçar nos cantos. O policial se sentou na cadeira com as pernas abertas e jogou a bolsa de viagem de Victor entre eles. Ele não queria um autógrafo de Victor, que se levantou quando o homem abria o zíper da bolsa.

– *C'est quoi, ça?* – O policial levantou o aparador de pelos de nariz.

– É para os pelos do nariz.

– Pelos do nariz.

– *Follicules* do *le nez*. – Victor inclinou a cabeça e fez um gesto de tesoura com as mãos.

O policial o encarou com uma expressão de piedade divertida e encarou a prancheta contra o joelho.

– Quer entrar em contato com o consulado norte-americano?

– Eu preciso entrar em contato com o consulado norte-americano?

– Explicaram adequadamente ao senhor que deve consultar um advogado francês?

– Quero dizer... o senhor está me explicando agora. Preciso de um advogado?

Victor não poderia pagar por um advogado em nenhuma moeda.

– Não sei. – O policial apertou a extremidade da caneta e se inclinou sobre a prancheta. – Não sou o senhor. Conte-me por que estava na propriedade do castelo?

– Fiz a visita guiada mais cedo, hoje.

– Pagou o ingresso?

A criminalidade corria tão fundo nas veias de Victor que ele perdera noção de seus crimes. Aquele provavelmente não era um bom momento para mencionar a bicicleta.

– Por que não foi embora depois que fecharam?

– Estava olhando ao redor e devo ter adormecido no galpão do jardim.

– Com certeza o galpão não estava aberto, não era parte da visita guiada oficial.

– Não estava trancado, havia apenas uma pequena trava de metal que eu levantei.

– E lhe pareceu um bom lugar para tirar uma soneca?

— Não estava me sentindo bem.

O policial levantou as sobrancelhas e inclinou a cabeça para trás em seu pescoço de máquina de balinha... então marcou alguma coisa na prancheta e rabiscou nas margens.

— Fisicamente. — Victor queria aquela anotação apagada. — Mentalmente, estou bem.

— Por que não ficou no galpão até amanhecer?

— Meu celular ficou sem bateria, por isso pensei em usar o telefone da casa principal.

— Monsieur Wexler, na França é crime mentir para um policial.

— Mesmo se não estivermos na corte?

— Onde está hospedado quando não está invadindo castelos?

— Eu estava ficando com um amigo...

— Não era um amigo tão bom assim se o senhor foi obrigado a dormir em galpões.

— Ele mora em Rouen.

— E o senhor chegou a Rouen de trem? Tem a passagem?

— Não, está na minha carteira.

— O senhor disse aos policiais que o prenderam que foi assaltado em Rouen. Seu amigo não comunicou o roubo à polícia de lá?

— Duvido muito que ele tenha feito isso.

— Qual é o nome dele, por favor.

— Não sei. Eu o conheci naquela noite.

— Onde?

— Em um bar. E não sei o nome do bar.

— Foi lá que conseguiu os machucados em seu rosto?

— Como?

— Por causa de um... encontro mais intenso? O senhor e esse homem fizeram sexo?

— O quê? Não. Acha que sou michê? — Victor se sentiu levemente lisonjeado.

— Não penso nada do senhor. Qual é o nome da sua companhia aérea?

— United Airlines. — Victor engoliu em seco e o policial anotou. — Vai me manter aqui durante o fim de semana para me interrogar?

— *Au contraire*. — O policial recolheu a ponta da caneta. — Queremos confirmar que o senhor está partindo. Tem muita sorte, monsieur Ardurat não vai dar queixa do senhor e não podemos obrigá-lo a testemunhar, mesmo o senhor sendo culpado de invasão de propriedade do governo.

Victor não conseguia acreditar. O Sr. Ardurat não apresentara *cheicha*. Ele começou a agradecer ao policial, como se o homem houvesse feito pessoalmente aquele favor, mas então lhe ocorreu... ainda estava atrás das grades.

— Descanse um pouco, monsieur Wexler, tenho que terminar sua documentação.

— Está certo, obrigado — falou Victor, os olhos na bolsa de viagem, ainda nas mãos do policial.

QUARENTA E CINCO

Kezia

Ela se levantou em câmera lenta e levou o celular para o banheiro, usando-o como lanterna. A manhã já estava adiantada, mas as cortinas pesadas do quarto haviam ajudado os dois a dormirem até mais tarde. Kezia perdera quatro ligações de Sophie e duas mensagens, ambas deixadas em um maldisfarçado tom de pânico. A primeira era sobre o site da internet. Só estava carregando até 75 por cento (*Outras pessoas são apenas contas nesse fio...*) e congelando. Mas a próxima falava do verdadeiro problema. Todas as amostras da próxima estação já deveriam ter chegado àquela altura. Mas um par de brincos havia sido perdido no correio e os substitutos só chegariam depois que a coleção já houvesse sido fotografada. Os brincos, então, deveriam ser deixados inteiramente fora do catálogo? Ou valia a pena atrasar os materiais de divulgação? Decisões, decisões. Sophie declarou seu desejo de "não incomodar" Rachel com uma "coisinha tão minúscula", enquanto a chefe estava no Japão.

Que Sophie resolvesse seus próprios problemas como adulta. Logo, logo haveria outra Sophie. Nova York estava cheia de Sophies. Aquela semana fora uma bela folga delas. Kezia estava enjoada de ser bombardeada por elas, cansada que a sexualidade infantil daquelas garotas ditasse como ela, Kezia, deveria *ser*.

– Sabe o que é importante? – dizia Sophie. – Se descobrir! Quem era você aos doze anos? Essa é quem você é. Aquela garota.

Deve se manter ali. Qualquer movimento além dos doze anos foi um movimento na direção errada. É verdade, isso significa que você desperdiçou completamente *décadas* se tornando uma adulta, mas não é tarde demais para priorizar a estampa de bolinhas, adotar um coelhinho e chamá-lo de Miu Miu. Se não houver um lugar para piquenique clássico perto da sua casa, isso pode ser resolvido.

Kezia jamais seria uma Sophie. Era uma mulher adulta, que tinha pelos irregulares ao redor dos mamilos, que não queria ficar se autoafirmando diariamente na frente do espelho, que não sonharia em pisar na balança do banheiro sem urinar primeiro, que fazia testes para saber se tinha doenças venéreas, e que saía em brigas terríveis com a empresa de táxi. Isso era tão errado assim?

Kezia acreditava, de um modo indireto, que a culpa da noite da véspera poderia ser imputada às Sophies. Era culpa delas que, por anos, Kezia houvesse se permitido acreditar que estava apaixonada por um homem que não mostrava interesse em ter um relacionamento. Uma paixonite infantil. Elas haviam feito aquilo. Haviam feito de Nathaniel Healy (com a ajuda de várias garrafas de vinho francês) o ideal romântico de Kezia: um homem-criança, emocionalmente infantil e indisponível, que vivia do outro lado do país. As Sophies haviam se infiltrado na mente de Kezia. Mas onde estavam elas agora que Kezia e Nathaniel haviam dormido juntos? Provavelmente em Nova York. Não estavam ali para dizer a Kezia o que aconteceria a seguir. Ela teria que sair do banheiro sem as Sophies.

Kezia esfregou os dedos no piso de cerâmica. Ela pensou em Nathaniel brincando, dizendo que amava tudo nela. Depois que percebera que ele estava sendo sincero, não poderia voltar atrás. Kezia queria dar ao seu eu mais jovem, que precisava disso, o presente de ouvir Nathaniel dizendo aquilo. Queria embrulhar as palavras para presente com um laço de fita e deixá-las do lado de fora do quarto da Kezia de dezenove anos, no dormitório da faculdade. A verdade era que até muito recentemente, até a semana anterior, aquele teria sido um belíssimo presente. Mas algo no fundo do coração dela se cansara de querer Nathaniel, se cansara de estar mais interessada na vida dele do que na dela mesma. Só naquele momento ocorreu a Kezia que o seu sonho na ala da maternidade não tinha a ver com um coração partido. Era o subconsciente dela, se despedindo.

– Você caiu? – Nathaniel bateu delicadamente na porta. – Temos que ir embora.

– Certo. – Kezia abriu a torneira de água fria. – Já estou indo!

Ela pegou uma barra de sabonete embrulhada na prateleira acima da pia. Embaixo, lia-se em uma letra minúscula: *"Une propieté de Markson."*

Uma chuva quase invisível começou a cair, forte o bastante para deixar o cenário enevoado, mas não tanto que os obrigasse a aumentar a velocidade dos limpadores de para-brisa. Eles demoraram algum tempo para encontrar o castelo de Miromesnil, mesmo depois de encontrarem Tours-of-David-Arquette, indo e voltando de estradas rurais e através de bosques até Nathaniel parar o carro, frustrado, e tirar o mapa da mão dela. Vinham rodando em círculos ao redor de uma estátua de Maupassant.

– Obviamente estamos perto – bufou ele.

Enquanto Nathaniel dobrava e desdobrava bruscamente o mapa, Kezia examinava a fotografia que tirara no escritório de Claude. Só para se certificar de que, depois de tudo aquilo, ela não havia pegado o endereço errado. Então Kezia viu uma placa de madeira elegante, parcialmente obscurecida por galhos.

– Ahã. – Ela bateu com o nó do dedo na janela.

— Ah, graças a Deus. – Nathaniel jogou o mapa por cima do ombro.

⭐

A relva era orvalhada e fria contra os tornozelos dela, conforme se aproximavam. Um coelho esperou até que estivessem próximos o bastante para assustá-lo e saiu pulando pelo gramado. Victor fora até ali? A ideia dele ali subitamente parecia tão absurda para Kezia como parecera a Nathaniel aquele tempo todo. Pássaros debatiam uns com os outros nas árvores. O ar era tranquilo, a casa chamava a atenção de tão bonita. Nada naquela imaculada pilha de tijolos sugeria que haviam testemunhado nada tão fora do comum quanto um norte-americano fora de seu habitat natural.

Quando chegaram ao portão, descobriram que estava trancado. Nathaniel sacudiu-o.

— Talvez não seja aberto ao público.

— Mas é. Verifiquei antes de partirmos. Ou deveria ser. Não estou entendendo.

Ela também tentou abrir o portão e examinou-o. Finalmente, uma mulher surgiu das portas de vidro da casa e caminhou com determinação até eles, o barulho do cascalho sob seus pés ficando mais alto conforme ela se aproximava. A mulher tinha cabelos muito finos que flutuavam no ritmo dos seus passos.

— Lamento – disse ela, assim que se aproximou o bastante para conseguir falar sem precisar gritar –, mas não há visitas guiadas ao castelo hoje.

— Como ela sabia que éramos norte-americanos?

— Porque nós somos norte-americanos. – Kezia voltou a atenção novamente para a mulher. – Mas é sábado.

Kezia imaginou que o fim de semana fosse o pior momento para um castelo isolado fechar. Por outro lado, ela se tornara íntima

O FECHO

da lógica francesa. Se todos os museus ali fechavam aos sábados e abriam às segundas-feiras às 14:56, deveria ter imaginado.

– Clássico. – Nathaniel foi rápido em aceitar a derrota. – *Allons--y*. Vamos voltar para Paris. Desculpe incomodá-la, madame.

Nathaniel se virou para ir embora e a mulher fez o mesmo, cada um andando em uma direção. Kezia os imaginou contando passos sobre o cascalho.

– Espere – gritou ela –, o castelo está sempre fechado aos sábados?

– *Non*. – A mulher se virou novamente na direção deles. – São bem-vindos para retornar no próximo sábado.

– Posso lhe perguntar por que estão fechados hoje?

– Fomos invadidos na noite passada. – A postura dela era ao mesmo tempo estoica e exasperada. – Por isso, sem visitas guiadas hoje.

Aquilo, Nathaniel ouvira. Ele parou e se virou. A expressão paralisada de seu rosto era semelhante à do coelho. Kezia correu os dedos pelo portão. Nathaniel jogou as mãos para o alto e passou-as pelos cabelos, gemendo.

– Que terrível... – Kezia balançou a cabeça. – Ahn, espero que não estranhe a pergunta, mas o invasor era norte-americano?

– Sim. – A mulher cruzou os braços, como que para se proteger.

– E ele era mais ou menos dessa altura – Kezia esticou o braço –, e magro?

– Sim – respondeu a mulher.

Kezia tentou pensar em um modo mais eficaz de fazer as perguntas, mas não precisou pensar muito porque a mulher se manifestou:

– Ele tinha um nariz grande.

– Cacete. – Nathaniel voltou ao portão. – Ele encontrou alguma coisa? Quero dizer, ele levou alguma coisa?

– Não... mas assustou nossa filha, que é a responsável pela visita guiada, por isso não haverá visitas hoje. Ele é amigo de vocês?
– É amigo dela.
Kezia chutou a parte de trás do joelho de Nathaniel, forçando-o a dobrar o corpo.
– É nosso amigo – consertou ele. – Pedimos desculpas pelo comportamento dele.
– Onde ele está agora?

QUARENTA E SEIS

Kezia

A delegacia de polícia cheirava a tabaco rançoso. Uma surpresa nada bem-vinda pela manhã, ainda mais quando misturada com o cheiro salgado do ar marinho, que soprava atrás deles. Nathaniel fechou a porta e assumiu o controle da situação, explicando por que estavam ali, quem eram e que tinham ido em paz. Uma parte da mente de Kezia esperava ser dispensada, ouvir que estavam no lugar errado, que era o homem errado, na cidade errada.

– *Ah, ouais* – disse o policial no balcão da recepção. – Monsieur Wexler. *Le chat cambrioleur.* Vou levá-los até ele.

O policial pegou um outro molho de chaves no cinto e afastou a cadeira de rodinhas. Ao que parecia, havia um único homem nos Estados Unidos que iria até a França para invadir um castelo, e esse homem era Victor.

Ele estava deitado de lado, na cama no fundo da cela. Sem que ninguém fizesse som algum, Victor levantou o ombro, com uma expressão de pânico no rosto. Ele se sentou rapidamente e ficou parado na cama por um instante, piscando os olhos e esticando as costas. Victor olhou para Kezia como se ela fosse uma miragem. Então, colocou um pé na frente do outro, como se chegando mais perto pouco a pouco pudesse avaliar melhor se ela era de verdade. Nathaniel tirou uma foto com o celular. O barulho pareceu alto demais e quebrou a concentração de Victor.

— Você vai querer isso. — Nathaniel olhou para a tela. — Acredite em mim.

— O que vocês estão fazendo aqui?

Essa era uma pergunta que costumava ser feita com muita empolgação, ou com muita irritação, mas Victor realmente queria saber. Ele não se barbeara e seu rosto estava mais abatido do que o normal. Havia olheiras escuras sob seus olhos, um pouco de sangue seco perto da orelha, uma mancha roxa com marcas de travesseiro no lado direito do rosto. Também havia um corte acima do lábio dele, lembrando o bigodinho de Hitler. Era impossível não estar doendo quando ele falava. Victor não parecia ter passado a noite em uma delegacia francesa, e sim um mês em uma prisão turca.

— Viemos por sua causa, idiota.

— O que aconteceu com seu rosto? — perguntou Nathaniel.

— O que aconteceu com *seu* rosto?

— Meu rosto está ótimo.

Nathaniel apoiou o braço no ombro de Kezia, mas o braço caiu quando ela se abaixou para ficar no mesmo nível de Victor, que também se agachara e estava segurando as barras como um macaco.

— Como diabos vocês me acharam? — Ele a encarou com seus olhos roxos de macaco.

— É uma longa história. Você está bem?

— Pode pedir a eles um copo com água?

— Eu peço — disse Nathaniel, já descendo o corredor.

— Falando sério, como me encontraram? — Victor resmungou e se sentou.

— De jeito nenhum. — Kezia balançou a cabeça. — É você que está atrás das grades. Você começa.

— Não sei por onde começar.

— Que tal por aqui: você realmente ameaçou Caroline?

– Ela lhe disse disso? Eu a teria ameaçado com o quê, com a faca de manteiga?

Victor coçou a cabeça e Kezia pensou que, em vez de um ato de contemplação, aquilo poderia ser uma reação a piolhos.

– Ela me acusou de roubar as joias da falecida mãe de Felix... embora, para ser justo, Johanna não estivesse morta na época... e eu lhe disse que não porque não. Pensando a respeito, não sei por que *você* diria qualquer coisa a Caroline, já que Caroline me despreza.

– Rá. – Kezia bufou. – Não jogue a culpa em mim. E ela não *despreza* você.

– Com certeza despreza.

– Mas você pegou alguma coisa naquela noite, não pegou?

Antes que Victor pudesse responder, Nathaniel voltou com um pequeno cone de papel cheio de água.

– Tentei encontrar um de plástico, mas eles não acreditam em plástico aqui.

Victor fez uma pausa entre goles vorazes.

– É porque é possível usar o plástico para fazer uma faca.

– Veja só. – Nathaniel cutucou Kezia com o cotovelo. – Uma noite na cadeia e já é um especialista.

– Sou. – Victor deu mais um gole. – Por exemplo, sei que a cadeia é o único lugar na França em que não se pode fumar. E que não há nada parecido com fiança nesse país. Em vez disso, eles podem mantê-lo preso mais um pouquinho só por diversão. É pouco ético *e* nada econômico.

– Ora, que bom – comentou Nathaniel. – Porque não estou muito disposto a negociar com essas pessoas.

– Ah, não havia percebido que você estava aqui em posição diplomática.

– Vocês podem parar com isso? – Kezia bateu nas barras.

– Já perguntou a ele sobre Guy de Maupassant?

Kezia olhou irritada para Nathaniel. Estava planejando deixar que Victor contasse sua história, e só mais tarde comentaria o que eles já sabiam. Queria ouvir dele, sem aborrecê-lo. Mas Victor passou direto pelo constrangimento e foi direto ao entusiasmo. Kezia só vira Victor entusiasmado talvez umas duas vezes na vida.

– Você não respondeu ao meu e-mail! Quero dizer, sei que você só fingia estar prestando atenção em literatura francesa, mas deveríamos fazer um curso inteiro só sobre esse cara, estou lhe dizendo. Sabe que ele costumava pregar peças nas mulheres mandando cestas com sapos de presente para elas? Eu teria gostado dele. Você com certeza teria. Guy pegava qualquer mulher que visse lendo seus livros. Era como uma máquina de sexo. E era divertido. Uma vez, fez um garoto se vestir de mulher, entrar na sala de uma mulher e contar a ele tudo o que havia escutado por lá.

– Isso me parece um pouco gay – zombou Nathaniel.

– Você sabia que ele tinha um papagaio chamado Jacquot, treinado para receber as visitas dizendo "Alô, minha putinha. Ooort. Alô, minha putinha"?

Kezia olhou para Nathaniel com uma expressão suplicante.

– Por que saberíamos de algo assim, Victor? – falou Nathaniel em um tom baixo. – Também gosto da história que ele escreveu. É um clássico. Mas ninguém sabe de coisas como essas.

– É exatamente essa a questão!

– Victor...

– Não, quero falar sobre histórias escondidas. Ninguém nunca me deixa falar e quero falar. Eu achava que informação era simbiótica. Achava, no fundo, que a informação tinha uma alma e fatos que queriam ser descobertos. Achava que esse colar queria ser achado. Mas fatos e objetos não ligam a mínima para serem encontrados porque eles não se veem como perdidos. Sabem que são reais sem precisar de nós para lhes dizer. Nesse exato momento, estou falando com vocês, nessa cela...

– Não vamos nos empolgar demais, Mandela.

– ... nesse exato momento há alguma espécie de caranguejo albino perambulando no fundo do oceano. E por que não sabemos sobre ele?

– Porque ainda não o descobriram? – sugeriu Kezia.

Victor fez o som de uma campainha.

– Errado! Porque temos um relacionamento disfuncional com a informação. Acredite em mim, tenho anos de experiência em mecanismos de busca.

– Sim, mas você foi demitido, portanto...

– *Nathaniel* – repreendeu Kezia.

– Ele está falando sobre caranguejos e eu é que escuto um "Nathaniel" por falar a verdade?

Victor não se incomodou.

– Os seres humanos são uns covardes egocêntricos. Se alguma coisa nova aparece, nosso impulso é sacudi-la e dizer: "Santo Deus, tem ideia de como você é importante?" Mas o fato sempre soube que era um fato. Ninguém está escondendo os caranguejos, nem mesmo os caranguejos. E foi *isso* que eu percebi...

Um policial passou por eles, escoltando um garoto com piercings nas sobrancelhas. O garoto estava algemado e cuspiu nos pés de Nathaniel. O cuspe caiu sobre o concreto. Nathaniel afastou o sapato.

– Nada está perdido até as pessoas começarem a alegar que acharam.

Victor sorriu, esperando que eles ficassem encantados com a revelação.

Kezia abaixou a voz e falou em um tom suave:

– Victor, o que isso tem a ver com o colar?

– Eu não o encontrei. Achei que conseguiria. Talvez ninguém jamais o encontre. Na verdade, não importa. Mas isso é o reverso da história. A vida não está imitando a arte, ela é melhor do que a arte. O colar é uma coisa real, que realmente existe.

Ele continuou a falar, contando a Kezia e Nathaniel sobre a cômoda de Johanna e sobre as joias que havia lá dentro, sobre a história da tia de Johanna – a que tentara contar antes a Kezia –, sobre como pegara escondido o desenho do colar e como andara com ele, em todos os sentidos, desde então. Falou que o fato de o colar não ter aparecido não significava que "não estivesse por aí".

– Muito bem – disse Nathaniel, solenemente. – Mostre a ele.

Kezia abriu a foto que havia tirado no escritório de Claude e passou o celular para Victor por entre as barras.

– Victor, foi isso o que você pegou quando esteve em Miami?

Ele olhou para o desenho como um menino vendo um navio em uma garrafa pela primeira vez, tentando descobrir como a foto fora parar no celular dela.

– Como conseguiu isso? Caroline encontrou outra cópia?

– Aff – bufou Kezia e logo suspirou –, o colar não é real, Victor. É de um livro muito antigo, há muito tempo esgotado.

– De um livro?

Ele disse a palavra como se Kezia houvesse acabado de inventá-la, então pousou o telefone no chão. Kezia desejou ter um pouco do gel desinfetante de Grey. Victor se levantou e encarou a parede oposta. Então, começou a caminhar de um lado para o outro, como se estivesse procurando algo para socar. Em vez disso, chutou o urinol com força. E foi pulando em um pé só até a cama, para massagear o dedos.

– Você realmente sabe que não existe colar? – Victor levantou o pé.

– Bem, não. Mas não existe.

– Você sabe tudo o mais.

Agora Nathaniel estava apoiado contra as barras.

– Cara, ela basicamente cruzou o planeta rastreando seu rabo. Eu ficaria grato se alguém fizesse isso por mim. Não posso imaginar ninguém, na minha vida toda, se importando tanto comigo quanto ela se importa com você.

Kezia tentou encontrar o olhar de Nathaniel. Teve vontade de acariciar os dedos dele que seguravam as barras. Mas pensou, pela primeira vez, não na reação de Victor, ou na de Nathaniel. Era a si mesma que não queria dar a ideia errada.

Em vez disso, Kezia fez sinal para um policial que passava. Era um gesto estranhamente parecido com assinar na palma da mão ao final de uma refeição.

– Victor – disse ela –, sei que você queria que fosse de verdade.

– Você está falando como se o colar fosse Papai Noel. Não sou idiota. Tenho uma prova.

– Pode até ter tido, mas ir atrás dela é...

– Loucura. – Nathaniel terminou o pensamento dela.

– Nenhum de vocês entende.

– Por causa dos caranguejos?

– Não, não por causa dos caranguejos. Vocês... vocês não sabem o que é nunca conseguir o que se quer, ir tão longe em um caminho que nem mesmo sabe o que quer, mas o que sabe mesmo é que simplesmente não gosta de si mesmo. Ou talvez nunca tenha gostado tanto assim de si mesmo. Não sei. Mas você se sentia *bem* com isso e agora não se sente mais. Estou enjoado de querer a mesma antiga merda e não conseguir. Estou enjoado de ver meus dias se esvaindo sem que nada jamais mude. Sei como isso soa, eu falando desse jeito estando aqui, mas sinceramente? Não me importo com o que aquela foto diz. Não consigo me lembrar da última vez que me senti tão vivo.

Kezia olhou para Nathaniel que, para sua surpresa, estava preso em uma espécie de transe reverente. É claro que ela percebera que Victor tinha desejos e claro que sabia que seu nome estava na lista, mas nunca lhe ocorrera que o principal desejo dele era *não* desejar. Como o contrário de desejar ter mais desejos.

Nathaniel pigarreou.

– Nesse caso, nesse mesmo espírito de honestidade e compartilhamento e, mais especificamente, no espírito de que a verdade ocupe um espaço onde antes havia mentiras... meu programa não está sendo produzido.

– O quê? – perguntou Kezia, estupefata. – Do que está falando?

– Não está nem perto de ser produzido. Ninguém quer me pagar para escrever o piloto. A maior parte das pessoas não me deixa nem sequer abordá-las para escrever o piloto. Não entro nem na sala de reuniões.

– Eu só queria sair dessa "sala de reuniões" aqui. – Victor olhou para as barras.

Kezia compreendeu que aquela confissão tivera a intenção de ser cativante, de libertar Nathaniel. Mas ele mentira sem uma boa razão. E isso não o tornava mais cativante. Ele só confessara porque Victor falara primeiro.

– Sinto muito – disse Nathaniel.

– Não se importe – retrucou Kezia com um suspiro. – Estou acabando de perceber que sou a única aqui que não é uma grande mentirosa.

– Provavelmente – concordou Victor, esfregando o dedão.

QUARENTA E SETE

Victor

O carro continuava a saltar para a frente. Garrafas de água vazias rolavam de debaixo do assento e batiam de leve nos pés de Victor antes de voltarem para seu esconderijo. Ainda assim, era bom estar em um carro. Pelo espelho lateral ele conseguia ver Kezia dormindo no banco de trás, a boca aberta, o cinto de segurança separando um seio do outro.

Victor observou a área rural francesa de um jeito diferente agora, com a sensação de que conhecia cada curva da estrada. Era a mesma sensação que tivera no dia em que Caroline o pegara na lateral de uma rodovia na Nova Inglaterra... só que mais bonito. Muros de pedra passavam rápido. Macieiras eram como borrões. Victor disputou consigo mesmo para ver se conseguia manter os olhos em uma única árvore até vê-la desaparecer rapidamente de vista. Ele abriu o visor e um pedaço de papel com algo escrito em tinta rosa caiu.

– O que é isso? *"Est-ce que je peux garer ma voiture ici?"* – Victor balbuciou a primeira coluna antes de passar para a segunda. – Posso estacionar meu carro aqui? *"J'ai mes règles e j'ai besoin des tampons."* Estou... estou...

– Menstruada – veio uma voz grogue do assento traseiro. – Ela precisa de absorventes. É de Grey. Deve estar aí há algum tempo.

Victor se virou e olhou para ela, que lhe deu um rápido sorriso antes de se virar pra a janela de novo. Nathaniel, enquanto isso, o enchia de perguntas sobre a briga em Rouen. Victor se pegou respondendo com sinceridade. Sentira medo na época da briga e havia se libertado do ego o bastante para contar o que acontecera. Agora que Kezia e Nathaniel o tinham visto em seu pior, sentia-se capaz de ser o seu melhor. Ou algo próximo a isso.

Nathaniel contou a Victor suas próprias aventuras com Kezia. Algo sobre o modo como ele falava, esquivando-se cuidadosamente do que os dois haviam feito à noite, deixou Victor quase certo de havia acontecido algo entre os dois. Isso não era novidade. Ele estivera quase certo disso várias vezes ao longo dos anos, vivendo em um perpétuo medo de ter a confirmação. Mas agora algo mudara levemente e Victor sentia apenas que *deveria* estar arrasado. Guy escrevera certa vez que "Às vezes choramos a perda das nossas ilusões com a mesma mágoa com que choramos os nosso mortos". Mas Victor já não sentia mais vontade de chorar a perda de suas ilusões.

Conforme chegavam a Paris, a Torre Eiffel se erguia a distância. Sempre que estava em Paris, Guy só comia na base da Torre Eiffel, porque era o único lugar na cidade em que não conseguia vê-la. Victor tentou adotar a mesma exasperação com o monumento, mas a vista não permitiu. A estrada abraçava o Sena, o "rio lindo, calmo e fedorento" que Guy descrevia. Como Victor desconfiara, era muito mais agradável ver o rio ali do que em Rouen. A superfície cintilava em ondas de merengue escuro. A verdade era que ele estava sendo tendencioso. Para Victor, Rouen era nebulosa e violenta.

Havia vários barcos a remo na água. Daquele ângulo, pareciam lagartas que havia sido viradas de costas por alguma criança sádica, os remos descontrolados. Guy costumava subir de barco o rio coberto pela névoa. Ele descansava em certas curvas maiores, em cidades pesqueiras com nomes como Sartrouville, e tomando novo fôlego depois de ver a Notre-Dame se erguer a distância. "Ele levantava os remos", escrevera François, "e acenava para as trinta pessoas que tinha ido vê-lo partir. Então, imitava o movimento de um pássaro grande levantando voo e enfiava os remos na água. Alguns minutos depois, eu só conseguia ver a distância um ponto preto sobre o lençol prateado do Sena."

Victor praticamente podia ver Guy sorrindo por trás do bigode, deslizando pelo rio.

Então Nathaniel passou rápido por um sinal amarelo, o carro foi jogado para a frente e para trás e parou.

Nathaniel olhou pelo espelho retrovisor e disse:

– Desculpe.

Já não mais correndo paralelo aos barcos a remo, o barco imaginário de Guy também seguiu em frente, desaparecendo. Ele sentiu uma mão coçar com carinho a sua nuca.

– Você precisa de um banho. – Kezia passou os dedos gentilmente pelo ombro dele.

QUARENTA E OITO

Kezia

Nathaniel tocou o interfone para o apartamento
– Abram a porta, trouxemos um presente.
– É um Calvados? – perguntou uma voz masculina em meio à estática.
– *Paul* – disse Kezia sem paciência. A porta foi aberta.

Eles subiram as escadas com dificuldade, Nathaniel à frente; eram ainda mais escuras e estreitas do que Kezia se lembrava. Ela se virou para ver se Victor estava atrás e obviamente ele estava. Quando chegaram ao topo, Grey os esperava com a porta aberta, pronta para enchê-los de perguntas sobre a viagem. Ela quase fechou a porta na cara de Victor, como uma fazendeira esperando deixar apenas duas galinhas entrarem de volta no galinheiro.

– Cacete, Victor. – Grey ficou parada, boquiaberta. – Você está... que surpresa! De onde surgiu?

Grey beijou o ar ao redor do rosto dele. Kezia percebeu que deveriam ter planejado o que iriam dizer, quanto iriam compartilhar, mas Victor se adiantou. Ele explicou que havia aproveitado as férias para conhecer a França, em uma viagem de último minuto, como mochileiro. Disse que havia alugado uma bicicleta e tomado um tombo (que era o motivo do estado de seu rosto), e que Kezia havia lhe mandado uma mensagem de texto para dizer que ela e Nathaniel estavam por perto. E pronto.

– Uau. – Kezia sentiu um arrepio diante da rapidez com que ele mentira.

– Sim, uau – concordou Nathaniel.

Paul, que acabara de voltar de seu ritual dominical – uma expedição em busca de queijos na rue des Martyrs – também ficou encantado ao vê-los. Ele os encheu de perguntas, mas os interrompia quando estavam respondendo. Era como observar alguém tentando respirar inalando e exalando ao mesmo tempo. Kezia e Nathaniel ficaram para trás, se divertindo, observando Victor retesar o corpo quando Paul o abraçou como se fosse um irmão.

– Deixe eu lhe mostrar a casa. – Ele deu um tapa nas costas de Victor. – Como vai a *mostofit*.

Ele pronunciava o nome da empresa com o sotaque francês e o resultado era algo ininteligível como "mussetufiti".

– Dominando o mundo, ao que parece.

Paul mostrou o apartamento a Victor. Estava chegando ao fim da história sobre a aquisição da espreguiçadeira "insentável" quando Victor deixou escapar um arquejo. Kezia presumiu que ele estava se solidarizando com o trabalho de transportar mobília do décimo sétimo *arrondissement* para o terceiro no fim de semana. Mas Victor apontou rigidamente para o outro lado da sala.

– O que é aquilo? – perguntou ele, como se tivesse visto um inseto enorme.

– O que é o quê? – Grey estreitou os olhos e olhou para a parede.

– Aquilo. – Victor deixou a bolsa de viagem cair no chão e se sentou sobre a passadeira do hall de entrada.

– Ah, *aquilo*.

Uma cômoda de madeira estava parcialmente coberta por um edredom. Kezia parou em frente ao espelho acima da cômoda, olhando para Victor, sentado no chão atrás dela. Paul puxou o edredom rapidamente, como se fosse um mágico, revelando uma série de gavetas minúsculas e fitas de madeira cobrindo os cantos. Victor ainda estava colado ao chão.

– É... Hummm. – Grey estava perturbada por ele estar sentado daquele jeito.

– Gosta? – perguntou Paul. – Felix vai vender a casa da mãe. E acho que estavam com pressa de se livrar de parte da mobília antes disso. Ele nos mandou várias fotos de coisas que poderíamos ter em primeira mão. Nathaniel, acho que ele não lhe mandou o e-mail porque, bem, a maior parte das peças não são exatamente modernidades do meio do século.

– Claro, faz todo o sentido.

– Vocês ouviram isso? – Grey silenciou a todos.

Ouviu-se o som abafado de um submarino vindo do vaso sanitário.

– Droga! – Ela saiu andando pesado até o banheiro.

Nathaniel passou as mãos pelos cantos da cômoda, tateando em busca de fendas.

– É essa, não é? – Ele olhou direto para Victor.

Victor assentiu.

– Essa é ela? – perguntou Nathaniel, como se pudesse a qualquer minuto dar voz de prisão à cômoda.

– Ei, Paul... essas gavetas abrem ou são só como aquelas gavetas falsas de hotel.

– Ah, não – explicou Paul animadamente. – São só de fachada. Esqueci o motivo. Alguma lógica antiquada sobre confundir os empregados.

Do banheiro veio um som de sucção quase pornográfico do desentupidor sendo enfiado no vaso sanitário.

– Mas essas fechaduras são verdadeiras. – Nathaniel empurrou uma delas com o dedo.

O FECHO

Kezia sabia o que ele estava fazendo, testando os limites da curiosidade de Paul. Victor se levantou. Kezia tentou decifrar a expressão do seu rosto. Os olhos, quase sorridentes, diziam tudo: as joias da mãe de Felix o haviam seguido até a França. Caroline se desfizera delas alegremente – centenas de milhares de dólares em peças preciosas presas em uma cômoda –, e a menos que Victor dissesse alguma coisa, as joias permaneceriam ali. Ele passou pela cômoda e foi até a varanda estreita para fumar um cigarro.

– É um móvel muito legal – disse Nathaniel. – Victor, você deveria vir dar uma olhada no quanto é legal.

– Sim. – Paul espiou as fechaduras como se as visse pela primeira vez. – É uma pegadinha. Os buracos de chave são verdadeiros, mas as gavetas são falsas.

– A realidade é errada. – Nathaniel assentiu com a cabeça. – Os sonhos são reais.

– Quem disse isso? – Paul endireitou o corpo. – Foucault?

– Tupac.

– Estou certo de que Johanna teria ficado feliz por saber que a cômoda acabou nas mãos de amigos – comentou Victor, e virou a cabeça para soprar a fumaça do cigarro.

– Qual era o nome da mãe de Felix? – perguntou Grey, que passava pela sala com o desentupidor pingando na mão.

QUARENTA E NOVE

Kezia

Dessa vez, Claude a manteve esperando por apenas meia hora. Kezia estava arrependida por não ter dito a ele que precisava pegar um avião – Nathaniel havia transferido o próprio voo e estava com Victor no apartamento, esperando por ela –, mas até que tivesse os novos fechos nas mãos, não queria fazer nenhuma outra exigência a Claude. Quando ele saiu do escritório, usava a mesma roupa da última vez, com uma única diferença crucial no comprimento da calça – a cintura ainda era mais alta, mas a bainha fora cortada nos joelhos. Estavam quase em junho, as pernas de Claude precisavam respirar. Elas tinham um leve brilho e fizeram Kezia se lembrar das pernas de um cadáver.

– *T'as perdu ton chapeau, Madeline?*
– O quê?

Kezia tentou não encarar as pernas dele.

– *Rien.* – Claude ficou parado diante dela, mexendo o chá.
– Espere aqui, por favor – orientou ele.

Kezia se sentou. Nada havia mudado muito desde a última vez que haviam se falado. As camadas de pó eram as mesmas. Nem melhores, nem piores. Como se o pó houvesse tomado uma decisão coletiva: olhe, já provamos nosso ponto de vista aqui. Mais camadas de nós não vão resolver nada.

Claude voltou e colocou uma caixa de papelão sobre a mesa de recepção. Então abriu-a com a unha do polegar, sem cerimônia.

O FECHO

Ele tirou um dos novos fechos de dentro de uma sacolinha de plástico e colocou-o na mão de Kezia.

— Está bom? Atende aos padrões de Rachel Simone?

Estava. Eram melhores do que o Starlight Express merecia. Kezia girou-o lentamente entre o polegar e o indicador. Claude havia refeito o *cloisonné* lindamente. Não havia mais estrelas e luas inúteis. Quando apertou o pino de metal, ela viu na mesma hora que era seguro. Não havia mais barulho de nada arranhando, ou sacudindo. Não haveria mais senhoras do Meio-Oeste norte-americano levando as mãos ao pescoço e descobrindo que seus colares haviam desaparecido.

— Está perfeito — disse ela ao fecho.

— Ótimo. — Claude deu um tapinha um tanto forte nas costas dela. — Porque agora você tem uma ordem de compras inteira deles.

O joalheiro largou a caixa e disse a ela que pegaria uma sacola para guardá-la. Em vez de pegar uma bolsa de náilon, segura, ele desdobrou uma sacola de compras usada da Galeries Lafayette, com os cantos prestes a ceder. Como se ela estivesse pegando de volta sapatos que deixara para colocar meia-sola. Kezia sorriu. Transferiria os fechos para a própria bolsa de viagem quando estivesse no saguão.

Claude lhe estendeu a sacola.

— Madeline, você parece interessada em joalheria.

— E sou — respondeu ela.

Isso não era óbvio? Por que mais ela estaria parada ali?

— Nesse caso, acho que deveria considerar uma carreira em joalheria.

Então Claude voltou ao escritório, levando o pote de cubos de açúcar com ele.

CINQUENTA

Nathaniel

—Olhe para ele. Como isso é humanamente possível?
Isso era Kezia sussurrando. Nathaniel fechara os olhos antes da decolagem e estava satisfeito naquele torpor entre o cochilo e o sonho. Mas ainda conseguia ouvi-la. Ele costumava adormecer se concentrando em cenários agradáveis hipotéticos. Ele e Bean sozinhos em uma praia. Meghan se enfiando na cama dele. Luke recebendo a notícia de que seu piloto não fora escolhido para se tornar uma série. Então seus pensamentos se partiam em pedaços, dissolvendo-se lentamente através de suas pálpebras. Mas com Kezia a um apoio de braços de distância, Nathaniel estava tendo dificuldade para mergulhar em seus cenários habituais. Por isso ele se sentou com os braços cruzados e a cabeça recostada, lutando com a mente, desejando que o coração se acalmasse.

Kezia estava sentada no meio, com Victor à esquerda. As pernas mais longas iam no corredor. Por acaso, Kezia e Victor estavam no mesmo voo de volta. E por conta do cartão de crédito, Nathaniel também estava agora. Eles não precisavam se sentar todos juntos. Fora Victor que se adiantara sem dizer nada e entrara na fila para falar com a agente de embarque. Quando chegou a vez dele ser atendido, a mulher pareceu aliviada por não ter que aconselhar mais um passageiro a não colocar seu nome na lista para upgrade de assento. Nathaniel sabia o que Victor estava pedindo. Assim como Kezia. Os dois ficaram apenas observando-o.

Eu amo tudo em você.

Nathaniel ainda se podia ouvir sussurrando isso. Deveria ter dito a ela que a amava do modo convencional? O que ele dissera parecera não apenas certo para o momento, como também uma melhoria da frase habitual. "Eu amo tudo em você." Não apenas *você* como um conceito abstrato. Mas talvez Kezia houvesse encarado como uma fuga da ideia original, no mesmo estilo de *amo... sua testa*. Por que ele não dissera a frase habitual?

– Não tenho ideia. – A voz de Victor era próxima. – Ele parece morto.

Nathaniel podia sentir os dois encarando-o. Ele encostou a testa contra a janela, mas estava vibrando demais. Então abriu um dos olhos e encarou irritado a parede da cabine, como se ela o houvesse ofendido pessoalmente. Quando atingiram a altitude de cruzeiro, ele relaxou e deixou os joelhos caírem para o lado, achando que iriam esbarrar em Kezia. Mas as pernas dela estavam cruzadas na direção de Victor.

– Está feliz por ter contado a eles?

Antes de irem embora da casa de Paul e Grey, Victor contara sobre a gaveta secreta, sobre as joias, sobre a chave enterrada ao redor do pescoço de Johanna (deixando de fora as informações sobre nazistas e o momento em que Victor fora enfiado na traseira de um carro de polícia e jogado em uma cadeia francesa). Se não quisessem exumar o corpo de Johanna ou jogar a cômoda pela janela, teriam que chamar um chaveiro para abrir a cômoda e então, todos concordaram, mandar o conteúdo de volta para a Flórida.

Paul e Grey ficaram profundamente impressionados com a história de Victor, uma reação que nem Kezia nem Nathaniel haviam tido. Mas fatos eram fatos – Victor atendera aos desejos de uma mulher morta. Uma mulher que ele mal conhecia. Não apenas mantivera em segredo a confissão dela, como tentara resolver um mistério para ela. Não ocorrera a Nathaniel ficar impressionado com isso. E se perguntou o que teria acontecido se houvesse sido ele, Nathaniel, a adormecer sem querer na cama de Johanna. Não teria feito nada a respeito a não ser transformar o acontecido em uma boa história de festa. Era uma ótima história.

— Com certeza — disse Victor. — Embora Caroline jamais vá voltar a falar comigo quando descobrir que menti na cara dela. Por outro lado, isso é uma coisa assim tão ruim?

— Caroline não falar com você, ou mentir?

Nathaniel praticamente conseguia ouvir Victor dando de ombros.

— Ela vai voltar a falar com você. Quando ela e Felix tiverem um bebê, você vai ser convidado para o chá de bebê como todo o resto.

Eles pararam de falar. Mais adiante, um bebê começou a chorar. Então Nathaniel ouviu o som de Kezia digitando na tela à sua frente, lendo com atenção as opções de filme.

Ele apoiaria Victor se e quando o outro precisasse, o protegeria da fúria de Caroline. Diria que dera um comprimido a Victor na noite do casamento, quando Victor já estava muito bêbado, por isso não era de estranhar que ele houvesse esquecido a localização das joias de Johanna. Era quase totalmente verdade.

— Sabe o que Paul disse? — perguntou Victor.

Nathaniel sabia o restante da história. Estivera presente durante a conversa naquela manhã e ainda não conseguia acreditar. Estava ansioso para ouvir a reação de Kezia.

— O que Paul disse?

— Que a empresa dele está investigando um novo mecanismo de busca em Paris. Parece que o modelo da *mostofit*, ou *mussetufiti* como ele parece gostar de pronunciar, é meio que reverenciado na França, acredite se quiser, e que eu ter trabalhado para a empresa nos Estados Unidos é fantástico para eles. Enfim, Paul está confiante de que me consegue um emprego.

– Em Paris? – perguntou ela.
– Sim.
– Com parisienses.
– É o que se presume.
– Uau.

Nathaniel percebeu pelo tom da voz de Kezia como ela ficara abalada, e como tentava disfarçar a surpresa. Victor, que ficara para trás em relação a eles por tanto tempo, seria impelido para a frente antes que qualquer um dos dois o fizesse.

– E você se mudaria para Paris?
– Você está com insolação?
– Bonitinho. Acho que parece uma ótima ideia... O que foi? Que olhar é esse?
– Você parece a mãe de um presidiário falando sobre ele ser reincorporado à sociedade.
– Ei – bufou ela –, se a carapuça serve. Não, estou feliz por você. É só que, se você se mudar... vou sentir saudades.

Ela estava falando sério. Nathaniel percebeu isso. E também ouviu o beijo estalado que Victor deu no rosto de Kezia em retorno. E logo outro barulho, mais brusco, quando Victor pegou uma revista no bolso do banco da frente.

– Ah, merda – disse Kezia.

Nathaniel sentiu o aroma dela, que se inclinou para procurar alguma coisa na bolsa. Kezia cheirava ao sabonete da casa de Paul e Grey, a baunilha e tangerina. Seu ombro roçou o joelho de Nathaniel quando ela endireitou o corpo.

– Esqueci de comprar alguma coisa para ler.

Victor soltou o cinto de segurança, se levantou e pegou a bolsa de viagem no compartimento de bagagem. Então a pousou sobre o assento e Nathaniel o ouviu abrindo o zíper. Quando abriu o olho, confirmou que Victor havia pegado: *Os contos de Guy de Maupassant: 1850–1893*.

– Ele, de novo. – Kezia folheou o livro.

Foi difícil para Nathaniel não entrar na conversa, não fazer nenhum tipo de comentário. Supostamente ele, Nathaniel, era para ser o guru literário dos outros dois. Na verdade, ele era para ser seu próprio guru literário. Queria estar ali, de olhos abertos, quando Kezia lesse a história pela primeira vez. Queria saber se ela veria na história tudo o que ele uma vez vira, quando estava fascinado com contos.

– Página 74. – Victor estava sentado novamente.

– Vou chorar? As pessoas têm mais tendência a ficarem emotivas e terem surtos histéricos em aviões. Tem algo a ver com a falta de oxigênio. Ou o excesso.

– Você vai gostar.

– Por quê? A mulher o faz se lembrar de mim?

– Cacete, nem tudo tem a ver com você.

– E nem tudo tem a ver com você, também.

O carrinho com as bebidas passou por eles. Pessoas que jamais pediriam suco de tomate sob circunstâncias normais pediram suco de tomate.

– Ela o faz se lembrar de mim? Não estou sendo metida. Estou querendo saber.

– Ela me faz lembrar de mim – disse Victor –, e de todos que conhecemos, imagino. Acho que a razão para as pessoas acharem o conto tão triste é porque não parece tão triste durante a maior parte da história. Então chegamos ao fim e a vida dessa mulher está totalmente arruinada, e para nada. Você sente simpatia de verdade por ela. E é quando percebe que o colar sempre foi uma espécie de pista falsa, desviando sua atenção do real segredo da história.

– Que é?

– O que chateia não é que o colar seja falso, mas que a mulher seja verdadeira.

– Me dê aqui. – Kezia pegou o livro da mão de Victor.

Nathaniel agora só ouvia o barulho do motores. Eventualmente o sinal avisando para apertar os cintos.

– Não consigo ler com você me observando.

– Não estou observando você – protestou Victor. – Estou lendo essa revista. Sabia que Atlanta tem um mercado florescente de escultura?

– Não consigo ler com você propositalmente não me observando.

– Ótimo. – Ele soltou o cinto de segurança novamente. – Vou urinar.

– Não se demore no corredor. – Kezia se debruçou sobre o assento dele. – Você está parecendo um louco.

Victor disse alguma coisa sarcástica e se afastou. Nathaniel sentiu o movimento muscular dela cutucando-o, o braço empurrando-o rapidamente, seguido por uma risada. Mesmo assim, ele manteve os olhos fechados. E continuou com eles fechados mesmo quando uma criança atrás deles chutou o assento de Kezia. Nathaniel conseguiu sentir o golpe do sapato do garoto e não era nem no assento dele.

– Desculpe – veio a voz de uma mulher pela fresta entre os bancos, fingindo arrependimento –, ele não sabe o que está fazendo.

– Tudo bem – respondeu Kezia, voltou a se virar para a frente e murmurou: – Sim, mas você sabe.

Nathaniel curvou os lábios. Realmente a amava. Era um amor que o relaxava, um amor que corria em seu sangue, que estava em lugar nenhum e em toda parte ao mesmo tempo. Era confortador ser deixado a sós com Kezia. Era como estarem de volta no carro.

Mas no lugar dos assentos do carro, os do avião. No lugar das vacas, comissários de bordo. Nathaniel se visualizou dirigindo pelas estradas brancas que cortavam a Normandia – subindo e descendo, subindo e descendo, passando por um cruzamento, os cabelos de Kezia dançando pela janela aberta.

O corpo dele aceitou a sugestão de sono e cochilou.

– Psssiu – chamou Kezia com determinação. – Abra os olhos.

– Não.

– *Ouvrez vos yeux*. – A voz dela soou arrogante no ouvido dele. – Sei que está acordado.

– Não estou.

– Sim, você está. – Ela cutucou o braço dele com o livro.

– Não estou. Estou sonhando. Estou tendo um sonho em que finjo que estou dormindo e você finge que está acordada.

– Terminei de ler.

– Fico feliz por você.

Se ele ficasse quieto, tinha a possibilidade de voltar a dormir. Poderia dirigir por aquelas estradas por todo o caminho até em casa, os pneus amassando cascalho branco nos cantos de sua mente. Nathaniel apertou os braços ao redor do peito e respirou pelo nariz, o ar entrando profundamente em seus pulmões.

– É triste. – A mão dela estava quente sobre a dele, o único ponto vivo de contato na escuridão seca e fria. – Mas não é insuportavelmente triste.

AGRADECIMENTOS

Estou profundamente em débito com aqueles que me ajudaram a trazer esse romance à vida. Obrigada Sean McDonald, Jonathan Galassi, Eric Chinski, Jeff Seroy, Sarah Scire, Taylor Sperry, Nora Barlow e todos da FSG. Sean, você tem a precisão e a paciência de um lapidador de diamante. Sua fé e sua orientação foram os maiores presentes. Também sou grata ao apoio constante de Jay Mandel (incrível agente e estandarte humano), Catherine Summerhayes, Anna Deroy, Laura Bonner e Jocasta Hamilton.

Ethan Rutherford, Jennifer Jackson e Sara Vilkomerson: não poderia pedir por primeiros leitores mais atenciosos. Vocês são lições vivas de generosidade. Harry Heymann (apoio técnico) e Lisa Salzer (conserto de joias): vocês me emprestaram sua esperteza quando mais precisei. Andrew Mariani, Michelle Quint, Reyhan Harmanci, Nathaniel Rich e Meredith Angelson: obrigada por me permitirem cobrir mesas de jantar nos Estados Unidos com páginas do original e copos de água. Obrigada também ao pessoal do castelo de Miromesnil por ouvir uma centena de perguntas irrespondíveis e por me deixarem entrar na casa grande.

No Departamento da Gratidão Inanimada: peguei o nome Kezia da "Casa de bonecas", de Katherine Mansfield. A tradução de "O colar" que consultei com mais frequência pode ser encontrada em *The Necklace and Other Tales*, da Modern Library. *The Paradox of Maupassant*, de Paul Ignotus, *A Lion in the Path*, de Francis

Steegmuller, *Guy de Maupassant*, de A. H. Wallace e *Maupassant*, de Michael Lerner são todas biografias úteis. E *Recollections of Guy de Maupassant*, de François Tassart foi especialmente vívido e involuntariamente divertido. Obrigada a Wertheim Study, na biblioteca pública de Nova York, onde eu li esses títulos pela primeira vez.

Por fim, à minha família e aos amigos que são como família: que corações enormes sem fundo vocês têm. Que sorte inacreditável a minha de saber que estão sempre ao meu alcance. Mabel ama vocês e eu também.

Impressão e Acabamento:
LIS GRÁFICA E EDITORA LTDA.